¡DEMONOLOGISTA!

Copyright © Andrew Pyper Enterprises Ltd, 2013
All rights reserved.
Todos os direitos reservados.

Tradução para a língua portuguesa
© Cláudia Guimarães, 2015
Título original: The Demonologist

Diretor Editorial
Christiano Menezes

Diretor Comercial
Chico de Assis

Editor Assistente
Bruno Dorigatti

Assistente de Marketing
Bruno Mendes

Capa e Projeto Gráfico
Retina 78

Revisão
Joana Milli
Retina Conteúdo

Ilustrações
Gustave Doré

Impressão e acabamento
Ipsis Gráfica

DADOS INTERNACIONAIS DE CATALOGAÇÃO NA PUBLICAÇÃO (CIP)
Angélica Ilacqua CRB-8/7057

Pyper, Andrew
 O demonologista / Andrew Pyper ; tradução de Cláudia Guimarães
Rio de Janeiro : DarkSide® Books, 2015.
328 p. : il.

ISBN: 978-85-66636-40-6
Título original: The Demonologist

1. Literatura americana 2. Ficção I. Título II. Guimarães, Cláudia

15-0120   CDD 813
         Índices para catálogo sistemático:

         1. Literatura americana

DarkSide® *Entretenimento LTDA.*
Rua do Russel, 450/501 - 22210-010
Glória - Rio de Janeiro - RJ - Brasil
www.darksidebooks.com

Andrew Pyper

— O —
DEMONOLOGISTA

TRADUZIDO POR
CLÁUDIA GUIMARÃES

DARKSIDE

Para Maude

*Milhões de criaturas espirituais andam na Terra
Invisíveis, tanto quando estamos acordados,
como quando dormimos*

JOHN MILTON
Paraíso Perdido

Na noite passada tive o mesmo sonho. Só que não é um sonho. Sei disso porque, quando começa, ainda estou acordada.

Lá está minha mesa. O mapa na parede. Os bichinhos de pelúcia com os quais não brinco mais, mas que não guardo no armário para não magoar meu pai. Posso estar na cama. Posso estar em pé no meio do quarto, procurando uma meia perdida. De repente, não estou mais.

Desta vez eu não apenas vejo algo. Sou levada daqui para LÁ. *Parada às margens de um rio em chamas. Milhares de marimbondos em minha cabeça. Brigando e morrendo dentro do meu crânio, seus corpos se amontoando por trás dos meus olhos. Picando e picando.*

A voz do meu pai. De algum lugar do outro lado do rio. Chamando por mim.

Nunca ouvi sua voz desse jeito. Ele está tão assustado que não consegue disfarçar, ainda que tente (ele SEMPRE *tenta).*

O cadáver passa boiando.

O rosto para baixo. Então espero que sua cabeça se erga, que mostre os buracos no lugar dos olhos, que diga alguma coisa com seus lábios azuis. Uma das coisas terríveis que ele poderia fazer. Mas ele apenas passa, como um tronco de árvore.

Nunca estive aqui antes, mas sei que é real.

O rio é a divisa entre este lugar e o Outro Lugar. E eu estou do lado errado.

Há uma floresta escura aqui, mas não é esse o problema.

Tento ir para onde meu pai está. Os dedos dos meus pés tocam o rio, e ele murmura dolorosamente.

Então há braços que me puxam para trás. Arrastando-me para as árvores. Parecem braços masculinos, mas não é um homem que coloca os dedos na minha boca. Unhas que arranham o fundo da minha garganta. Pele que tem gosto de barro.

Mas um segundo antes, antes que eu esteja de volta ao meu quarto com a meia perdida na mão, eu me dou conta de que estava chamando meu pai da mesma maneira que ele estava me chamando. Dizendo a mesma coisa o tempo todo. Não palavras que saem da minha boca atravessando o ar, mas que saem do meu coração atravessando a terra, para que nós dois possamos ouvi-las.

ENCONTRE-ME

O DEMONOLOGISTA
NOITE ETERNA

PRIMUM

– O –
DEMONOLOGISTA
ANDREW PYPER

CAPITULUM 1

As fileiras de rostos. Mais jovens a cada ano. É claro, sou eu que estou ficando mais velho em meio aos calouros que vêm e vão, uma ilusão, como olhar para o espelho retrovisor do carro e ver a paisagem se afastar de você, em vez de você se afastando dela. Venho dando esse curso há tempo suficiente para flertar com pensamentos como esse ao mesmo tempo que falo para duzentos estudantes. É hora de resumir as coisas. Uma última chance para tentar convencer pelo menos alguns dos nervosinhos de laptop à minha frente da magnificência de um poema ao qual eu devotei quase toda a minha carreira.

"E agora chegamos ao fim", digo-lhes, fazendo uma pausa. Espero que os dedos se ergam dos teclados. Respiro profundamente o ar viciado da sala de aula e sinto, como sempre, a devastadora tristeza que acompanha as linhas finais do poema.

Algumas lágrimas eles derramaram, e logo as secaram;
O mundo estava à frente deles, podiam escolher

Onde repousar, e a Providência os guiava:
Eles, de mãos dadas e passos lentos e hesitantes,
Tomaram seu caminho solitário através do Éden.[1]

Com essas palavras eu sinto minha filha perto de mim. Desde que ela nasceu — e mesmo antes, como a simples ideia do filho que eu queria ter um dia —, é com Tess que eu invariavelmente imagino estar, de mãos dadas, deixando o jardim. "Solidão", prossigo. "É isso que toda essa obra realmente significa. Não o bem contra o mal, não um esforço para 'justificar as atitudes de Deus para com os homens'. Este é o caso mais convincente para provar — mais convincente que qualquer um da própria Bíblia — que o inferno é real. Não um fosso escaldante, não um lugar acima ou abaixo de nós, mas *em* nós, um lugar em nossa mente. Conhecer-nos a nós mesmos e, em troca, suportar a eterna lembrança de nossa solidão. Ser banido. Vagar sozinho. Qual é o verdadeiro fruto do pecado original? *Individualidade!* É onde nossos pobres recém-casados são deixados: juntos, mas na solidão da autoconsciência. Por onde eles podem vagar agora? 'Qualquer lugar!', diz a serpente. 'Todo o mundo lhes pertence!' E ainda assim eles são condenados a escolher seu próprio 'caminho solitário'. É uma jornada terrível, até mesmo atemorizante. Mas é uma jornada que todos nós temos de enfrentar, tanto hoje como naquela época."

Aqui faço outra pausa, ainda mais longa. Longa o suficiente para haver o risco de acharem que acabei, de alguém se levantar, ou fechar seu laptop, ou tossir. Mas eles nunca o fazem.

"Perguntem a si próprios", digo, apertando ainda mais a mão imaginária de Tess. "Para onde vocês irão agora que o Éden foi deixado para trás?"

---

[1] Livro XII. No original: "Some natural tears they dropped, but wiped them soon;/ The world was all before them, where to choose/ Their place of rest, and Providence their guide:/ They hand in hand with wand'ring steps and slow,/ Through Eden took their solitary way". [Todas as notas são da Tradutora]

Imediatamente, um braço se levanta. É um garoto no fundo da sala que eu nunca havia chamado, no qual nem havia reparado.
"Sim?"
"Essa pergunta vai cair na prova?"

Meu nome é David Ullman. Sou professor do Departamento de Inglês da Universidade de Columbia em Manhattan, um especialista em mitologia e narrativa religiosa judaico-cristã, apesar de meu verdadeiro ganha-pão, o texto cujo estudo crítico garantiu minha posição na Ivy League[2] e convites para várias inutilidades acadêmicas em todo o mundo, ser *Paraíso Perdido*, de Milton. Anjos caídos, a tentação da serpente, Adão e Eva, pecado original. Um poema épico do século XVII que reconta eventos bíblicos, mas com uma visão maliciosa, uma perspectiva que indiscutivelmente confere simpatia a Satã, o líder dos anjos rebeldes que se cansou de aturar um Deus mal-humorado e autoritário, escapando para criar uma carreira própria em criar problemas para os seres humanos.

Tem sido uma maneira engraçada (os devotos podem até chamar de hipócrita) de ganhar a vida: passei minha carreira dando aulas sobre coisas nas quais não acredito. Um ateu estudioso da Bíblia. Um especialista em demônios que acredita que o mal é uma invenção humana. Escrevi ensaios sobre milagres — leprosos curados, água transformada em vinho, exorcismos —, mas nunca vi um truque de mágica que não conseguisse decifrar. Minha justificativa para essas evidentes contradições é que há coisas que têm um significado, cultural, mesmo sem existir. O Diabo, anjos. Paraíso. Inferno. Eles são parte de nossas vidas mesmo que nunca tenhamos visto, e nunca vejamos, ou tocado nelas, provado que elas são reais. Coisas que nos questionamos.

A mente é onde eles habitam, e nela

---

2   Grupo que reúne as mais tradicionais universidades americanas. Além de Columbia, inclui Brown, Cornell, Harvard, Princeton, Dartmouth e Pennsylvania.

Podemos fazer do inferno um paraíso, do paraíso um inferno[3]

Este é John Milton, falando por meio de Satã, sua ficção mais brilhante. E por acaso eu acredito que o velho companheiro — *os dois* velhos companheiros acertaram.

O ar do campus Morningside da Columbia está úmido com o estresse das provas e a limpeza apenas parcial de uma chuva em Nova York. Acabei de terminar minha última aula do primeiro semestre, uma ocasião que sempre traz um alívio agridoce, a consciência de que outro ano acabou[4] (a preparação das aulas, as horas administrativas e as avaliações quase terminadas), mas também de que outro ano passou (e, com ele, mais um doloroso clique no hodômetro pessoal). Apesar disso, ao contrário de muitos dos resmungões mimados que me cercam nas funções docentes e se excitam com inúteis questões de ordem nas reuniões de comitê dos departamentos, eu ainda gosto de dar aulas, ainda gosto dos estudantes que estão se deparando com literatura adulta pela primeira vez. Sim, muitos deles estão aqui apenas na situação pré-Algo que Vai Dar Dinheiro de Verdade — pré-Medicina, pré-Direito, pré-Casamento com alguém rico —, mas muitos ainda não estão fora de alcance. Se não do meu alcance, então do da poesia.

Agora são três da tarde. Hora de atravessar o pátio de ladrilhos até a minha sala no prédio da Filosofia, deixar lá a ninhada de trabalhos de fim de ano atrasados, largados com muita culpa em minha mesa na sala de aula, e depois ir para a estação Grand Central encontrar Elaine O'Brien para nosso drinque de encerramento anual no Oyster Bar.

---

3   Livro l. No original: "The mind is its own place, and in itself/ Can make a heaven of hell, a hell of heaven."
4   Nos Estados Unidos, como em diversos outros países do Hemisfério Norte, o ano letivo começa no outono, em setembro, e termina no verão, ou julho, do ano seguinte.

Apesar de Elaine dar aulas no Departamento de Psicologia, sinto-me mais próximo dela que de qualquer um de Inglês. Na verdade, sinto-me mais próximo dela que de qualquer um que conheço em Nova York. Ela tem a mesma idade que eu — quarenta e três em boa forma, graças a quadras de squash e meias maratonas —, viúva, seu marido levado por um derrame vindo do nada há quatro anos, na mesma época em que cheguei a Columbia. Gostei dela imediatamente. Dotada de algo que passei a considerar um senso de humor sério: ela conta poucas piadas, mas faz observações sobre os absurdos do mundo com uma perspicácia que, às vezes, consegue ser esperançosa e devastadora ao mesmo tempo. Além disso, uma mulher de beleza calma, eu diria, ainda que eu seja casado — no presente momento, pelo menos — e que admitir esse tipo de admiração por uma colega mulher com quem ocasionalmente bebo possa ser, como o Código de Conduta da Universidade gosta de designar praticamente todas as interações humanas, "impróprio".

Porém, nunca houve nada remotamente impróprio entre O'Brien e eu. Nem um ínfimo beijo roubado quando ela toma seu trem na linha New Haven, nem uma especulação leviana sobre o que poderia acontecer se nós corrêssemos para o quarto de algum hotel em Manhattan para saber, pelo menos uma vez, como seríamos na cama. Não é repressão o que nos impede de fazer isso — eu, pelo menos, não penso que seja —, nem se deve, inteiramente, ao fato de ambos honrarmos meus votos matrimoniais (já que nós dois sabemos que minha mulher os jogou pela janela há um ano por aquele idiota presunçoso da Física, o afetado adepto da teoria das cordas,[5] Will Junger). Acho que O'Brien e eu (ela só é "Elaine" depois do terceiro martíni) não empurramos as coisas nessa direção por temer que isso possa corromper aquilo que temos. E o que temos? Uma profunda, ainda que assexuada, intimidade,

---

5 Modelo de teoria física que, em vez de partículas, parte do princípio da existência de objetos unidimensionais, à semelhança de cordas.

de um tipo que jamais conheci com qualquer homem ou mulher desde a infância, talvez nem mesmo naquela época.

Ainda assim, creio que nós tenhamos uma espécie de caso, que vem durando quase todo o tempo de nossa amizade. Quando estamos juntos, falamos de coisas sobre as quais não converso com Diane há algum tempo. Para O'Brien, é o dilema de seu futuro: ela teme a perspectiva de envelhecer solteira, ao mesmo tempo que reconhece ter se acostumado a ficar só, indulgente com seus hábitos. Uma mulher "cada vez mais incasável", como ela mesma diz.

Para mim, é a nuvem negra da depressão. Ou melhor, o que eu relutantemente sou obrigado a chamar de depressão, assim como metade da população mundial já se autodiagnosticou, ainda que esse termo não pareça totalmente adequado ao meu caso. Toda a minha vida, fui perseguido pelos cães negros de uma inexplicável melancolia, apesar da boa sorte que tive na carreira, do casamento inicialmente promissor e da maior ventura de todas, minha única filha: uma menina brilhante e sensível, fruto de uma gravidez que todos os médicos disseram que nunca chegaria a termo, o único milagre que estou pronto a admitir como verdadeiro. Depois que Tess nasceu, os cães negros se afastaram por um tempo. Mas quando ela passou da fase de aprender a andar para o falatório da escolhinha, eles voltaram, mais famintos que nunca. Nem meu amor por Tess, nem mesmo quando ela murmurava à noite *Papai, não fique triste*, podia mantê-los longe.

Havia sempre a sensação de que alguma coisa comigo *não estava certa*. Nada que se percebesse externamente — eu sou decididamente "civilizado", como Diane me descreveu com orgulho quando começamos a namorar, o mesmo termo que ela agora usa com um tom de voz que tem conotações sarcásticas. Mesmo por dentro, sou honestamente livre de autopiedade e ambições frustradas, um estado atípico para um acadêmico de carreira. Não, minhas sombras vêm de uma fonte mais elusiva que as apontadas nos manuais. Com relação aos meus sintomas, são poucos, talvez nenhum, que posso marcar na lista de sinais de alerta dos cartazes do serviço público de saúde mental pregados no metrô. Irritabilidade ou agressão? Só quando vejo o noticiário. Perda de apetite? Sem chance. Venho tentando perder cinco quilos, sem sucesso, desde que me formei. Problemas de concentração? Eu leio poemas de Homens Brancos Mortos e trabalhos de estudantes de graduação para viver — concentração é meu negócio. Meu mal é mais uma presença indefinível que uma ausência que esgota todo o prazer. A sensação de que tenho um companheiro invisível me seguindo diariamente, esperando por uma oportunidade, para conseguir um relacionamento mais próximo que aquele do qual já desfruta. Quando criança, tentei em vão imputar-lhe uma personalidade, como se fosse um "amigo imaginário" do tipo que as outras crianças diziam ter. Mas meu seguidor apenas me seguia — ele não brincava, nem me protegia ou consolava. Seu único interesse consistia — e ainda consiste — em ser uma companhia melancólica, maligna em seu silêncio.

Semântica professoral, talvez, mas para mim se parece mais com melancolia do que com o desequilíbrio químico de uma depressão. O que Robert Burton chamou em *A Anatomia da Melancolia* (publicada há mais de quatrocentos anos, no tempo em que Milton começava a esboçar seu Satã) de "aborrecimento do espírito".[6] É como se minha própria vida fosse assombrada.

O'Brien praticamente desistira de me mandar ver um psiquiatra. Ela já tinha se cansado de ouvir sempre a mesma resposta: "Para que, se eu tenho você?"

Eu me permito um sorriso neste momento, imediatamente apagado pela visão de Will Junger descendo a escadaria de

---

6   Robert Burton (1577-1640), professor da Universidade de Oxford, na Inglaterra. Apesar de matemático, o fato de ter frequentes crises de depressão o levou a escrever o que hoje é considerado um tratado sobre a melancolia. No Brasil, há uma edição em quatro volumes pela Editora UFPR (2011-2013, trad. Guilherme Gontijo Flores).

pedra da Biblioteca Low.⁷ Acenando em minha direção como se fôssemos amigos. Como se o fato de ele estar fodendo minha mulher há dez meses tivesse desaparecido de sua mente.
"David! Podemos falar?"
Com que esse homem se parece? Alguma coisa astuta e surpreendentemente carnívora. Alguma coisa com garras.
"Outro ano", ele diz assim que para na minha frente, teatralmente sem fôlego.
Ele me olha meio de lado, mostra seus dentes. São expressões como essa, acredito, que contaram como "fascinantes" nos primeiros cafés com minha mulher depois da aula de ioga. Essa era a palavra que ela usou quando eu fiz aquela primeira, e sempre inútil, pergunta do corno: *Por que ele?* Ela deu de ombros, como se não precisasse de uma razão e estivesse surpresa de que eu quisesse uma. "Ele é *fascinante*", disse ela finalmente, pousando na palavra como uma borboleta que escolhe uma flor para descansar.
"Veja bem, eu não quero que isso seja difícil", começa Will Junger. "Sinto muito pela maneira como as coisas aconteceram."
"E como foi?"
"O quê?"
"Como as coisas aconteceram?"
Ele esticou seu lábio inferior, em uma imitação de dor. Teoria das cordas. É o que ele ensina, é sobre isso que ele conversa com Diane, provavelmente, depois de ele ter saído de cima dela. Como qualquer substância, se você reduzi-la ao essencial, ela se mantém unida por cordas incrivelmente finas. Eu não entendo de substâncias, mas acredito que é apenas disso que Will Junger é feito. Cordas invisíveis que levantam suas sobrancelhas e os cantos de sua boca, uma marionete habilmente manipulada.
"Só estou tentando agir como um adulto", diz.
"Você tem filhos, Will?"

---

7   Construída em 1895 pelo então presidente da Universidade de Columbia, Seth Low, em homenagem a seu pai, Abiel Low.

"Filhos? Não."
"É claro que não. E nunca terá, sua criança egoísta", respondo, enchendo o peito com o ar úmido. "*Só tentando agir como um adulto?* Vá se foder! Você pensa que esta é uma cena de uma peça de teatro indie no Village à qual você leva minha mulher, um bando de mentiras que um cara no *New York Times* disse que foram interpretadas de maneira bem naturalista. Mas na *vida real*? Somos péssimos atores. Somos tão canastrões que chega a doer. Você não sente isso, mas a dor que você está nos causando — à minha família — está destruindo nossas vidas, o que temos juntos. O que tínhamos."
"Escute, David. Eu..."
"Eu tenho uma filha", continuo, atropelando-o. "Uma garotinha que sabe que algo está errado, e ela está escorregando para esse lugar escuro, e eu não sei como tirá-la de lá. Você tem ideia do que é ver sua filha, que é tudo para você, desmoronar? É claro que não. Você é vazio. Um sociopata *summa cum laude*[8] que fala sobre literalmente nada para ganhar a vida. Cordas invisíveis! Você é um especialista do nada. Um vácuo que anda e fala."
Eu não esperava dizer tudo isso, mas fiquei contente em falar. Mais tarde, eu vou desejar entrar em uma máquina do tempo e voltar a este momento apenas para soltar um insulto mais bem elaborado. Mas, por ora, parece bastante bom.
"É engraçado que você diga isso sobre mim", afirma ele.
"Engraçado?"
"Irônico. Talvez seja o melhor termo."
"*Irônico* nunca é o melhor termo."
"Essa ideia, por acaso, foi de Diane. Que nós conversássemos."
"Você está mentindo. Ela sabe o que eu penso de você."
"Mas você sabe o que *ela* pensa de *você*?"
As cordas da marionete foram puxadas. Will Junger sorri um inesperado sorriso de triunfo.

---

8   Na formação acadêmica, nota máxima para quem se gradua.

"'Você não está presente," ele diz. "É o que ela fala. 'David? Como *eu* posso saber como David se sente? *Ele não está aqui.*'" Não há resposta para isso. Porque é verdade. Essa foi a sentença de morte de nosso casamento, e eu fui incapaz de corrigir o erro. Não é vício em trabalhar, nem as distrações de uma amante ou de um hobby obsessivo, nem a distância que alguns homens tendem a assumir à medida que se arrastam para a meia-idade. Parte de mim — a parte da qual Diane precisa — simplesmente não está mais aqui. Ultimamente posso estar no mesmo aposento, na mesma cama, e ela tenta me tocar, mas é como tentar alcançar a Lua. O que eu gostaria de saber, o que eu rezaria para que me contassem se eu acreditasse que preces funcionam, é onde está o fragmento perdido. O que eu deixei para trás? O que, em primeiro lugar, eu nunca tive? Qual o nome do parasita que se alimentou de mim sem que eu percebesse?

O Sol saiu, e de repente toda a cidade está banhada em vapor, as escadas da biblioteca reluzindo. Will Junger franze o nariz. Ele é um gato. Vejo isso agora, tarde demais. Um gato preto que cruzou meu caminho.

"Vai ser um dia quente", ele diz, partindo sob a nova luz.

Passo pela estátua em bronze do *Pensador*, de Rodin[9] ("Parece que ele está com dor de dente", disse uma vez Tess, inocentemente, sobre a obra) e entro no prédio da Filosofia. Meu escritório é no terceiro andar, e subo as escadas segurando firme o corrimão, exausto pelo calor repentino.

Quando chego ao meu andar e viro no corredor, sou atingido por uma sensação de vertigem tão intensa que me apoio na parede e agarro os tijolos. Já tive, diversas vezes, ataques de pânico do tipo que podem deixar alguém momentaneamente sem fôlego, o que minha mãe chamava de "vertigem".

---

9 Auguste Rodin (1840-1917), escultor francês. O *Pensador*, uma de suas obras mais famosas, tem 28 réplicas feitas por Rodin espalhadas pelo mundo.

Mas isso é algo completamente diferente. Uma nítida sensação de estar caindo. Não de um lugar alto, mas *dentro* de um espaço ilimitado. Um abismo que me engole, que engole o prédio, o mundo, em um único e implacável trago. De repente acaba. E me deixa feliz por não ter havido testemunhas do meu abraço na parede.

Ninguém exceto a mulher sentada na cadeira ao lado da porta da minha sala. Velha demais para ser uma estudante. Bem vestida demais para ser uma acadêmica. Inicialmente calculei que ela tivesse trinta e poucos, depois, chegando mais perto, ela parecia mais velha, seus ossos muito salientes, o envelhecimento precoce de quem tem distúrbios alimentares. Na verdade, ela parece estar morrendo de fome. Uma fragilidade que seu conjunto elegante e sua longa e tingida cabeleira negra não conseguem esconder.

"Professor Ullman?"

Seu sotaque é, de forma genérica, europeu. Poderia ser francês, alemão ou tcheco com uma pitada de inglês americano. Um sotaque que mais esconde que revela suas origens.

"Não estou atendendo hoje."

"Claro que não. Eu li o aviso na sua porta."

"Você está aqui por causa de um estudante? Algum filho seu está na minha turma?"

Estou acostumado com essa cena: o pai superprotetor, que assumiu a terceira hipoteca para colocar o filho em uma excelente universidade, faz um apelo em favor de sua Grande Esperança de nota B. Mas ainda que eu pergunte a essa mulher se este é seu caso, eu sei que não é. Ela está aqui por minha causa.

"Não, não", ela responde, puxando uma mecha rebelde de cabelo que cobria seus lábios. "Estou aqui para lhe entregar um convite."

"Minha caixa de correio é no andar de baixo. Você pode deixar qualquer coisa endereçada a mim com o porteiro."

"Um convite *verbal*."

Ela fica de pé. Mais alta do que eu esperava. E, apesar de ela ser tão preocupantemente magra como parecia como quando estava sentada, não há qualquer fraqueza aparente em seu corpo. Ela mantém suas costas eretas, com os ombros alinhados e seu fino queixo apontado para o teto.

"Eu tenho um compromisso no Centro da cidade", digo, apesar de estar esticando a mão para a maçaneta a fim de abrir a porta. E ela já está se movendo para perto para também entrar na sala.

"Apenas um momento, professor", diz. "Prometo não retê-lo muito tempo."

Meu escritório não é grande, e as estantes lotadas de livros e papéis empilhados tornam o espaço ainda menor. Sempre achei que isso dava aconchego ao ambiente, como um ninho acadêmico. Esta tarde, no entanto, mesmo depois de eu ter desabado na cadeira por trás da minha mesa e de a Mulher Magra sentar no banco antigo em que meus alunos pedem extensão de prazos ou imploram por notas maiores, a sala é sufocante. O ar é escasso, como se tivéssemos sido transportados a uma altitude maior.

A mulher alisa sua saia. Os dedos longos demais. A única joia que ela usa é um anel de ouro em seu polegar. Tão largo que gira sempre que ela mexe sua mão.

"Uma apresentação seria normal neste momento", afirmo, surpreso com o tom decididamente agressivo de minha voz. Não decorre de uma posição de força, percebo, mas de autodefesa. Um animal pequeno se inflando para criar a ilusão de ferocidade frente a um predador.

"Meu nome verdadeiro é uma informação que, infelizmente, não posso lhe dar", ela diz. "Claro que eu poderia usar algo falso — um pseudônimo —, mas mentiras de qualquer tipo me incomodam. Mesmo as inócuas mentiras da conveniência social."

"Isso coloca você em uma posição vantajosa."

"Posição vantajosa? Mas isso não é uma *disputa*, professor. Estamos do mesmo lado."

"E que lado é esse?"
Ela ri. O débil ruído de uma tosse mal controlada. Ambas as mãos voando para cobrir a boca.
"Seu sotaque. Não consigo localizá-lo", digo, depois que ela se acalma e o anel do polegar para de girar.
"Já vivi em muitos lugares."
"Uma viajante."
"Uma errante. Talvez seja o melhor termo."
"Ser errante implica uma ausência de propósito."
"É mesmo? Mas não pode ser. Pois foi isso que me trouxe aqui."
Ela desliza para a frente, de modo a ficar bem na ponta do banco, um movimento de talvez cinco ou sete centímetros. Ainda assim é como se ela tivesse se sentado na minha mesa, a distância entre nós indelicadamente pequena. Eu posso sentir seu cheiro agora. Um vago sopro de palha, como em um celeiro, de gado recém-esquartejado. Por um segundo, acho que não conseguirei inspirar de novo sem demonstrar nojo. E então ela começa. Sua voz não disfarça totalmente o cheiro, mas de alguma forma diminui sua intensidade.
"Eu represento um cliente que exige discrição acima de tudo. E nesse caso específico, como você sem dúvida irá compreender, devido a essa exigência tenho de me limitar a só lhe repassar as informações essenciais."
"O estritamente necessário."
"Sim", ela responde, como se nunca houvesse escutado a expressão. "Só o que você tem necessidade de saber."
"Que vem a ser?"
"Sua perícia é necessária para ajudar o meu cliente a entender um caso em andamento que seja do completo interesse dele. É por isso que estou aqui. Para convidar você, como consultor, para fornecer sua avaliação e observações profissionais, o que quer que você considere relevante para melhorar nossa compreensão do..." Ela se interrompe, parecendo procurar uma lista de palavras possíveis em sua mente,

finalmente decidindo-se pela melhor de uma seleção inadequada. "Do fenômeno."
"Fenômeno?"
"Por favor, perdoe-me por usar um termo genérico."
"Isso parece muito misterioso."
"Necessariamente. Como eu disse."
Ela continua me olhando. Como se *eu* é que tivesse de fazer as perguntas. Como se ela estivesse esperando que eu levasse a conversa adiante. Então eu o faço.
"Você se referiu a um 'caso'. O que isso envolve, mais precisamente?"
"Precisamente? Isso está além do que eu posso contar."
"Por ser um segredo? Ou porque você mesma não entende?"
"A pergunta é justa. Mas se eu respondesse, cometeria uma deslealdade com relação ao que fui encarregada de revelar."
"Você não está me revelando muito."
"Sob o risco de exceder os limites de discussão que me foram determinados, deixe-me dizer que não tenho muito a revelar. Você é o especialista, professor, não eu. Vim em busca de respostas, do seu ponto de vista. Não tenho nem um nem outro."
"Você viu esse fenômeno?"
Ela engole a própria saliva. A pele de seu pescoço é tão esticada que posso ver a saliva passando pela sua garganta, como um camundongo embaixo de um lençol.
"Sim, eu vi", responde.
"E qual é sua opinião sobre ele?"
"Opinião?"
"Como você o descreveria? Não profissionalmente, não como uma especialista, mas de forma pessoal. O que você pensa que é?"
"Ah, isso eu não posso dizer", responde, sacudindo sua cabeça, os olhos baixos, como se eu estivesse dando em cima dela e o galanteio fosse motivo para constrangimento.
"Por que não?"

Ela ergue os olhos. "Porque não há um nome que eu possa dar a isso", ela diz.
Eu deveria pedir-lhe que partisse. Qualquer curiosidade que eu tive assim que a vi na porta da minha sala se foi. Esse intercâmbio agora não pode dar em nada além de alguma revelação sobre uma estranheza mais profunda, não do tipo de uma história curiosa e divertida, nada parecido com a proposta de uma mulher maluca para depois ser contada em jantares com amigos. Porque ela não é louca. Porque o habitual véu de proteção que sentimos quando temos breves contatos com inocentes excêntricos foi removido, e eu me sinto exposto.
"Por que você precisa de mim?", eu me ouço dizendo, no entanto. "Há um bocado de professores de Inglês por aí."
"Mas poucos demonologistas."
"Não é assim que eu me descreveria."
"Não?" Ela dá um sorriso irônico. Uma amostra de humor leviano que visa a distrair do quão séria ela é. "Você é um renomado especialista em textos religiosos, mitologia e coisas do gênero, não é? Especialmente as ocorrências registradas de menções bíblicas ao Adversário? Documentos apócrifos de atividade demoníaca no mundo antigo? Minha pesquisa está errada?"
"Tudo o que você está dizendo é verdade. Mas não sei nada sobre demônios ou invenções do gênero fora desses textos."
"É claro! Não esperávamos que você tivesse experiências diretas."
"Quem esperava?"
"Quem esperaria, naturalmente! Não, professor, a única coisa que solicitamos são suas qualificações acadêmicas."
"Não estou seguro de que você tenha entendido. Eu não *acredito*."
Frente a essa evidente falta de compreensão, ela apenas franze a testa.
"Não sou um clérigo. Nem um teólogo, veja bem. Eu não admito a existência de demônios, como não admito a de Papai

Noel", prossigo. "Eu não vou à igreja. Não encaro os eventos descritos na Bíblia ou em qualquer outro texto sagrado como tendo realmente ocorrido, especialmente aqueles que dizem respeito ao sobrenatural. Se você quer um demonologista, sugiro procurar o Vaticano. Talvez lá haja alguém que ainda leva esse assunto a sério."

"Sim." Ela dá outro sorriso irônico. "Asseguro que há."

"Você trabalha para a Igreja?"

"Trabalho para uma agência que foi contemplada com um alto orçamento e um amplo leque de responsabilidades."

"Vou considerar isso como um sim."

Ela se inclina para a frente. Seus cotovelos nodosos fazem ruído ao se encostarem nos joelhos. "Eu sei que você tem um compromisso. Você ainda tem tempo para ir até a estação Grand Central para cumpri-lo. Posso, então, apresentar a proposta do meu cliente?"

"Espere aí. Eu não disse que estava indo para Grand Central."

"Não. Você não disse."

Ela não se move. Sua imobilidade, um sinal de ênfase.

"Posso?", ela pergunta de novo, depois de algo que pareceu um minuto completo.

Eu me reclino na cadeira, fazendo um gesto para que ela continue. Não há mais porque fazer de conta que eu tenho uma escolha nessa questão. Nos últimos instantes, ela expandiu sua presença na sala de tal forma que agora bloqueia a porta de maneira tão eficaz como um leão de chácara de boate.

"Levaremos você para Veneza o mais cedo possível. Amanhã, de preferência. Você ficará alojado em um dos melhores hotéis da velha cidade — o meu predileto, ressalto. Uma vez lá, você vai aguardar que lhe deem um endereço. Não será necessário nenhum documento ou relatório de qualquer espécie. Na verdade, pedimos que você não relate suas observações a ninguém além daqueles que estiverem aguardando no local. Isso é tudo. Todas as despesas, claro, serão pagas.

Voo na executiva. Além de honorários relativos à consultoria que, esperamos, você considere razoáveis."

Então, ela se levanta. Dá um passo, o necessário para alcançar minha mesa, pega uma caneta da caneca e escreve um valor no bloco de notas ao lado do telefone. O montante é superior a um terço do meu salário anual.

"Você vai me pagar isso para ir a Veneza e visitar a casa de alguém? Daí dar meia-volta e voar para casa? É isso?"

"Basicamente, é."

"É uma puta história."

"Você duvida de mim?"

"Espero que você não fique magoada."

"Em absoluto. Às vezes eu esqueço que, para algumas pessoas, é preciso algum tipo de prova."

Do bolso interno de seu blazer, ela retira um envelope branco. Ela o coloca na minha mesa. Não tem endereço.

"O que é isso?"

"Passagem de avião. Reserva pré-paga de hotel. Cheque visado no valor de um quarto dos seus honorários. O restante será pago depois da sua volta. E o endereço no qual você é esperado."

Deixo minha mão pairar sobre o envelope, como se tocá-lo significasse fazer uma concessão em uma questão crucial.

"Naturalmente, você pode levar sua família com você", ela diz. "Você tem uma esposa? Uma filha?"

"Uma filha, sim. Não tenho tanta certeza sobre a esposa."

Ela olha para o teto, fecha os olhos. Então recita:

Salve o amor conjugal, lei misteriosa, verdadeira fonte
Da prole humana, propriedade exclusiva
No Paraíso de todas as coisas comuns.[10]

"Você também é especialista em Milton?", pergunto quando ela volta a abrir os olhos.

---

10 Livro IV. No original: "Hail wedded love, mysterious law, true source/ Of human offspring, sole propriety/ In Paradise of all things common else".

"Não da sua categoria, professor. Sou apenas uma admiradora."

"Não há muitos admiradores que o tenham memorizado."

"Experiência adquirida. É um talento meu. Apesar de eu nunca ter tido a experiência que o poeta descreve. *Prole humana*. Não tenho filhos."

Essa última confissão é surpreendente. Depois de ter-se mostrado tão esquiva, ela revela espontaneamente esse fato íntimo, de maneira quase triste.

"Milton estava certo sobre as alegrias da prole", digo. "Mas, pode acreditar, ele estava muito enganado sobre o casamento tendo algo em comum com o paraíso."

Ela acena com a cabeça, ainda que, aparentemente, não ao que acabei de falar. Alguma outra coisa se confirmou para ela. Ou talvez ela já tenha dito tudo o que tinha para dizer e está aguardando minha resposta. Então eu lhe dou.

"Minha resposta é não. Seja o que for, é bastante curioso, mas muito além da minha competência. Não poderia aceitar de maneira alguma."

"Você não compreende. Não estou aqui para ouvir sua resposta, professor. Estou aqui para entregar um convite, é tudo."

"Certo. Mas temo que seu cliente vá se decepcionar."

"Isso raramente acontece."

Em um único movimento, ela se vira. Sai da sala. Eu espero algum tipo de cumprimento cordial, um *Bom dia, professor* ou um aceno de sua mão ossuda, mas ela apenas acelera pelo corredor na direção das escadas.

Quando levanto da minha cadeira e estico a cabeça pela porta para olhá-la, ela já desapareceu.

—O—
DEMONOLOGISTA
ANDREW PYPER

CAPITULUM 2

Coloco alguns papéis de trabalho na minha pasta de couro e volto para o calor lá fora, tomando o caminho do metrô. O ar é pior aqui embaixo, selado a vácuo e adocicado pelo lixo. Isso se soma aos odores humanos, cada um contando uma pequena tragédia de escravidão ou desejo frustrado quando passa. Na viagem para o Centro eu penso na Mulher Magra, tentando recordar seus detalhes físicos, tão vividamente presentes há apenas alguns minutos. Mas seja pelos inquietantes acontecimentos do dia ou pelo fato de algum canto da minha memória recente estar com defeito, ela só me volta como uma ideia, não como uma pessoa. E a ideia é menos natural e mais assustadora, na lembrança, do que me pareceu na ocasião. Pensar nela agora é como a diferença entre ter um pesadelo e contar para alguém, na clara segurança da manhã seguinte, seu enredo tolo e errático. Na estação Grand Central, subo as escadas rolantes e os túneis que dão no saguão principal. Hora do rush. Lembra mais pânico que uma viagem com um objetivo. E ninguém tem o olhar mais perdido que os turistas, que queriam vivenciar a emoção de estar em uma Nova York afobada, mas que agora ficam apenas paralisados, agarrando suas mulheres e filhos.

O'Brien está de pé junto ao guichê de informações, abaixo do grande relógio dourado, no centro do saguão, nosso ponto de encontro tradicional. Ela parece pálida. Talvez irritada, com toda razão, com o meu atraso.

Ela está olhando para o outro lado quando eu me coloco ao seu lado. Um tapinha em seu ombro, e ela tem um sobressalto.

"Não sabia que era você", ela se desculpa. "Apesar de que eu deveria saber, não? Este é o nosso lugar."

Eu gosto disso mais, talvez, do que deveria — a ideia de "nosso lugar" —, mas descarto isso como um mero escorregão nas palavras.

"Desculpe pelo atraso."

"Você está perdoado."

"Lembre-me mais uma vez", digo. "*Por que* este é o nosso lugar? É algo de Hitchcock? *Intriga Internacional*?"[1]

"E você é meu Cary Grant? Uma ideia autocongratulatória. Não que a aparência seja tão diferente, então não faça bico. Mas a verdade é que gosto de me encontrar aqui precisamente por tudo o que há de *não civilizado*. É apinhado de gente. As máscaras de cobiça e desespero. O pandemônio. Caos organizado."

"Pandemônio", repito, distraidamente, mas muito baixo para que O'Brien escute em meio ao tumulto.

"O que você disse?"

"É o nome que Satã dá à Fortaleza que ele constrói para si e seus seguidores depois de ser expulso do paraíso."[2]

"Você não é a única pessoa que leu Milton, David."

"É claro. Você fez isso bem antes de mim."

---

[1] No original, *North by Northwest*, de 1959, dirigido por Alfred Hitchcock, com Cary Grant e Eva Marie Saint.

[2] Pandemônio é um neologismo criado pelo próprio Milton, unindo as palavras gregas *pan* (todo) e *daimon* (demônio).

O'Brien dá um passo para trás e me olha com atenção. "O que há? Você parece trêmulo."
Penso em contar a ela sobre a Mulher Magra, a estranha proposta apresentada em meu escritório. Mas há uma sensação de que isso significaria compartilhar um segredo que eu deveria guardar — mais que uma "sensação", um alerta físico, uma dor no peito e um nítido aperto na traqueia, como se dedos invisíveis tivessem atravessado minha carne para me silenciar. Eu me pego murmurando algo sobre o calor, minha necessidade de uma bebida gelada.
"É para isso que estamos aqui, não?", diz O'Brien, tomando-me pelo braço e conduzindo-me pela multidão do térreo. Sua mão no meu cotovelo traz frescor à minha pele subitamente ardente.

O Oyster Bar fica no subsolo. Uma caverna desprovida de janelas embaixo da estação que, por alguma razão, se presta a servir frutos do mar crus e vodca gelada. O'Brien e eu passamos nosso tempo aqui ruminando sobre o estado de nossas carreiras (a minha atingindo seu ponto culminante, a desfrutar o status de "principal especialista global" a quase qualquer citação, e os trabalhos de O'Brien sobre o apoio psicológico dos tratamentos espirituais garantindo sua recente quase fama). Na maior parte do tempo, no entanto, não falamos de nada específico, como se fôssemos feitos um para o outro, ainda que um casal improvável.
Por que improvável? Afinal de contas, ela é uma mulher. Uma mulher solteira. Cabelo escuro cortado curto, olhos azuis resplandecendo em uma pele morena irlandesa. Ao contrário de mim, ela vem de uma família com dinheiro, ainda que do tipo que não se exibe. Uma juventude em campos de tênis em Connecticut, seguida de uma coleção, aparentemente muito fácil, de elevados títulos acadêmicos, um bem-sucedido consultório em Boston, e agora a Columbia, onde apenas no ano passado ela deixou a chefia do Departamento de

Psicologia, a fim de se concentrar mais em sua própria pesquisa. Um currículo vencedor, sem dúvida. Mas não exatamente o perfil da colega de bebedeira de um homem casado.

Diane nunca reclamou de forma direta sobre essa amizade. Na verdade, é algo que ela encorajou. Não que isso a tenha impedido de ter ciúmes de nossas comemorações no Oyster Bar, de nossas idas a bares esportivos no meio da semana para ver jogos de hóquei (tanto eu como O'Brien somos fãs temporários dos Rangers, apesar de nossos times de nascença serem outros, ela o Bruins, eu o Leafs). Diane não tem outra escolha além de aceitar O'Brien, já que negar essa amizade significaria admitir que Elaine me dá alguma coisa que ela mesma não consegue me dar. Que isso seja verdade e abertamente conhecido por nós três é o que torna a volta para casa depois de uma noite fora com O'Brien particularmente deprimente.

A ideia de terminar essa amizade como uma oferta de paz a Diane passou pela minha cabeça, como ocorreria com qualquer marido em um casamento agonizante que ainda deseja salvar, contra todas as probabilidades e bons conselhos. E eu quero que funcione. Admito que ultrapassei minha cota de fracassos — o indefinido poço de escuridão que está no fundo de quem eu sou —, mas nenhum deles é intencional, nenhum está sob meu controle. Minhas imperfeições não me impediram de fazer tudo o que consegui imaginar para ser um bom marido para Diane. Mas a verdade é: eu preciso de Elaine O'Brien em minha vida. Não como um flerte crônico, não como um tormento sentimental do amor que poderia ter sido, mas como minha conselheira, meu eu interior mais articulado, de cabeça limpa.

Isso pode parecer estranho — é estranho —, mas ela tomou o lugar do irmão que eu perdi quando era criança. Se eu não pude fazer nada para evitar sua morte, agora não posso deixar O'Brien partir.

O que não está claro é o que ela obtém dessa associação. Já lhe perguntei, algumas vezes, por que ela desperdiça tantas de suas escassas horas livres com um miltoniano melancólico como eu. Sua resposta é sempre a mesma.

"Estou destinada a você", ela diz.

Conseguimos bancos livres no balcão do bar e pedimos uma dúzia de ostras Malpeque de New Brunswick[3] e dois martínis para começar. O lugar é lotado e barulhento como o salão da Bolsa de Valores, mas mesmo assim nós imediatamente formamos um casulo com nossos pensamentos compartilhados. Começo relatando meu encontro com Will Junger, acrescentando algumas réplicas mais mordazes às que eu realmente dissera naquela tarde (e deixando de fora as confissões rudes sobre a preocupação com Tess). O'Brien sorri, apesar de detectar meus acréscimos (e provavelmente também minhas omissões), como eu sabia que ela faria.

"Você realmente disse isso tudo?"

"Quase", respondo. "Eu *adoraria* ter dito isso tudo."

"Então vamos considerar que disse. Que fique registrado que a serpente traiçoeira, William Junger da Física, está neste momento lambendo as feridas verbais infligidas pelo perigosamente subestimado Dave Ullman, dos Livros Velhos."

"Sim. Gosto disso", assenti, tomando um gole do meu drinque. "É uma espécie de superpoder, quando se pensa nisso. Ter um amigo que aceita nossa versão da realidade."

"Não há realidade, e sim versões da realidade."

"Quem disse isso?"

"Eu, tanto quanto sei", ela responde, tomando um gole.

A vodca, o prazer reconfortante de estar junto dela, a confiança de que, por ora, nenhum perigo real pode afligir-nos — tudo isso me faz sentir que não haveria problemas em ir mais fundo e contar a O'Brien meu encontro com a Mulher Magra. Estou limpando a boca com um guardanapo, preparando-me para falar, quando ela se adianta.

---

3 Província do Canadá, famosa pelas ostras Malpeque.

"Eu tenho uma notícia", ela diz, devorando uma ostra. É o tipo de introdução que sugere uma fofoca das boas, alguma coisa chocante e necessariamente sexual. Mas então, depois de engolir, ela anuncia: "Tenho câncer".
Se houvesse algo em minha garganta, eu teria engasgado.
"É uma piada? Diga-me que é uma maldita piada."
"Por acaso os oncologistas do hospital Presbiteriano de Nova York fazem piadas?"
"Elaine. Meu Deus. Não. *Não*."
"Eles não sabem ao certo onde começou, mas está nos ossos agora. O que explicaria o fato de eu estar jogando squash tão mal ultimamente."
"Eu sinto muitíssimo."
"Qual é o mantra zen que está em todas atualmente? *É o que é*."
"É grave? Quero dizer — é claro que é *grave* —, qual é o estágio?"
"Avançado, eles dizem. Como se fosse um curso de graduação ou algo parecido. Apenas um câncer que já cursou os pré-requisitos pode se candidatar."

Ela está se saindo maravilhosamente bem em mostrar bom humor — o fato de estar comigo ajuda, posso perceber, assim como a coragem estimulante do martíni —, mas há um tremor no canto de seus lábios que, percebo agora, é um sinal da luta contra as lágrimas. E então, antes que me dê conta, sou eu que estou chorando. Envolvendo-a com meus braços, derrubando algumas conchas vazias de ostras do prato no chão.

"Calma, professor", murmura O'Brien em meu ouvido, apesar de me abraçar tão forte como eu a estou abraçando. "As pessoas podem ter uma ideia errada."

E qual seria a ideia correta? Um abraço como esse nunca seria confundido com lascívia ou parabéns. É uma recusa desesperada. Uma criança se agarrando à pessoa querida na estação, prestes a partir, lutando contra o inevitável até o fim, ao contrário da educada capitulação do adulto.

"Vamos conseguir ajuda", digo a ela. "Encontraremos os médicos certos."

"Não adianta mais, David."
"Você não vai simplesmente *aceitar* isso, vai?"
"Sim. Vou tentar. E gostaria de contar com a sua ajuda."
Ela me afasta. Não por embaraço, mas para que eu possa ver seus olhos.
"Eu sei que você está com medo", ela diz.
"É claro que estou com medo. É uma notícia devastadora..."
"Não estou falando do câncer. Estou falando de você."
Ela respira fundo. Seja o que for que vai dizer, ela precisa de uma energia que talvez não tenha. Então seguro seus braços, para mostrar apoio. Eu me aproximo para escutá-la.
"Nunca consegui entender do que você tem tanto medo, mas há algo em você que o encurralou de tal forma que você nem percebe", ela diz. "Você não precisa me dizer o que é. Aposto que você mesmo não sabe. Mas veja bem: eu provavelmente não estarei por perto quando você tiver de encará-lo. Gostaria de estar, mas não será possível. Você vai precisar de alguém. Você não vai conseguir se estiver sozinho. Não conheço ninguém que conseguiria."
"Tess."
"Tem razão."
"Você quer que eu recorra a Tess?"
"Eu quero que você se lembre de que ela tem tanto medo quanto você. De que ela também pensa que está sozinha."
"Não sei se estou entendendo..."
"Sua *melancolia*. Ou depressão. Junto com nove entre dez das doenças que estudei, diagnostiquei, busquei tratar. Chame como você quiser, mas são só nomes diferentes para a solidão. É o que deixa a escuridão entrar. É contra isso que você deve lutar."
Solidão. Como se O'Brien estivesse em minha aula hoje, tomando notas.
"Não estou sozinho."
"Mas você *pensa* que está. Toda a sua vida você pensou que estava apenas por sua conta — e como saber? Talvez

você estivesse. Isso quase engoliu você. Se você não tivesse seus livros, seu trabalho, todos os escudos da sua mente, *teria* engolido. Ainda tenta fazer isso. Mas você não pode deixar que isso aconteça, porque agora há Tess. E não importa o quanto ela vá se afastar de você, você não pode desistir. Ela é sua *filha*, David. Ela é *você*. Então você tem de provar seu amor por ela cada maldito minuto de cada maldito dia. Qualquer coisa a menos que isso e você terá falhado na Prova do Ser Humano. Qualquer coisa a menos e você estará realmente sozinho."

Mesmo aqui, no pífio ar-condicionado do Oyster Bar, O'Brien tem calafrios.

"De onde vem isso?", pergunto. "Você nunca falou nada parecido sobre Tess antes. Que ela é... como eu. O que quer dizer é que ela tem o que eu tenho."

"Não são apenas a cor dos olhos e a altura que acabam transmitidos de uma geração para outra."

"Espere. Você está falando como dra. O'Brien, a psiquiatra? Ou como minha chapa O'Brien, a amigável demolidora?"

Essa pergunta, cujo objetivo era levar-nos de volta para um clima mais alegre, só parece confundi-la. E no momento em que ela luta para encontrar uma resposta, a doença surge em suas feições. A pele de seu rosto se repuxa, ela empalidece. Em uma transformação perceptível apenas para mim, ela agora tem uma aparência que a deixa parecida com uma irmã da Mulher Magra. Uma semelhança que eu deveria ter percebido no momento em que a vi sentada na porta da minha sala, mas da qual só me dou conta agora, em um momento de horror.

"É apenas algo que sei", ela finalmente responde.

Ficamos lá mais algum tempo. Pedimos outra rodada, dividimos uma lagosta, como sempre fizemos. Durante todo o tempo, O'Brien habilmente evita que a conversa volte para o assunto de sua doença, ou para seu insight estranhamente significativo sobre aquilo que vem me afligindo a vida inteira. Ela disse tudo o que queria falar sobre o assunto. E há a convicção tácita entre nós de que nem mesmo ela tem certeza de todas as implicações disso.

Quando acabamos, eu a acompanho até o andar principal da estação. Está mais calmo agora, os viajantes habituais já deram lugar aos basbaques, às pessoas tirando fotos. Estou disposto a esperar com O'Brien na entrada da plataforma até que seu trem para Greenwich esteja pronto para partir, mas ela me faz parar junto ao relógio dourado.

"Vou ficar bem", ela diz com um sorriso débil.

"É claro. Mas não há razão para você esperar aqui sozinha."

"Não estou sozinha." Ela segura meu pulso com ambas as mãos, em sinal de gratidão. "E alguém está esperando por você."

"Disso eu duvido. Nesses dias, Tess apenas se tranca em seu quarto logo após o jantar e liga o computador. NÃO PERTURBE em néon na sua porta."

"Algumas vezes as pessoas fecham a porta porque estão tentando encontrar uma maneira de fazer você bater nela."

O'Brien solta meu pulso e some em meio a um grupo de turistas alemães. Eu a seguiria, ou tentaria, mas ela não quer que eu o faça. Então dou a volta e tomo a direção oposta, descendo o túnel para a entrada do metrô, o ar cada vez mais quente à medida que me afasto da superfície.

O DEMONOLOGISTA
ANDREW PYPER

CAPITULUM 3

Saio da estação da 86th Street, no Upper West Side. É onde nós vivemos, minha pequena família, em meio a outras pequenas famílias da vizinhança, nossa rua quase sempre cheia de pais segurando copos de *espresso* com leite enquanto empurram os mais modernos carrinhos de bebê. É um clichê perfeito para pessoas como nós: profissionais de elevada escolaridade que têm preconceito contra os subúrbios e a fé de que vivendo aqui, em uma relativa segurança e ao mesmo tempo a curta distância do Central Park, do Museu de História Natural e de excelentes escolas públicas, daremos a nossos filhos únicos aquilo de que eles precisam para um dia se transformarem em nós.

Gosto daqui, de uma maneira meio que de turista permanente. Cresci em Toronto, uma cidade de escala e temperamento mais modestos, relativamente sem mitologias próprias. Morar em Nova York tem sido, para mim, um processo de aperfeiçoar o fingimento. O fingimento é meu lar, não uma invencionice de romances, de filmes. Fingir que um dia quitaremos a hipoteca de nosso espaçoso apartamento de três quartos em um "edifício de classe" na 84th Street. Fico sempre incomodado com o fato de que não temos, na verdade, condições de bancar o lugar, ainda que Diane goste de ressaltar que "ninguém *banca* coisas, David. Não estamos mais em 1954". As coisas não estão bem entre nós e talvez não tenham mais conserto. Mas, enquanto sou sacudido pelo velho elevador até nosso andar, repasso os acontecimentos desse estranho dia, para decidir o que enfrentar, o que enterrar. Quero contar a Diane sobre O'Brien, minha conversa com Will Junger, a Mulher Magra, porque não há mais ninguém com quem compartilhar essas informações específicas, cada uma muito íntima, a sua maneira, para apresentar a um colega ou em um jantar com amigos. Mas também há a esperança de impressioná-la. Revelar algo que a fizesse parar, despertar seu interesse, sua simpatia. Postergar o inevitável, o que talvez seja a única coisa que eu possa fazer esses dias.

Abro a porta do apartamento e encontro Diane de pé, esperando por mim, um copo de vinho quase vazio na mão. O que seu semblante expressa? Que não importa a história que eu contar, não fará a menor diferença.

"Precisamos conversar", ela diz.

"As duas palavras mais temidas na história do casamento."

"Estou falando sério."

"Eu também."

Ela me leva para a sala de estar, onde outro copo de vinho (este cheio) me espera na mesa de centro. Algo para atenuar o impacto do golpe que ela está prestes a dar. Mas não quero atenuantes. Esse tem sido um problema dela esse tempo todo, certo? Que eu nunca esteja presente. Bem, seja pelos estranhos e terríveis acontecimentos do dia ou por uma nova resolução que acabei de tomar, eu me sinto muito presente neste momento.

"Estou indo embora", diz Diane. Seu tom de voz é o de uma hábil provocação, como se este fosse um momento de coragem para ela, de uma fuga audaciosa.

"Para onde você irá?"

"Para a casa dos meus pais em Cape[1] durante o verão. Ou parte do verão. Até que eu consiga meu próprio apartamento."

"Dois apartamentos em Manhattan. Como vamos pagar por isso? Você ganhou na loteria?"

"Estou sugerindo que não há mais 'nós', David. O que significa que estou falando de apenas um apartamento. O meu."

"Então não devo confundir com uma separação moderninha."

"Não, acho que não."

Ela toma o último gole de seu copo. Foi mais fácil do que ela imaginava. Ela está quase acabando, e a noção do fim a deixa com sede.

"Estou tentando, Diane."

"Eu sei que está."

"Então você pode ver que eu estou tentando?"

"Isso não impediu você de ser como alguém por quem passamos todos os dias e cumprimentamos, mas nunca chegamos a conhecer. Você *pensa* que conhece, mas, no fim das contas, percebe que não."

"Não há nada que eu possa dizer?"

"Nunca foi essa a questão. Era sobre fazer. Ou *não* fazer."

Não posso discutir com nada disso. E mesmo se pudesse, nunca fomos do tipo que discute. Talvez devêssemos. Algumas acusações desagradáveis a mais, alguns desmentidos e confissões exaltados a mais talvez tivessem resolvido. Mas não sei muito bem como fazer isso.

"Você vai morar com ele?", pergunto.

"Estamos pensando nisso."

"Então quando o vi hoje, quando ele 'esbarrou comigo', ele estava apenas esfregando isso na minha cara."

"Will não é assim."

Você está errada, Diane, tenho vontade de dizer. *Ele é exatamente assim.*

---

[1] Cape Cod, em Massachusetts, tradicional local de veraneio.

"E Tess?", pergunto.
"O que tem ela?"
"Você já contou para ela?"
"Eu pensei em deixar isso para você", ela responde. "Você é melhor com ela. Sempre foi."
"Isso não é uma competição. Somos uma família."
"Não, isso já acabou. Fim."
"Ela também é sua filha."
"Eu não consigo me *comunicar* com ela, David!"
Neste ponto, Diane surpreende a si própria ao começar a chorar: soluços curtos, mas sonoros. "Há algo *errado* com ela", ela busca se controlar. "Nada que se possa perguntar a um médico, não é disso que estou falando. Nada que apareça em um exame. Algo de *errado* que não se pode *ver*."
"O que você pensa que é?"
"Não sei. Estar com onze anos. Quase uma adolescente. O mau humor. Mas não é isso. Ela é como você", ela diz, um eco, ainda que mais raivoso, das palavras de O'Brien. "Os dois se isolam nesse clubinho particular, intocável."
Ela se sente só. Vejo isso agora tão claramente como a mancha de batom na borda de seu copo. Seu marido e sua filha compartilham alguma escuridão secreta que, entre outros efeitos colaterais, deixou-a de fora. Estou aqui — como sempre estive —, mas ela está sozinha.
"Tess está no quarto dela?", pergunto. Diane responde que sim com a cabeça.
"Vá", ela diz, me despachando. Mas eu já parti.

Nem *A Anatomia da Melancolia*, de Robert Burton, em suas mil e quatrocentas páginas, determina se a condição é hereditária ou não. Suponho que eu e Tess formamos uma prova tão forte para uma resposta afirmativa como qualquer outro caso. No último ano, ela visivelmente mostrou sinais de distração depressiva, uma redução gradativa no número de amigos, a mudança de interesses amplos para obsessões específicas, no caso dela um diário no qual nunca tentei dar uma olhada, em parte por respeitar sua privacidade, mas também por medo do que eu possa encontrar lá. É essa alteração recente que mais assusta Diane. Mas a verdade é que já faz tempo que eu me reconheci em Tess. Dividimos um distanciamento do clamor da vida, que continuamente tentamos reduzir, sendo apenas parcialmente bem-sucedidos.

Bato em sua porta. Ao ouvir sua palavra de permissão — "Entre!" —, eu a encontro fechando seu diário e sentando-se bem empertigada na beirada da cama. Seu cabelo longo, dourado claro como um vinho Riesling, ainda na trança que fiz para ela esta manhã. O cuidado com o cabelo é um território que reclamei para mim desde que Tess começou a andar, minha paciência sendo muito maior que a de Diane para desfazer os nós ou cortar fora o chiclete seco. Uma tarefa inusitada para um pai, talvez. Mas a verdade é que temos algumas de nossas melhores conversas no banheiro antes das oito horas, o ar enevoado por uma sucessão de banhos quentes, nós dois decidindo o que seria melhor, um rabo de cavalo, uma trança simples ou duas fininhas.

Minha Tess. Olhando para mim e imediatamente lendo o que aconteceu na sala.

Ela se move. Abre espaço para que eu sente a seu lado.

"Ela vai voltar?", pergunta Tess, a abertura de nossa conversa ficando subentendida entre nós.

"Não tenho certeza. Acho que não. Não."

"Mas eu vou ficar aqui? Com você?"

"Não discutimos os detalhes. Mas sim, aqui continuará sendo sua casa. A de nós dois. Porque, seja para onde for, em hipótese alguma irei sem você."

Tess assente com a cabeça como se isso — o fato de eu ficar aqui com ela — fosse tudo o que ela precisasse saber. É tudo o que eu preciso saber, também.

"Precisamos fazer algo", digo depois de algum tempo.

"Como terapia familiar? Esse tipo de coisa?"

Tarde demais para isso, penso. *Tarde demais para nós três juntos. Mas ainda há você e eu. Sempre haverá você e eu.*
"Falo de algo divertido."
"Divertido?" Ela repete a palavra como se pertencesse a uma linguagem antiga, um termo esquecido em nórdico antigo para o qual ela precisa de ajuda.
"Você acha que pode fazer as malas até amanhã? Roupas para três dias? Apenas entrar em um avião e cair fora? Estou falando de passagens na primeira classe. Hotel quatro estrelas. Como estrelas de rock."
"Tá", ela diz. "Sério?"
"Absolutamente sério."
"Aonde vamos?"
"O que você acha de Veneza?"
Tess sorri. Faz tanto tempo que não vejo minha filha espontaneamente mostrar sua felicidade — e ainda mais decorrente de algo que eu tenha feito — que, surpreendendo até a mim mesmo, começo a soluçar.
"A mais pura luz do Paraíso", digo.
"Isso é aquele velho Milton de novo?"
"Sim. Mas também é você."
Aperto seu nariz. O pequeno beliscão com o polegar e o indicador, que parei de tentar há alguns anos, devido a suas irritadiças reclamações. Espero outra agora, mas, em vez disso, ela reage da maneira que fazia quando era criança, quando esse era um dos nossos milhares de jogos.
"*Piiiiiii!*"
Ela ri. E eu rio com ela. Por um momento, voltamos a ser tolos. De todas as coisas das quais pensei que sentiria falta quando minha filha deixasse de ser criança, não tinha ideia de que a permissão para eu mesmo agir como criança estaria no topo da lista.
Levanto e me dirijo para a porta.
"Aonde você vai?", ela pergunta.
"Contar à mamãe."

"Conte daqui a pouco. Apenas fique um pouco comigo, ok?"
Então eu fico um pouco. Sem falar, sem tentar conjurar algum lugar-comum tranquilizante, sem fingir. Apenas fico.

Nesta noite, sonho com a Mulher Magra.
Ela está sentada sozinha em uma sala de aula vazia, a mesma em que dou meu curso para o primeiro ano, só que com algumas diferenças: ampliada, suas dimensões impossíveis de calcular à medida que as paredes à direita e à esquerda se dissolvem na escuridão. Estou de pé atrás de minha mesa, forçando a vista para vê-la. As únicas luzes são aquelas fracas que iluminam os degraus dos corredores e os dois avisos de SAÍDA DE EMERGÊNCIA, em vermelho, nas portas do fundo, distantes como cidades além de um deserto.
    Ela está sentada no meio de uma fileira, na parte superior. A única coisa que se vê dela é o rosto. Enfermiço, desnutrido. O rosto de um noticiário em preto e branco. A pele prestes a se rasgar sobre seu nariz, as maçãs do rosto, o queixo frágil. Isso faz com que seus olhos fiquem salientes, como se estivessem lutando para escapar.
    Nenhum de nós fala. Ainda assim, o silêncio é preenchido com a sensação de que acabou de ser dito em voz alta algo que nunca deveria ter sido dito. Uma obscenidade. Uma maldição.
    Eu pisco.
    E ela está parada na minha frente.
    Sua boca se abre. A garganta à mostra, fina como uma pele de cobra que acabou de ser trocada. Um hálito fétido passando por ela e lambendo meus lábios, cerrando-os.
    Ela solta o ar. E antes que eu possa acordar, ela emite um longo suspiro.
    Um suspiro que se transforma em uma expressão que cresce em volume e força, até se erguer dela como uma espécie de poema.
    Uma acolhida. Uma heresia.
    Pandemônio...

— O —
DEMONOLOGISTA
ANDREW PYPER

CAPITULUM 4

Estou a mais de nove mil metros acima do Atlântico, o único passageiro na cabine da primeira classe com a luz de leitura acesa, com Tess cochilando de maneira irregular a meu lado, seu diário no colo, fechado, e, pela primeira vez desde que a Mulher Magra foi ao meu escritório, eu deixo minha mente divagar sobre o que provavelmente me espera em Veneza. O dia de ontem me trouxe uma tal quantidade de complicações que foi difícil decidir com qual lidar primeiro: a doença terminal da minha melhor amiga, o fracasso do meu casamento de uma vez por todas, ou o porquê de uma mensageira supostamente da Igreja me oferecer uma bolada para visitar... bem, visitar *o quê*? O único aspecto da minha perícia especificamente citado por ela foi meu conhecimento da obra de Milton. Não, nem isso, o de ser um *demonologista*.

Mesmo aqui, em nosso hotel flutuante Boeing, não me sinto confortável seguindo essa linha de pensamento, de qualquer modo absurda. Então eu retomo minha leitura. Uma pilha de livros, todos daquele que é, a bem da verdade, meu gênero predileto. O guia de viagens.

Eu sou o tipo de rato de biblioteca que leu sobre lugares mais do que viajou. E, em grande parte, até *prefiro* ler sobre eles a visitá-los. Não que eu não goste de novos lugares, mas estou sempre consciente da minha própria estrangeirice, um alienígena entre os nativos. É assim que eu me sinto, não importa o lugar.

Ainda assim, estou ansioso para chegar a Veneza. Nunca estive lá, e sua fantástica história e lendária beleza são coisas que mal posso esperar para compartilhar com Tess. Tenho esperança de que a beleza do lugar vá sacudir seu atual estado de espírito. Talvez a espontaneidade dessa aventura e magnificência do destino consigam trazer de volta o brilho dos olhos dela.

Então eu continuo lendo sobre o passado empapado de sangue dos monumentos da cidade, as batalhas travadas pela terra, pelo comércio, pela religião. Enquanto isso, vou marcando os restaurantes e lugares com a maior chance de agradar Tess. Serei para ela o guia de viagem mais bem informado e personalizado que puder.

A viagem já começou de maneira emocionante. Tess só contando nossos planos a Diane esta manhã (ela fez algumas perguntas, enquanto seus olhos exprimiam os cálculos que fazia sobre como isso lhe daria algum tempo não previsto com Will Junger), e então a pressa em fazer as malas, a ida ao banco para comprar euros (o cheque visado da Mulher Magra entrara sem problemas na minha conta), e a ida de limusine até o aeroporto Kennedy, nós dois dando risadinhas no banco de trás como dois colegiais brincando de pique.

Como não havia tempo para telefonar, no aeroporto mandei um torpedo para O'Brien. Fiquei pensando sobre o quanto contaria a ela da viagem. Descrever a Mulher Magra no teclado de um celular no saguão de espera da primeira classe se mostrou impossível, assim como falar dos parâmetros da minha "consultoria" em um "caso" acerca do qual nada fora revelado, além dos meus generosos honorários. No fim, apenas escrevi:

Estou indo a Veneza (na Itália, não na Califórnia) com Tess. Volto em alguns dias. Explicação TK.

Sua resposta veio quase que imediatamente.

WTF?[1]

Eu me levanto para esticar as pernas. O zumbido e o murmúrio do avião tranquilizam, como um útero mecânico. Isso e os passageiros adormecidos nos dois lados me dão a estranha impressão de que sou um fantasma transatlântico, arremessado pelo espaço, o único espírito alerta na noite.

Mas há outro. Um homem idoso de pé em frente aos toaletes no fim do corredor, olhando para seus sapatos à maneira das pessoas educadamente entediadas. Quando eu chego perto ele me olha e, como se em reconhecimento de um inesperado companheiro, sorri.

"Não estou só", ele diz à guisa de boas-vindas. Seu sotaque tem um charmoso sabor italiano. Seu rosto levemente enrugado, belo como o de um ator de comerciais.

"Eu estava lendo."

"É? Eu também amo livros", diz. "Os *grandes* livros. A sabedoria do homem."

"Apenas guias de viagem, no meu caso."

Ele ri. "Esses também são importantes! Você não pode se perder em Veneza. É preciso encontrar seu caminho."

"Todos os livros dizem que se perder em Veneza é um de seus maiores encantos."

"Errar pelas ruas, sim. Mas se perder? Há uma diferença."

Estou considerando essa resposta quando o velho coloca a mão no meu ombro. Um aperto forte.

"O que o leva a Veneza?", pergunta.

"Um trabalho."

---

[1] TK: *to come* (depois explico); WTF?: *what the fuck?* (que porra é essa?). WTF também é muito usado no Brasil.

"Trabalho! Ah, você é um ladrão."

"Por que você diz isso?"

"Tudo em Veneza é roubado. As pedras, as relíquias, os ícones, as cruzes de ouro em todas as igrejas. Tudo isso vem de outros lugares."

"Por quê?"

"Porque não há *nada lá*. Nenhuma floresta, nenhuma pedreira, nenhuma fazenda. É uma cidade que afronta Deus, construída unicamente sobre o orgulho dos homens. E ainda em cima da água! Poderia um tal ato de magia agradar ao Pai Celestial?"

Apesar do significado devoto de suas palavras, de alguma forma o tom de sua voz comunicava o oposto, em uma espécie de ironia barata. Ele não está nem um pouco preocupado com os crimes do "orgulho dos homens" ou com o desgosto do Pai Celestial. Pelo contrário, essas coisas o excitam.

Por sobre meus ombros, ele observa os passageiros que dormem.

"A abençoada inocência do sono", observa. "Ai de mim, ele não mais me visita trazendo o consolo do esquecimento."

Então seus olhos encontram Tess.

"Sua filha?", ele pergunta.

De repente, sou atingido pela certeza de que interpretei esse sujeito da maneira errada. Ele não é um idoso encantador jogando conversa fora com um colega insone. Ele está fingindo. Escondendo seus verdadeiros desejos. Bem como a razão pela qual ele está de pé aqui, agora, comigo.

Penso em várias respostas — *Não é da porra da sua conta* ou *Nem olhe para ela* —, mas em vez disso eu apenas me viro e volto direto para minha poltrona. Enquanto ando, eu o escuto entrando no toalete e fechando a porta. Ele ainda está lá quando me acomodo.

Finjo ler, mantendo o olho na porta do toalete. Mas, apesar de ficar acordado ainda por uma hora ou mais, não o percebo sair.

Acabo por levantar e bater na porta, só que ela está destrancada. Quando abro, não há ninguém lá dentro.

Veneza cheira.

A quê? Inicialmente é difícil dizer, como se fosse um cheiro de ideias mais que de qualquer fonte específica. Não de cozinha, de fazenda ou de fábrica, mas o fedor de império, de histórias que se sobrepõem, a mancha indelével da corrupção. No Novo Mundo, quando uma cidade cheira, você pode dizer a quê. O ranço adocicado de um conjunto de fábricas de papel. As castanhas assadas e os arrotos de esgoto de Manhattan. Mas em Veneza, nossas narinas norte-americanas encontram, em vez disso, a desconhecida exalação das grandes abstrações. Beleza. Arte. Morte.

"Veja!"

Tess aponta nosso *vaporetto* quando este chega para nos pegar, levando-nos ao longo do Grande Canal até nosso hotel. *Veja!* é praticamente tudo o que ela disse desde que aterrissamos. E ela tem razão: há tanta coisa para ver, tantos detalhes nas fachadas de todos os prédios, que há o perigo constante de perder novas provas do extraordinário. Estou mais do que feliz em seguir seu dedo indicador, minha filha perto de mim, compartilhando a alegria de acordar para um mundo novo.

Embarcamos no *vaporetto* e este zarpa fazendo barulho, cortando as ondas de outros barcos de passageiros e gôndolas. Instantaneamente perdemos de vista qualquer sinal do moderno.

"É como a Disney World", observa Tess. "Só que é de verdade."

Então eu mostro algumas das realidades aprendidas no meu curso-relâmpago no avião. Ali, o cinzento Fondacco dei Turchi com suas imponentes janelas goivadas. E aqui a Pescheria, com seu salão neogótico funcionando como mercado de peixe desde o século xiv. ("Pelo cheiro, parece que alguns desses peixes estão à venda desde o século xiv", observa Tess.) Mais além, o Palazzo dei Camerlenghi, onde os evasores fiscais costumavam ficar presos no porão.

Parece que se passaram apenas alguns minutos, o Grande Canal se estreita, e passamos sob a ponte de Rialto, sua arcada tão carregada de turistas que eu temo que ela possa desabar sobre nós em uma avalanche de câmeras digitais, óculos escuros e pedra entalhada. Então o canal faz uma curva e se alarga novamente. Passamos debaixo da menos lotada ponte da Accademia, e chegamos à muito mais larga Bacia de San Marco; para além dela, a cintilante amplitude da laguna.

O *vaporetto* reduz a velocidade e se volta para o atracadouro do Bauer Il Palazzo, nosso hotel. Valetes com casacos de botões dourados amarram nosso barco, pegando nossas malas e oferecendo uma mão enluvada a Tess. Em apenas uma hora depois de nossa aterrissagem fomos transportados de um lugar qualquer anônimo, em um aeroporto internacional, à quase inimaginável individualidade de um dos melhores hotéis de Veneza — ou mesmo de toda a Europa.

Tess fica de pé no atracadouro, tirando fotos mentais das gôndolas, da laguna, da torre do relógio de San Marco e minhas, estupefato com aquele lugar.

"Contente de termos vindo?", pergunto.

"Não seja bobo", responde ela, segurando meu braço.

A Mulher Magra não estava de brincadeira.

"Este lugar é *bacana*", afirma Tess, observando o chão de mármore polido marrom do saguão do Bauer, os tecidos Bevilacqua e Rubelli[2] emoldurando as janelas. "Quem está *pagando* por isso?"

"Não estou muito certo", confesso.

Uma vez feito o check-in, fomos para o quarto para nos revigorarmos. Para os *quartos*, digo: dois quartos, dois banheiros e uma elegante sala de estar com portas-balcão de três metros de altura que se abrem para uma sacada sobre o Grande Canal.

Tomamos uma ducha, trocamos de roupa e vamos para o restaurante do terraço, a fim de almoçar. De nossa mesa, ao olhar para um lado vemos a laguna; para o outro, toda a Praça de San Marco. É, como o guia havia alardeado, o melhor ponto de observação em Veneza. E o mais elevado.

---

[2] Fabricantes de tecidos de luxo de Veneza, fundadas no século XIX.

"Sabe como eles chamam este restaurante?" digo. "*Il Settimo Cielo*. Adivinhe o que significa."

"Não falo italiano, pai."

"Sétimo Céu."

"É porque fica no sétimo andar?"

"Deem à menina uma boneca kewpie!"

"O que é uma boneca kewpie?"

"Esqueça."³

O almoço chega. Truta grelhada para mim, *spaghetti alla limone* para Tess. Comemos vorazmente, como se passar as últimas horas olhando a nossa volta tivesse nos deixado com apetites ferozes.

"O que é aquele lugar?" pergunta Tess, apontando, do outro lado do canal, para a cúpula branca e as elegantes colunas da Chiesa della Salute.

"Uma catedral", respondo. "Na verdade, uma das igrejas da peste construídas no século XVII."

"Igreja da peste?"

"Eles a construíram como proteção quando uma doença terrível — a peste negra — chegou a Veneza. Dizimou quase metade da população. Eles não tinham remédios para combatê-la na ocasião, então acharam que a única coisa a fazer era construir uma igreja e esperar que Deus os salvasse."

"E ele salvou?"

"A peste por fim acabou. Como teria acabado, com ou sem a construção de uma igreja." Tess faz um novo rolo de espaguete com seu garfo.

"Eu acho que foi Deus. Mesmo que você não ache", ela diz de maneira decidida. A garfada que ela põe na boca enche suas bochechas. Ela mastiga e sorri ao mesmo tempo.

---

3   Bonecas com carinhas de anjo, surgidas no início do século XX. O nome, derivado de "cupido", acabou designando bonecas dadas como prêmio em parques de diversões e deu origem à expressão popular usada quando alguém acerta um palpite, ou ironicamente quando erra por muito.

Nessa noite, cansados mas excitados, saímos para uma curta caminhada pelas tortuosas *calles*[4] próximas ao hotel antes de ir para a cama. Eu tenho um senso de direção acima da média (decorrência do estudo dos mapas de guias de viagem) e posso ver nossa rota em minha mente: três lados irregulares de uma praça, e então de volta. Só que, logo depois de sairmos, surgem curvas inesperadas, a rua se dividindo em duas *fondamenta*[5] menores cortadas por um canal, forçando-me a uma decisão — esquerda? direita? — que eu não imaginara que teria de fazer. Ainda assim, continuo me aferrando à ideia de dar a volta na praça e retornar ao Grande Canal, mesmo que leve mais tempo.

Depois de meia hora, estamos perdidos.

Mas tudo bem. Tess está aqui. Segurando minha mão, sem se dar conta dos meus cálculos internos, minhas tentativas de distinguir o norte do sul. O velho no avião estava errado. Perder-se em Veneza é tão encantador como os livros afirmam. Só depende de quem anda a seu lado. Com Tess, eu poderia ficar perdido para sempre. Então me ocorre, com o forte peso da emoção, que, enquanto eu estiver com ela, nunca estarei realmente perdido.

Quando estou prestes a abandonar toda a minha masculinidade e pedir informações a alguém, chegamos à porta do Harry's Bar. *Hemingway teve uma mesa cativa aqui no inverno de 1950.* Essa informação do guia de viagem volta à minha mente, junto com a lembrança, mais útil, do mapa da região. Não estamos muito longe. Provavelmente nunca estivemos. O Bauer está logo ali.

"Estamos em casa", digo a Tess.

"Estávamos um pouco perdidos agora mesmo, não?"

"Talvez um pouco."

"Pude ver pela sua cara. Você faz essa coisa às vezes", diz, endurecendo o semblante, "quando está pensando."

"Sua cara faz a mesma coisa."

---

4 Como são chamadas as ruas em Veneza.
5 As ruas que margeiam um canal ou um rio, em Veneza.

"É claro que faz. Eu sou igual a você, e você é igual a mim." A verdade simples de sua observação faz com que eu pare, mas Tess continua a andar. Minha guia, levando-me para a porta do hotel.

No dia seguinte o plano é fazer um pouco de turismo, visitar o endereço que a Mulher Magra me deu naquela tarde, tirar dos ombros o assunto de negócios e desfrutar desta noite e do dia de amanhã livres com Tess. Mas quando começamos o passeio de gôndola, Tess maravilhada com o suave avanço do barco, começo a suspeitar que meu cálculo do tempo esteja totalmente errado. Eu deveria, em primeiro lugar, ter resolvido o assunto de trabalho (qualquer que seja ele), porque minhas especulações sobre o que me pediram para analisar aqui cresceram, até mesmo durante o café da manhã, ao nível de uma preocupação minuciosa. A estranheza de minha tarefa foi meio que emocionante nas últimas vinte e quatro horas, uma distração de realidades indesejáveis. Eu podia ver o incidente se desenrolando como algo a ser contado na sala de aula, uma anedota sedutora e amalucada nos queijos e vinhos de conferências. Agora, no entanto, na bruma dourada da luz veneziana, o nervosismo se transformou em pânico total.

Como a Mulher Magra definiu? Um caso. Um *fenômeno*. Não a análise de um texto descoberto ou a interpretação de um verso (o único tipo de trabalho de campo ao qual posso esperar emprestar minha perícia). Ela veio a mim pelo meu conhecimento do Adversário, um dos muitos nomes da Bíblia para o Demônio. *Documentação apócrifa de atividade demoníaca no mundo antigo.*

Nada disso, claro, pode ser discutido com Tess. Então eu banco o animado guia de viagem o melhor que posso. Ao mesmo tempo que luto para me convencer de que este é um dia apenas um pouco fora da rotina, de que eu não devo temer o inusitado apenas porque me tira do meu habitat de biblioteca, estudos e aulas. Na verdade, talvez dias como este

tivessem me tornado uma pessoa mais presente, como Diane queria que eu fosse. A excitação torna você mais vivo.
Mas o fato é que, à medida que o Sol sobe no horizonte para se abater sem sombras sobre a cidade velha, sinto cada vez menos excitação e mais medo.

Começamos pelo Palácio do Doge. É uma rápida caminhada do hotel até San Marco, e, assim que entramos na ampla praça, percebemos a enorme estrutura a distância. É verdade o que um dos guias de viagem disse: a longa arcada de colunas no andar térreo do imóvel dá ao andar superior a ilusão de flutuar. Eu não esperava tamanho volume, as toneladas de pedra, não importa o quão graciosamente reunidas, a sugerirem histórias há muito enterradas de trabalho, danos, vidas perdidas.

Entre essas vidas perdidas, conto a Tess, estavam as dos condenados, trazidos aqui para uma última chance de salvação.

"Por que eles foram condenados?", ela pergunta.

"Eles fizeram coisas ruins. E então tinham de ser punidos."

"Mas foram trazidos para cá antes?"

"É o que contam."

"E *o que* contam?"

Eu lhe explico sobre a coluna. Segundo o livro, é no Canal de San Marco, de frente para a ilha de San Giorgio. Conte três colunas, e lá está: com sua base de mármore gasta por todos os prisioneiros e, por muitos séculos, turistas curiosos tentando o impossível. O desafio é colocar suas mãos para trás (já que as mãos dos prisioneiros estariam atadas) e, de costas para a coluna, tentar fazer a volta completa. Para os condenados, era uma cruel oferta de uma possível liberdade, já que, reza a lenda, o desafio nunca foi superado.

Tess acha que devo ir primeiro. Coloco meus dedos no cinto e subo na base da coluna. Um passo em falso e desço.

"Não consigo", digo.

"Minha vez!"

As costas de Tess abraçam o mármore, ela me olha, rindo. Então começa. Seus pés pouco vacilam, avançando centímetro a centímetro. E avançam. Eu fico ali com a câmera do iPhone pronta para filmar seu tombo, mas em vez disso ela desaparece à medida que dá a volta na coluna. Um segundo depois ela reaparece, ainda tateando com os pés. Só que agora o riso desapareceu. Em seu lugar há um olhar sem expressão, que eu imagino ser uma enorme concentração. Coloco o iPhone de volta em meu bolso.

Quando ela retorna ao ponto de partida, fica ali parada, olhando para a água, como se ouvindo as instruções murmuradas pelas ondas que se sobrepõem.

"Tess!" Um grito que visa a despertá-la de onde quer que ela esteja, tanto como para comemorar seu feito. "Você conseguiu!"

Ela desce. E, ao recordar-se de quem sou eu e onde ela está, seu sorriso volta.

"O que eu ganho?", ela pergunta.

"Seu lugar na História. Aparentemente, ninguém nunca fez isso antes."

"E a salvação. Ganho isso também?"

"Também. Venha", digo, tomando sua mão, "vamos sair desse sol infernal."

Atravessamos a praça já lotada de gente até a basílica. O Sol, distante mas abrasador, torna essa travessia, ainda que curta, cansativa. Ou talvez o fato de acordar cedo depois de um longo voo tenha me deixado mais fraco do que eu imaginava. De qualquer modo, quando entramos no frescor da catedral, estou me sentindo inclinado, como se estivesse no deque de um barco a vela.

Quando paro para mostrar o mosaico da cúpula acima de nós, é em parte uma desculpa para recuperar meu equilíbrio. As imagens contam a história do Gênesis: Deus criando a luz, Adão no jardim, a serpente e a tentação de Eva, a Queda.

Há uma assombrosa simplicidade nas imagens, especialmente considerando-se o contexto da esmagadora arquitetura bizantina. É como se aqueles que a construíram quisessem nos distrair da verdadeira substância da fé, em lugar de representá-la. Ainda assim, aqui, neste receptáculo acima de nossas cabeças, está a narrativa familiar do Gênesis, em uma disposição semelhante à de uma ilustração de livro infantil, e seu impacto é de tirar o fôlego.

De início, acho que isso é uma resposta estética: um homem que reverencia uma façanha artística superior. No entanto, não é a beleza que me deixa petrificado. É o sublime. A inquietante presença da serpente e suas implicações, não apenas na icônica "Eva", porém nas duas pessoas de verdade retratadas no mosaico, um homem e uma mulher tocados não por um símbolo, mas pelo mal fisicamente encarnado. Um corpo longo, coberto de escamas verdes. A língua bífida.

E então, no silencioso sepulcro da igreja, um murmúrio junto a meu ouvido. Os olhos da serpente focados não em uma mulher estendendo sua mão para uma maçã, mas em mim.

"Pai?"

Tess tem as duas mãos apoiadas nas minhas costas.

"O que houve?"

"Comigo?", ela responde. "O que houve com *você*? Eu estou te segurando."

"Desculpe. Por alguns segundos, eu me senti tonto."

Ela franze o rosto. Sabe que não vou dar detalhes e está pensando se precisa ou não ouvi-los agora.

"Vamos voltar para o hotel", sugere. "Podemos descansar um pouco antes da sua reunião."

Ela é sua filha, explica uma imaginária O'Brien em minha mente enquanto Tess me conduz para fora, de volta ao burburinho da praça. *Ela conhece mais coisas do que você jamais poderia esconder.*

O
DEMONOLOGISTA
ANDREW PYPER

CAPITULUM 5

Sinto-me muito mais forte depois do almoço. A babá que a recepção providenciou chega a nosso quarto para cuidar de Tess enquanto eu estiver fora. Robusta, do tipo matrona, "totalmente registrada", conforme me assegurou o hotel. Confio nela de imediato. Tess também. As duas se dedicam a aulas de italiano antes mesmo de eu chegar à porta.

"Volto logo", digo a Tess, que corre para me dar um beijo de despedida.

"*Arrivederci,* papai!"

Ela fecha a porta atrás de mim. E estou só. Somente quando me vejo em meio a outras pessoas no ordenado vaivém do saguão é que me sinto capaz de pegar o endereço que a Mulher Magra me deu.

Santa Croce, 3.627.

Uma típica indicação veneziana. Sem o nome da rua,[1] sem o número do apartamento, sem o código postal. Mesmo a mais

---

[1] Santa Croce é um dos *sestieri*, ou bairros, de Veneza. A numeração é por bairro, não por rua.

exaustiva busca em mapas on-line só chegaria a me indicar algumas centenas de metros quadrados onde isso pode ser. Para encontrar a porta na qual devo bater, preciso estar no chão, buscando sinais.

Tomo um *vaporetto* no embarcadouro do hotel e volto pelo Grande Canal até a parada de Rialto. A ponte está tão cheia hoje como quando passamos sob ela ontem, e enquanto luto para atravessá-la para chegar ao *sestiere* Santa Croce, do outro lado, minhas relutâncias sobre o que quer que me espere no número 3.627 desaparecem, e eu sou apenas mais um entre os visitantes, passando pelas barracas dos vendedores e perguntando "Quanto custa?" nas línguas do mundo.

Então começo a seguir o caminho relativamente simples indicado no mapa que tiro do bolso. Há outras pessoas aqui também, lendo mapas como eu, apesar de elas diminuírem à medida que prossigo. Logo, há apenas moradores voltando para suas casas com sacolas de mercado. Crianças chutando bolas de futebol contra muros antigos.

Devo estar perto. Mas como saber? Apenas algumas das portas têm números. E eles não seguem muito bem uma ordem. Depois do 3.688 vem o 3.720. Então volto, pensando que os números vão diminuir, só para descobrir que o 3.732 vem antes do 3.720. Durante quase todo o tempo, fico tentando me lembrar de marcos passíveis de guardar na memória visual: aquelas jardineiras floridas com a água escorrendo, os velhos carrancudos bebendo *espresso* na porta de um café. Mas quando me volto e sigo um caminho que tenho certeza de já ter percorrido, o café sumiu, no lugar da jardineira está uma camiseta pendurada para secar.

Somente quando decido voltar na direção (ou o que eu acredito ser a direção) de Rialto é que eu encontro.

Pintado em tinta dourada, já um pouco descascada, em uma porta de madeira menor que todas as outras, está o número 3-6-2-7. A porta deve ser a original, mantida desde o tempo em que se construía para venezianos mais baixos, do século XVII. Seu tamanho, bem como os números diminutos, dá a impressão de que há tempos ela vem fazendo o possível para passar despercebida.

Uma campainha brilha com uma lâmpada acesa, mesmo agora, ao meio-dia. Toco duas vezes. Impossível saber se faz ou não algum som lá dentro.

Rapidamente, a porta é aberta. Do interior escuro, surge um homem de meia-idade vestindo um terno de flanela cinza, quente demais para a temperatura do dia. Seus olhos piscam enquanto me olham através das lentes sujas dos seus óculos de armação fina, a única mostra de desalinho em sua aparência excessivamente formal.

"Professor Ullman", ele diz. Não é uma pergunta.

"Se você sabe meu nome, então devo estar no lugar certo", respondo, com um sorriso cujo objetivo é convidá-lo a contribuir com algum humor para reduzir a estranheza de nosso encontro, mas nada em sua expressão indica que ele tenha registrado qualquer outra coisa além de minha presença em sua porta.

"Você está atrasado", ele diz em um inglês com sotaque, mas perfeitamente pronunciado. Ele abre mais a porta e faz um movimento impaciente com a mão, indicando-me que entre.

"Pelo que sei, não foi especificada uma hora para minha vinda até aqui."

"Está atrasado", repete ele, um sinal de cansaço em sua voz, sugerindo que ele está se referindo a outra coisa que não o tempo.

Entro no que parece ser algum tipo de sala de espera.

Cadeiras de madeira encostadas na parede. Uma mesa de centro com revistas italianas que, a julgar pelos filmes de terror e blockbusters citados nas capas, já têm alguns anos de idade. Se *for* uma sala de espera, não há ninguém esperando. E não há nada — nenhuma sinalização, ou mesa de recepção, ou pôsteres explicativos — que indique o serviço prestado.

"Sou um médico", diz o homem de terno.

"Este é seu consultório?"

"Não, não." Ele balança a cabeça. "Fui incumbido. Por outros."

"Quem?"
Ele balança a mão. Recusa, ou, talvez, incapacidade de responder.
"Estamos só nós aqui?", pergunto.
"Neste momento, sim."
"Há outros? Em outras horas?"
"Sim."
"Então devemos esperar que eles cheguem?"
"Não é preciso."
Ele se dirige a uma de três portas fechadas. Gira a maçaneta.
"Espere", digo.
Ele abre a porta, fingindo não ouvir. Esta revela uma estreita escadaria que leva ao andar superior.
"*Espere!*"
O médico se volta. Seu rosto não esconde a ansiedade. Está claro que ele tem um trabalho a fazer — conduzir-me escada acima —, e que tem também o firme propósito de fazê-lo o mais rapidamente possível.
"Sim?"
"O que tem lá em cima?"
"Não entendo."
"Você vai me mostrar algo, certo? Diga-me o que é."
É quase possível ler as várias respostas que ele pode me dar através de seus olhos. O processo parece causar-lhe dor.
"É para você", diz, finalmente.
Antes que eu possa perguntar qualquer outra coisa ele começa a subir a escada. Seus engraxados sapatos Oxford de couro batem nos degraus de madeira com uma força desnecessária, seja para evitar escutar mais comentários meus, seja para alertar alguma outra pessoa sobre minha presença.
Eu o sigo.
A escadaria é quente e escura, o calor aumentando a cada degrau, as paredes de gesso úmidas de condensação. É como entrar em uma garganta. E, assim que me vem essa ideia, escuto algo: a respiração amortecida de outra pessoa, além de mim e do médico. Ou, melhor dizendo, duas respirações, que

se sobrepõem, de maneira regular. Uma aguda e fraca, um estertor de morte. Outra, um tremor em tom baixo, mais sentido que ouvido. Está um breu quando chego ao segundo andar. Mesmo olhando para trás, de onde vim, mal se vê uma réstia de luz entrando pela porta da sala de espera.

"Doutor?"

Minha voz parece reanimar o médico, que acende uma potente lanterna, que me cega.

"*Le mie scuse*",[2] diz, dirigindo o facho de luz para o chão.

"As lâmpadas não estão funcionando?"

"A energia. Cortaram a energia do imóvel."

"Por quê?"

"Não perguntei. Acho que é porque...", ele busca encontrar a expressão, "...está fora da rede de distribuição."

Analiso o rosto dele pela primeira vez. Seus traços são iluminados de baixo pela lanterna, de modo que sua expressão de quase pânico é uma caricatura.

"Por que você está fazendo isso?", pergunto. Só isso já lhe provoca uma contração de desconforto.

"Não posso dizer."

"Alguém está forçando você a fazer isso?"

"Não há ação sem escolha", ele responde, as palavras ditas em um sotaque levemente recitado, como se ele citasse a resposta de outra pessoa à mesma pergunta.

"Estamos seguros aqui?"

A urgência queixosa de minha pergunta surpreende a mim, mas não ao médico, que por um segundo fecha os olhos como se quisesse evitar a lembrança de algum remorso irreparável.

Então, com um movimento súbito, ele se vira para pegar algo em uma mesinha atrás dele, e a lanterna na sua outra mão gira, mostrando que estamos em um patamar onde há pelo menos três portas fechadas. O lugar não tem qualquer

---

2 "Peço desculpas."

elemento de arte ou decoração. Apenas o ligeiro brilho da umidade nas paredes brancas.

O médico dirige a lanterna de novo para mim, com o raio de luz em meu peito. E eu o vejo estendendo o que parece ser uma câmera de vídeo digital novinha em folha.

"Para você", ele diz.

"Eu não quero."

"Para *você*."

Ele coloca a câmera em minhas mãos.

"O que eu devo fazer com isso?"

"Não me disseram o que você deve fazer. Apenas para dá-la a você."

"Isso não era parte do acordo."

"Não há *acordo*", diz, retraindo-se como para evitar uma gargalhada grosseira. "O que fazer com ela, é você quem decide, professor."

O médico começa a andar. Inicialmente, penso que ele vai me acompanhar para dentro de uma das portas que abrir, ou talvez guiar-me para um andar superior. Mas ele passa por mim — sinto um cheiro de suor azedo neste momento — e percebo que ele vai descer a escada.

"Aonde você vai?"

Ele para. Joga a luz na porta mais distante.

"*Per favore*", diz.

"Você vai esperar por mim? Lá embaixo? Você estará aqui se eu precisar, certo?"

"*Per favore*", ele repete. Ele tem aquela aparência amarelada de alguém aguentando o máximo possível até chegar ao banheiro mais próximo, para poder vomitar.

Um minuto.

É tudo o que eu penso enquanto me aproximo da porta.

Um minuto para fazer minhas observações, relatá-las a esse homem ou a quem quer que esteja me esperando lá embaixo, depois partir. Aproveitar o passeio, pegar o dinheiro e fugir. Honrar minha promessa.

A verdade? Eu abro a porta e entro, não pelo pagamento da Mulher Magra ou para cumprir o acordo que fiz com ela. É mais simples que isso.

Eu quero ver.

Um homem sentado em uma cadeira.

Ele parece dormir. Sua cabeça caída à frente, o queixo encostado no peito. Apesar de não permitir a visualização de seu rosto, essa posição dá uma boa visão de seus rarefeitos cachos grisalhos, a pequena mancha cor-de-rosa no alto de sua cabeça que é o emblema da meia-idade. Ele usa uma calça social, uma camisa de listras finas, mocassins de couro. Anel de casado. Sua figura magra é quebrada por uma barriga levemente avantajada, de alguém acostumado à boa comida, mas ainda vaidoso o bastante para combater seus efeitos obrigando-se a fazer exercícios. Tudo sobre ele, em uma avaliação inicial, passa a ideia de um homem de bom gosto que não gosta de se arriscar, um executivo, um pai. Um homem como eu.

Mas então, ao me aproximar mais um passo, outros detalhes, invisíveis há um instante, despontam.

Ele está empapado de suor. Sua camisa pregada em suas costas, manchas escuras nas axilas.

Sua respiração. Um estertor rouco tão grave que parece que o ar vem de outro lugar que não seus pulmões.

E então vejo a cadeira: cada perna aparafusada no chão de madeira com parafusos industriais. Tiras de couro rústico, do tipo usado em arreios de cavalo, envolvem o peito do homem, segurando-o no lugar.

Um sequestro. Capturaram este homem e o mantêm aqui para pedir resgate.

Então para que me trouxeram aqui? Não me pediram nada além da minha presença.

Você também ficará preso aqui. Ou pior. Deram-lhe a câmera para que você grave algo terrível. Tortura. Assassinato. Algo que eles farão com esse homem.

Mas para que trazer uma testemunha, se é isso o que sou, de tão longe, de Nova York?
Eles também vão te sequestrar.
Para quê? Não pode ser dinheiro. Não tenho o bastante para que valha a pena. E se eles querem me sequestrar, por que esperaram tanto tempo assim?
Intriga Internacional, de Hitchcock. Eles pegaram o cara errado.
Mas a Mulher Magra sabia exatamente quem eu era. Assim como sabia o funcionário da companhia aérea no aeroporto, o recepcionista do Bauer, todos aqueles que olharam meu passaporte. Ela queria David Ullman aqui. E aqui estou.

Essa discussão interior, percebo, ocorreu com uma O'Brien imaginária. Sinto uma dor no peito quando penso que gostaria que ela estivesse aqui comigo agora. Ela teria respostas que a O'Brien da minha imaginação não tem.

Ligo a câmera.

Não tento correr, não tento chamar a *polizia*. Por algum motivo, tenho a certeza de que não fui trazido aqui para ficar preso em uma cadeira.

O homem à minha frente é a razão de eu estar aqui. É ele o "caso". O fenômeno.

Pressiono o botão REC e olho pelo visor da câmera, enquadro o homem na cadeira. No canto do visor, o relógio digital começa a marcar o tempo à medida que a gravação corre. Por um segundo, o homem fica borrado até que o foco automático se ajuste na tela. Ainda dormindo.

Testo o botão do zoom. Eu me aproximo para tirar do enquadramento o chão, as paredes.

1:24

Então mais perto, de maneira que apenas a parte superior de seu corpo e sua cabeça preencham o quadro.

1:32

De repente, sua cabeça se endireita, afastando da testa anéis de cabelo molhado. Olhos totalmente abertos, ao mesmo tempo alertas e brilhando de exaustão. Não importa quanto tempo sua cabeça descansou em seu peito, seus olhos não se fecharam. Ele nunca adormeceu. Ele olha diretamente para a lente da câmera. E eu a mantenho firme. Gravando sua expressão enquanto esta muda de um receio inexpressivo ao reconhecimento. Não do ambiente, mas de mim. Um sorriso se espalhando em seu rosto como se na chegada de um velho amigo.

Mas o sorriso se estende *demais*, sua boca se esticando até que nos cantos reabrem antigas feridas da última vez em que ele fez esse mesmo truque. Todos os seus dentes estão expostos. Ele rosna.

Luta contra as correias que o mantêm preso. Jogando seu torso para um lado, depois para o outro, testando a fixação da cadeira no chão. Os parafusos ficam no lugar, mas a força com que ele se debate provoca rangidos em toda a estrutura do ambiente, a luminária balançando sobre minha cabeça. Para o caso de cair, dou um passo à frente. Um passo mais perto dele.

Uma ligeira pausa antes de ele jogar sua cabeça na minha direção. Esticando seu pescoço e ombros para a frente, o máximo que as correias permitem. E mais ainda. Seu corpo elastificado, esticando-se para a frente muitos centímetros mais do que eu esperava que o comprimento natural de sua espinha fosse permitir.

Dou um passo para trás em busca de uma distância segura. Gravo o que parece ser minuto após minuto de seu ataque. Latidos. Baba de espuma branca. Vozes que emanam dele, rosnando e sibilando.

Ele é insano. Um louco violento em meio a uma crise prolongada.

Ou é disso que eu tento me convencer. Não funciona.

Tudo o que ele faz é proposital demais para ser sinal de doença mental. *Parece* ser um sofrimento aleatório, sem sentido, de alguma corrosão neurológica avançada, mas não é. O que está sendo mostrado é a revelação de uma identidade, ainda que estranha. Tem os padrões, os crescendos, as pausas dramáticas que vêm de alguma consciência interna. Uma consciência que visa ser gravada pela câmera. Que visa a mim.

Mais perturbadores que seus choques mais explícitos — a gargalhada feminina, o relincho torturante, os olhos virados para trás revelando globos oculares tão injetados que lembram pequenos mapas de dor — são os momentos em que ele repentinamente para e olha para mim. Nenhuma palavra, nenhuma contorção. Sua persona é "normal", ou o que parece restar de seu saudável eu antigo: um homem mais ou menos da minha idade, incerto sobre seu paradeiro e tentando imaginar quem eu sou, como ele pode mudar sua situação, encontrar o caminho de volta para casa. Um homem inteligente.

E, a cada vez, sua expressão se altera. Ele se lembra de quem ele é, e uma cascata de sensações — imagens? emoções? memórias? — volta para ele em um ímpeto.

E nesse momento ele grita.

Uma voz que é totalmente sua. A nota subindo em sua garganta, despedaçando-se então em uma espécie de soluço. O pavor tão instantâneo e cristalino que o desumaniza de tal forma que nem as suas mais grotescas exibições podem se igualar.

Ele olha para mim e estende sua mão.

Isso me faz lembrar de quando Tess tinha dois anos e estava aprendendo a nadar em uma colônia de férias em Long Island. Ela dava um passo a mais na água e sentia a areia escorregando sob seus pés, ao mesmo tempo que uma onda a varria. A cada vez que ela cuspia água do mar, esticava sua mãozinha para que eu a salvasse. Ela podia repetir essa experiência de quase afogamento uma dezena de vezes numa mesma tarde. E ainda que eu a tomasse em meus braços em uma fração de segundo a cada vez, seu desespero era sempre o mesmo.

A diferença entre Tess e este homem era que, enquanto Tess sabia qual era a razão de seu medo — a água, a profundidade —, ele não tem nenhuma ideia.

Não é uma doença. É uma presença. Uma vontade mil vezes mais forte que a dele. Não há luta. Apenas a admissão do fato de que ele está condenado voltando renovada a ele a cada vez. Finalmente, ele para. Cai em um sono que não é sono.

4:43

Somente agora minhas mãos começam a tremer. Nos momentos anteriores, a câmera poderia muito bem estar em um tripé, tão firme que eu a segurava. Agora, que o impacto de tudo o que vi finalmente me atingiu, o enquadramento oscila com nauseabundos solavancos e correções, como se pela imobilidade do homem a câmera tivesse adquirido vida.

5:24

Uma voz.

O som dela paralisa minhas mãos. Enquadro novamente o homem na cadeira. Mas ele não se move. A voz vem dele — deve vir dele —, mas não há nada em sua figura que confirme isso.

Professor Ullman.

Levo um tempo para perceber que a voz se dirigiu diretamente a mim. E sua língua não é o inglês, mas o latim.

Lorem sumus.
Estávamos esperando.

A voz é masculina, mas apenas em seu timbre, não em suas características. Na verdade, apesar de se expressar de uma maneira semelhante à humana, é estranhamente desprovida de gênero. Uma mídia desabitada, já que até o mais sofisticado sistema computadorizado de voz é percebido como o sucedâneo de uma presença humana real.

Espero que a voz continue. Mas há apenas a terrível respiração, agora em tom mais baixo.

6:12

"Quem é você?"

Minha voz. Soa metálica e arranhada como um velho disco em 78 rotações.

Sua cabeça se ergue novamente. Desta vez sua expressão não pertence nem ao louco que rosnava nem a seu apavorado eu "normal", mas a algo novo. Apaziguado. Seu rosto apresenta o sorriso insinuante de um padre, de um vendedor ambulante. Ainda assim, com uma fúria por debaixo da superfície. Um ódio contido pela pele, mas não pelos olhos.
"Nós não temos nomes."
Preciso contestar o que ele diz. Porque o que acontecer depois vai decidir tudo. De alguma maneira eu sei disso. É crucial não deixá-lo perceber que eu penso que pode não ser uma doença mental. *Isso não é real*. A fórmula para tranquilizar uma criança que lê uma história de bruxas ou gigantes. *Isso não existe*. Não se pode permitir que o impossível leve vantagem sobre o possível. Você resiste ao medo negando-o.
"'Nós'", começo, fazendo o melhor possível para suavizar o tremor das minhas palavras. "Você não quer dizer que seu nome é Legião, pois você é muitos?"
"Nós *somos* muitos. Mas você não vai encontrar ninguém."
"Não estamos nos encontrando agora?"
"Não com a intimidade de alguém que você vai conhecer."
"O Demônio?"
"Não o mestre. Alguém que se senta com ele."
"Estou ansioso."
Ele não responde nada. O silêncio ressalta o vácuo da minha mentira.
"Então você pode prever meu futuro?" Continuo. "Isso é tão comum como a ilusão de alguém que se acredita possuído por espíritos."
Ele faz uma pausa para respirar. Uma inspiração tão profunda que, por um momento, esvazia o aposento de seu oxigênio. Fico em um vácuo. Sem peso e sufocando.
"Suas tentativas de dúvida não convencem, professor", diz.
"Minha dúvida é real", afirmo, mas o tom de minha voz trai minhas palavras. *Você está ganhando*, é o que este na verdade expressa. *Você já ganhou*.

"Você precisa se preparar, aprendendo sobre o que assusta você."
"Por que não começar agora?"
Ele sorri.
"Logo você estará entre nós", diz.
Nisso, parte de mim flutua para além do meu corpo. Olha para baixo, para mim, para ver minha boca perguntar algo que já perguntei.
"Quem é você?"
"O homem nos deu nomes, apesar de não termos nenhum."
"Não. Você não vai me dizer quem é porque há poder em conhecer o nome de seu inimigo."
"Não somos inimigos."
"Então o que somos?"
"Conspiradores."
"Conspiradores? E qual é a nossa causa?"
Ele ri. Um ronco grave e satisfeito que parece vir das fundações da casa, do chão sob ela.
"Nova York 1259537. Tóquio 996314. Toronto 1389257. Frankfurt 540553. Londres 590643."
Ao parar, os olhos do homem giram para trás em suas órbitas para mostrar o branco injetado. Faz uma pausa inacreditavelmente longa para respirar. Prende a respiração. Solta-a em palavras que carregam o cheiro acre de carne carbonizada.
"No dia 27 de abril... o mundo será marcado por nossos números."
A cabeça cai à frente. O corpo do homem fica imóvel de novo. Apenas a respiração grave o mantém aquém da morte.
8:22
Três minutos. Essa é a duração da conversa com ele. Com *eles*. Três minutos que já parecem todo um capítulo da minha vida, um período como a Adolescência ou a Paternidade, no qual as condições de um indivíduo são, fundamentalmente, redefinidas. O período de tempo entre 5:24 e 8:22 será *Quando eu falei com o homem em Veneza*. E será um período marcado pelo remorso. Uma perda cuja dimensão ainda não posso adivinhar.

Hora de ir.

Se fui trazido aqui para testemunhar os sintomas da mente doente desse homem, então já vi o bastante. No fundo, o desejo de que eu nunca tivesse entrado nesse aposento é tão grande que percebo que estou arrastando os pés para trás na direção da porta, aumentando, centímetro a centímetro, a distância entre eu e o homem adormecido, tentando fingir que eu poderia retroceder nesse último quarto de hora e apagá-lo da minha memória tão facilmente quanto poderia apagá-lo da câmera que grava minha retirada.

Mas não haverá esquecimento. A câmera guardará as palavras do homem de maneira tão vívida como eu.

E então ele faz algo que será ainda mais impossível de apagar da minha mente.

Ele acorda e ergue a cabeça. Desta vez, devagar.

É o rosto do homem, ainda que alterado de uma maneira que talvez só eu possa perceber. Alguns ajustes fluidos, mínimos, em suas feições, que, em conjunto, mudam sua identidade de quem quer que ele um dia tenha sido para outra pessoa, alguém que eu conheço. Os olhos levemente mais próximos, o nariz mais longo, os lábios mais finos. O rosto do meu pai.

Tento gritar. Nada sai. O único som é a voz com que o homem fala, meu pai vindo de dentro dele. Sua acusação fervorosa, sua amargura. A voz de um homem morto há mais de trinta anos.

"Deveria ter sido você", ele diz.

– O –
DEMONOLOGISTA
ANDREW PYPER

CAPITULUM 6

Aos tropeços, saio do quarto e desço as escadas. Eu me recomponho, atravesso balançando a sala de espera vazia — nem sombra do médico — e chego à rua estreita. Saio correndo do número 3.627 sem olhar para trás, ainda que parte de mim queira fazê-lo, uma parte que sabe que, se eu olhar, o homem estará parado junto à janela do segundo andar, livre das correias, olhando-me com um sorriso irônico.

Somente depois que, totalmente sem fôlego, paro para descansar contra uma parede protegida do sol é que percebo que ainda estou com a câmera. E que ela ainda está gravando.

11:53
Meu polegar aperta o botão STOP. A tela se apaga.

De repente me dobro, agarrando-me aos tijolos. Uma dor em meus ossos, aguda e súbita. Lembra todas as gripes que tive, mas há algo diferente, além do fato de ter surgido repentinamente. A melhor descrição que posso dar é que não é algo fisiológico, nem ao menos uma doença, mas um *pensamento*. A infecção de uma ideia virulenta.

Limpo meus lábios no ombro da jaqueta e continuo.
Tess.
Tenho de voltar para ela. Assegurar-me de que ela está bem, então pegar o primeiro voo para Nova York — para qualquer lugar — esteja eu com malária ou coisa pior. *Temos de partir.*
Em primeiro lugar, porém, tenho de descobrir como chegar ao Grande Canal. Qualquer parada de *vaporetto* serve. Não deve ser muito difícil. Não que eu tenha alguma ideia de onde estou. Mas se continuar andando, chegarei à água.
Só que não funciona.
Estou ainda mais perdido do que estava quando saí para passear com Tess na noite passada. E, em lugar do charme, o que sinto agora é um pânico tão esmagador que estou rangendo meus dentes, em lágrimas. Há a necessidade de voltar para Tess, a ansiedade de não saber onde estou, a febre que retorce a *calle* à minha frente, transformando-a em um túnel ondulante. E há também a certeza de que estou sendo perseguido. Algo pesado e próximo, logo atrás de mim.
Começo a correr de novo. Viro uma esquina. E, antes mesmo de ver o que há do outro lado, sinto o cheiro. O mesmo cheiro de fazenda que cercava a Mulher Magra.
Mas não é ela que está parada na viela à minha frente. É uma vara de porcos.
Uma dúzia ou mais deles. Todos virados para mim, as narinas abertas. Impossível, mas inegavelmente *ali*. Com a aparência detalhada demais para ser o efeito colateral do que quer que esteja me envenenando. Conscientes demais de quem eu sou.
Os animais vêm na minha direção. Guinchando como se escaldados. Seus cascos batendo na pedra.
Eu me viro, contorno novamente a esquina. Espero que seus dentes encontrem a minha pele. Que a rasguem e me comam.
Mas eles não aparecem. Olho do outro lado da esquina. O *ramo*[1] está vazio.

---

[1] Como são chamados os becos em Veneza.

Não pare para tentar compreender. Provavelmente você nunca vai entender nada disso.
Minha O'Brien interior de novo.
Apenas continue andando.
Então eu continuo andando.
E no fim da próxima *calle* em que entro — que estou certo de ter percorrido pelo menos uma vez, talvez três — está o Grande Canal. Surgindo do nada, como se eu virasse uma página.
Não pare.
Algo está acontecendo.
Mas ela está segura.
Isso não existe mais.
Como você sabe?
Porque essa coisa sabe quem ela é.

O DEMONOLOGISTA
ANDREW PYPER

CAPITULUM 7

Sento na parte traseira do barco, buscando ar. Tento pensar apenas em Tess, em voltar para Tess, em escapar com Tess. Dispensar a babá, ligar para a companhia aérea, chamar um taxi aquático. Deixar essa cidade que afunda para trás.

Mas outros pensamentos forçam a passagem. Meu cérebro de professor inventa notas de rodapé, interpretações. O texto disponível é a última hora que vivi. E a leitura — absurda, incontrolável — é que minha experiência reflete o que já foi escrito sobre encontros anteriores entre homem e demônio.

Tento trazer à mente o rosto de Tess. Em vez disso, aparece o homem na cadeira. Sua pele saindo, para revelar a verdadeira face da coisa dentro dele.

Isso desvia meus pensamentos para outra coisa.

O demônio do geraseno.[1] Episódio contado duas vezes nos Evangelhos, por Lucas e Marcos. Segundo eles, Jesus encontrou um homem nu, desabrigado, que vivia nas catacumbas,

---

[1] Relativo à antiga cidade de Gérasa, localizada no norte da Jordânia.

um homem "que há muito tempo tinha demônios". Ao ver o Cristo, o demônio suplicou para que não fosse atormentado. Jesus perguntou seu nome, e este respondeu "Legião", pois não era um único demônio, mas muitos a possuírem o homem. E o Salvador os expulsou, fazendo com que eles fossem para uma vara de porcos que passava.

Então os demônios deixaram o homem e entraram nos porcos: e a vara se precipitou pelo declive escarpado para o lago, e todos morreram na água.[2]

O homem atado à cadeira em Santa Croce, 3.627, amarrado como o homem possuído em Gérasa havia sido repetida e inutilmente amarrado, também afirmava não ter nome, ainda que composto por muitos. E a vara de porcos correndo em minha direção no labirinto de ruelas. Eu tive uma alucinação ou é uma coincidência muito além do aleatório.

Pare com isso!, afirma a O'Brien em minha cabeça.

Mas não posso parar.

Outro texto antigo, este apócrifo. O *Compendium Maleficarum*, escrito pelo irmão Francesco Maria Guazzo em 1608, foi considerado pelo Vaticano e outras entidades teológicas como um guia básico para assuntos de possessão demoníaca e exorcismo. Guazzo estabelece cinquenta maneiras de estabelecer se a possessão é verdadeira, entre elas a sensação de formigas sob a pele, previsões acuradas de eventos futuros e vozes em sua cabeça dizendo coisas além de sua compreensão, mas que são, todavia, verdadeiras.

Esses três sinais específicos me vêm à mente, assim como meus sintomas semelhantes aos da gripe, que incluem uma coceira enlouquecedora em todo o corpo que me levou a pensar em me jogar do *vaporetto* para me refrescar nas águas do Grande Canal. E o que fazer com a lista de cidades proferida pelo

---

2   Evangelho segundo São Mateus, 8:32.

espectro dentro daquele homem, junto com os números? Um código? Endereços? Telefones? Seja lá o que for, eles vieram ligados a uma data que ocorrerá dentro em breve. O dia 27 de abril. Quando "o mundo será marcado por nossos números". E a voz de meu pai. Dizendo que deveria ter sido eu.
Eu lhe disse para não pensar, afirma O'Brien.

Todos os pontos de referência que aprendi dos guias de viagem passam por mim à medida que o *vaporetto* se aproxima do hotel, mas não consigo me lembrar dos seus nomes agora, ainda menos das anedotas que aprendi sobre suas histórias. São apenas belas construções antigas. Livres da reverência que lhes prestei ontem, as fachadas insinuam hoje apenas falsidade, uma decoração elaborada que visa a disfarçar a luxúria e a cobiça de seus proprietários originais. Como consigo ver isso? Parece que, com minha gripe-que-não-é-gripe, veio uma visão de raios X, capaz de olhar dentro das estruturas — das pessoas que as fizeram — e ver suas vis motivações. Uma perspectiva que traz consigo um terrível desespero. A claustrofobia de ser humano.

É uma sensação que precede o retorno de uma lembrança. Algo que eu habilmente ignorei durante os estudos e a vida em família, os milhares de pequenos truques de fuga que treinamos a mente a executar todos os dias. Mas agora ela volta de uma maneira tão vívida que sou incapaz de remover suas imagens.

Meu irmão se afogando.

Seus braços se debatendo nas águas do rio atrás do chalé de nossa família, sua cabeça submersa, sem vir à tona. E então seus braços param também. Ele desce o rio, seguindo a correnteza. Mais lentamente que esta, como se seus pés se arrastassem no leito do rio, resistindo mesmo na morte.

Eu tinha seis anos.

"Senhor Ullman?"

Alguém está parado junto a mim. Um homem de terno preto, esticando o braço.

"Sim?"

"Bem-vindo de volta ao Bauer. Aproveitou sua tarde?"

Subo correndo para nossa suíte. O que levaria um ou dois minutos parece tortuosamente mais demorado. O que prolonga esse tempo são as novas e horríveis imagens do que vou encontrar no quarto quando abrir a porta.
Tess ferida.
Tess rosnando e xingando como o homem naquele aposento, a babá incapaz de contê-la.
Tess desaparecida.
Falhei com ela. Fui enganado, enviado a uma casa em Santa Croce só para despistar. O objetivo não era gravar um fenômeno, mas separar-me de minha filha em uma cidade estrangeira, para que pudessem levá-la embora.
Ainda assim, quando escancaro a porta de nossa suíte, ela está lá. As portas-balcão da sala de estar totalmente abertas, o Grande Canal cintilante lá fora. Tess escreve em seu diário no sofá, a babá acompanha uma novela, sem som, na TV.
"Pai!"
Tess corre para mim. Ela me presenteia com um abraço que é quase o bastante para acabar com minha doença.
"Você está quente", ela diz, tocando meu rosto.
"Vou ficar bem."
"Seus olhos."
"O que têm eles?"
"Eles estão, sabe, *muito* vermelhos."
"Apenas um pouco de gripe. Não se preocupe, querida."
A babá está atrás de Tess, tentando manter o sorriso. Mas ela também se mostra aflita com minha aparência. Um olhar para o espelho me faz perceber o motivo.
"Obrigado. *Grazie*."
Dou-lhe um maço de euros de quase o dobro do valor acordado, mas ela pega as notas com uma certa relutância, como se aquilo que me aflige possa ser transmitido a ela pelo papel.
Quando ela sai, digo a Tess que temos de ir embora.
"Porque você está doente?"
"Não, querida. Porque... não gosto daqui."

"*Eu* gosto daqui."
"Não é o *lugar*. O que quero dizer...", começo, tentando pensar em uma mentira palatável. Decido, em vez disso, falar a verdade. "Quero dizer que não sei se estamos seguros." Não quero assustá-la. E ela *não está* assustada. Seu rosto mostra alguma outra coisa, que não consigo decifrar. Algo como determinação. Uma careta que mostra vontade de brigar. Seja o que for, é minha culpa. Que diabos eu estava *pensando* ao dizer isso?
A resposta é que não fui eu que disse isso. E sim a coisa que me seguiu até aqui. Um ser que não eu nem Tess está neste quarto.
"Faça suas malas", eu digo. "Tenho ligações a fazer."

Talvez seja a concentração necessária para, pelo iPhone, ligar para as empresas aéreas, a fim de encontrar um voo partindo na mesma noite (tendo sorte com a Alitalia para Londres, e então com a British Airways para Nova York). Ou talvez seja apenas uma questão de me distanciar do homem no 3.627. De qualquer maneira, sinto-me melhor quase instantaneamente. A brisa que entra pelas portas abertas refresca o suor em minha nuca, e meu estômago se acalma. O que é melhor ainda, os pensamentos sombrios que me afligiram quando voltava no *vaporetto* bateram em retirada, deixando-me mais alegre do que me lembro de ter estado nas últimas semanas. O dia foi estranho? Certamente. Uma conspiração produzida no inferno? Difícil.
Mas e a câmera? Quando acabo com os telefonemas, eu a vejo sobre a mesa de centro. O olho da lente me encarando. Dentro da máquina está o homem naquele aposento. Rangendo os dentes e se debatendo. Mas também as cidades e os números. A voz sem vida. Meu pai.
Penso em deixá-la ali, mas rapidamente a coloco na mala, enterrando-a sob minhas meias, como se o fato de escondê-la pudesse anular seu conteúdo. Estou muito aturdido no momento para explicar como sei disso, mas o que está

documentado ali pode ser importante. Não que eu jamais vá olhar seu conteúdo de novo. Mas o acadêmico dentro de mim — o arquivista, o opositor iluminado de qualquer destruição de registros históricos — não gosta da ideia de que isso desapareça. Assim como qualquer texto, pode ter algo crucial a dizer que não é evidente na primeira leitura.
Fecho minha mala. Penteio os cabelos com os dedos.
Adeus suíte de hotel gloriosamente cara. Adeus magnífica Chiesa della Salute, enquadrada pela janela como um cartão-postal. Adeus Veneza. Não vou voltar. E quando a próxima peste vier, vá e construa outra igreja. Curem doenças ou não, elas certamente são lindas.
"Tess? Hora de partir, docinho."
Empurro a mala até a sala de estar, esperando encontrar Tess ali. Ela não está lá, mas sua mala sim. A alça puxada, mas a mala deitada no chão, como se tivesse sido abandonada.
"Tess?"
Olho seu quarto. Os dois banheiros. Abro a porta da suíte e vou até o hall vazio.
"Tess!"
A janela da sala de estar. As portas-balcão abertas, as cortinas ondulando na brisa morna.
Corro para a sacada, olho para baixo. As chegadas e partidas do embarcadouro do hotel. Mas nada de Tess.
Chamo a recepção. É o que eu deveria ter feito. Mandar a equipe do hotel olhar em todos os lugares ao mesmo tempo. A polícia também. Se ela deixou o hotel, em um instante estaria perdida no labirinto que é a cidade.
Não fique correndo de um lado para outro. *Pense.* Tenho de ordenar os próximos passos. O que fizer agora vai decidir tudo...
Ela está no telhado.
A voz de O'Brien me interrompe de novo. Só que desta vez não é minha O'Brien imaginária, mas, de alguma forma, a real. Minha amiga aqui comigo.

Il Settimo Cielo. Vá, David. Agora.
Enquanto saio em disparada pela porta e subo correndo as escadas, começo a pensar se essa voz, entre todas as vozes do dia, é digna de crédito. Poderia ser uma mentira. Talvez tudo o que eu tenha escutado naquele aposento no 3.627 tenha sido uma mentira. Mas esta é verdadeira.
Eu corro para o restaurante, no terraço do hotel, e lá está ela. Minha filha, de pé na beira do telhado, de costas para o canal. Seus olhos encontram os meus em meio à multidão de garçons e fregueses em pânico.
"Tess!"
Há algo de oficial em meu grito — eu sei o *nome* dela — que faz com que a multidão se afaste, silenciando os pedidos para chamar a polícia, para que alguém fizesse *algo*. Isso permite que eu me aproxime no que espero ser um ritmo calmo, meus passos tão firmes quanto possível.
Todo esse tempo os olhos de Tess estão em mim. Mas à medida que me aproximo, vejo que estou errado. São seus olhos, azuis como os meus. Mas não é Tess que olha através deles. Não é minha filha que está de pé na beira do telhado, os braços estendidos para o lado, os dedos abertos como para sentir o vento passando entre eles. Há uma rigidez em sua postura que trai uma falta de familiaridade com o equilíbrio e a força. Sua postura é a de alguém limitado por uma prisão de ossos e pele. O corpo dela, mas não ela.
Quando estou perto quase o suficiente para tocá-la, ela se move. Estica uma das pernas para trás, de modo que fica equilibrada em um pé, o outro vacilando no ar.
O objetivo é fazer com que eu pare. Funciona.
Olá, David.
Uma voz completamente diferente desta vez. Masculina, comedida, a pronúncia agradável que marca um desejo de sofisticação. Uma voz não muito diferente daquelas que ouvi em conferências na universidade, ou das de parentes de

estudantes que frequentam clubes chiques e doam dinheiro a fim de ter seus nomes nos prédios do campus.

"Você é aquele que disseram que eu ia encontrar", digo.

"Nós nos tornaremos muito próximos. Não amigos, talvez. Não, certamente não amigos. Mas certamente próximos."

Ele baixa a perna de Tess, de modo que agora ela está de novo sobre os dois pés. Mas, para mostrar que isso não é um gesto de concessão, ambos os pés recuam dois centímetros. Isso deixa seus calcanhares para fora da beirada do prédio.

"Deixe-a ir."

Ele responde no que parece a voz de Tess, mas não é. A mesma expressão, a mesma entonação que ela usou quando eu disse, há menos de uma hora, que queria deixar Veneza. Uma imitação perfeita, mas destituída de vida.

Eu gosto daqui.

"Por favor. Farei o que você quiser."

"Não se trata de eu pedir a você que faça algo", diz, falando novamente em sua própria voz. "Isso é para você, David. Uma jornada de sua autoria. Como um errante."

Essa palavra de novo. *Errante*.

O coroa no avião usou esse termo também, errar pelas ruas. E a Mulher Magra disse isso sobre ela, não foi? Que ela não era uma viajante, mas uma errante. Mesmo naquele momento eu percebi que esse termo tem um significado especial para Milton. Satã e seus lacaios erram pela Terra e pelo inferno, autodirigidos, mas sem qualquer destino. Sem raízes, sem amor.

E então, como que lendo meus pensamentos, a voz cita *Paraíso Perdido*.

Erro por esse deserto sombrio, pois meu caminho
Jaz através de seu império espaçoso até a luz
Sozinho, e sem guia, meio perdido, eu busco...[3]

3 Livro II. No original: "Wandering this darksome desert, as my way/ Lies through your spacious empire up to light/ Alone, and without guide, half lost, I seek..."

"Então me diga", afirmo, minha voz traindo o nervosismo. "O que você está procurando? Prometo que vou ajudá-lo a encontrar."
"*Já encontrei o que procurava. Encontrei você.*"
Os pés de Tess recuam mais um centímetro. Todo o seu peso agora está nos dedos, como um atleta de saltos ornamentais.
"*Há muito a descobrir, David. Mas pouco tempo.*"
"Quanto tempo?"
"*Quando você vir os números, terá apenas até a Lua surgir.*"
"Por quê? O que acontecerá então?"
"*A criança será minha.*"
Eu me precipito à frente. Agarro a mão de Tess.

Ainda que eu puxe com toda a força — apesar de ela ser uma menina de onze anos com menos da metade do meu peso —, só o que consigo fazer é segurá-la ali. Sua força não pertence a ela, mas à voz. E o que sinto ao tocar a mão de Tess também é do seu desígnio. Uma colagem de dores, colidindo e queimando.

Meu irmão engolindo a água do rio.

Tess gritando, sozinha, em uma floresta escura.

O rosto de meu pai. Perto demais para que eu possa ver todos os seus traços de uma vez, cada parte dele enviando seus próprios sinais de ódio.

Um polegar decepado, esguichando sangue.

Os lábios de Tess se abrem. Dizem algo que consigo ouvir, mas cujo sentido não compreendo de imediato. Porque ela está indo e eu estou tentando segurá-la. Não há nada além do esforço de não deixá-la cair. Seus dedos se fechando. Escorregando pelos meus.

"TESS!"

E ela se vai.

Suas mãos soltas esticadas como asas. Ela não se afasta da borda, apenas cai para trás, retardada pela força contrária do ar. Seu rosto uma máscara de terror — o rosto novamente *dela*, os olhos *dela* —, mas seu corpo imóvel e sereno, sua trança apontando para cima de sua cabeça, como uma corda.

Corro para a beirada e a vejo despencar no canal.

E com o impacto vêm as palavras que ela sussurrou antes de cair. Sussurradas não em segredo, mas porque ela precisou de todas as suas forças para afastar o outro ser que estava com ela. Uma brecha quando ela estava no comando de sua própria língua, longa o bastante para proferir um apelo.

Uma menina, a minha. Pedindo que eu a leve para casa.

Encontre-me.

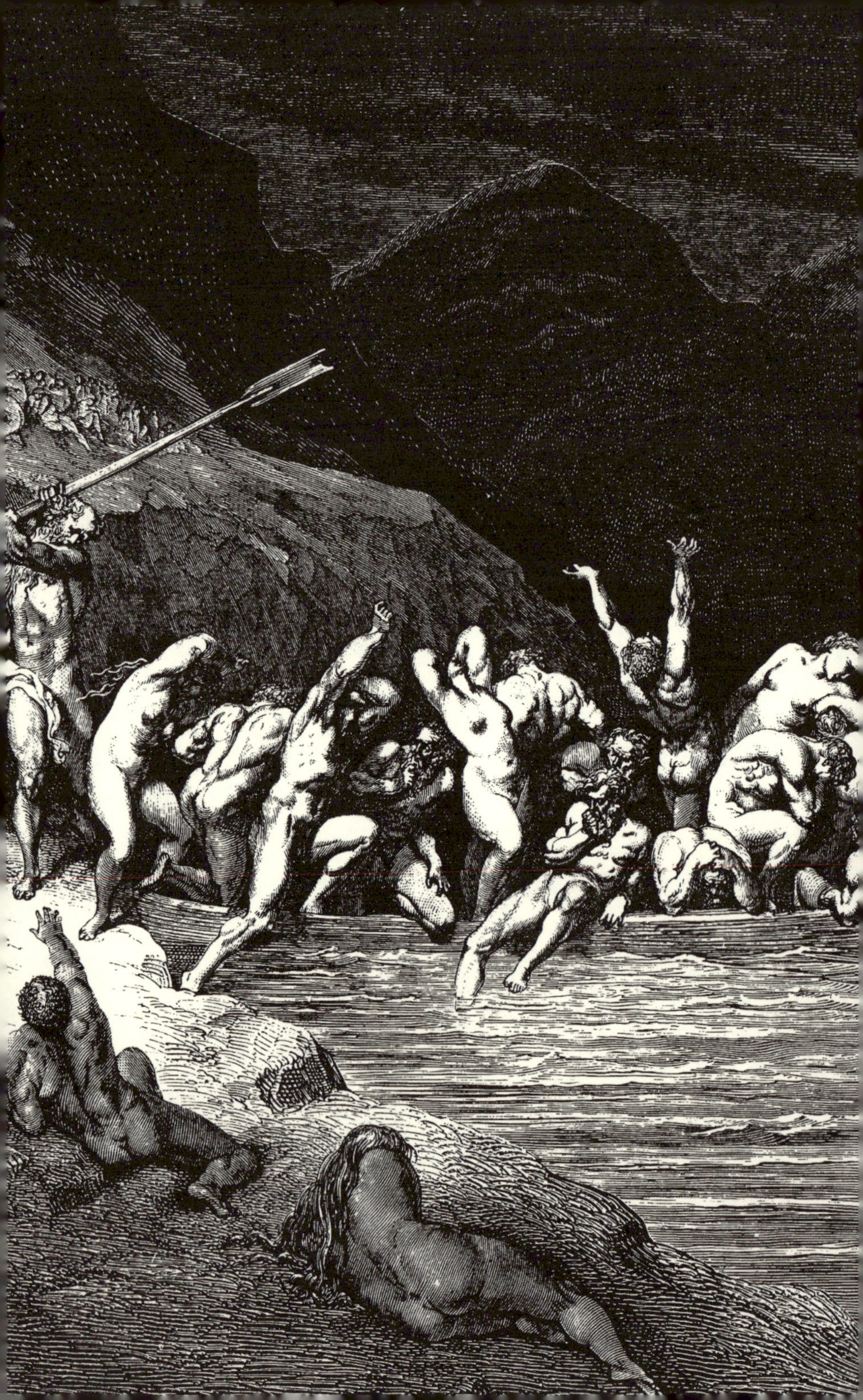

– O –
DEMONOLOGISTA
O LAGO EM CHAMAS
SECUNDUS

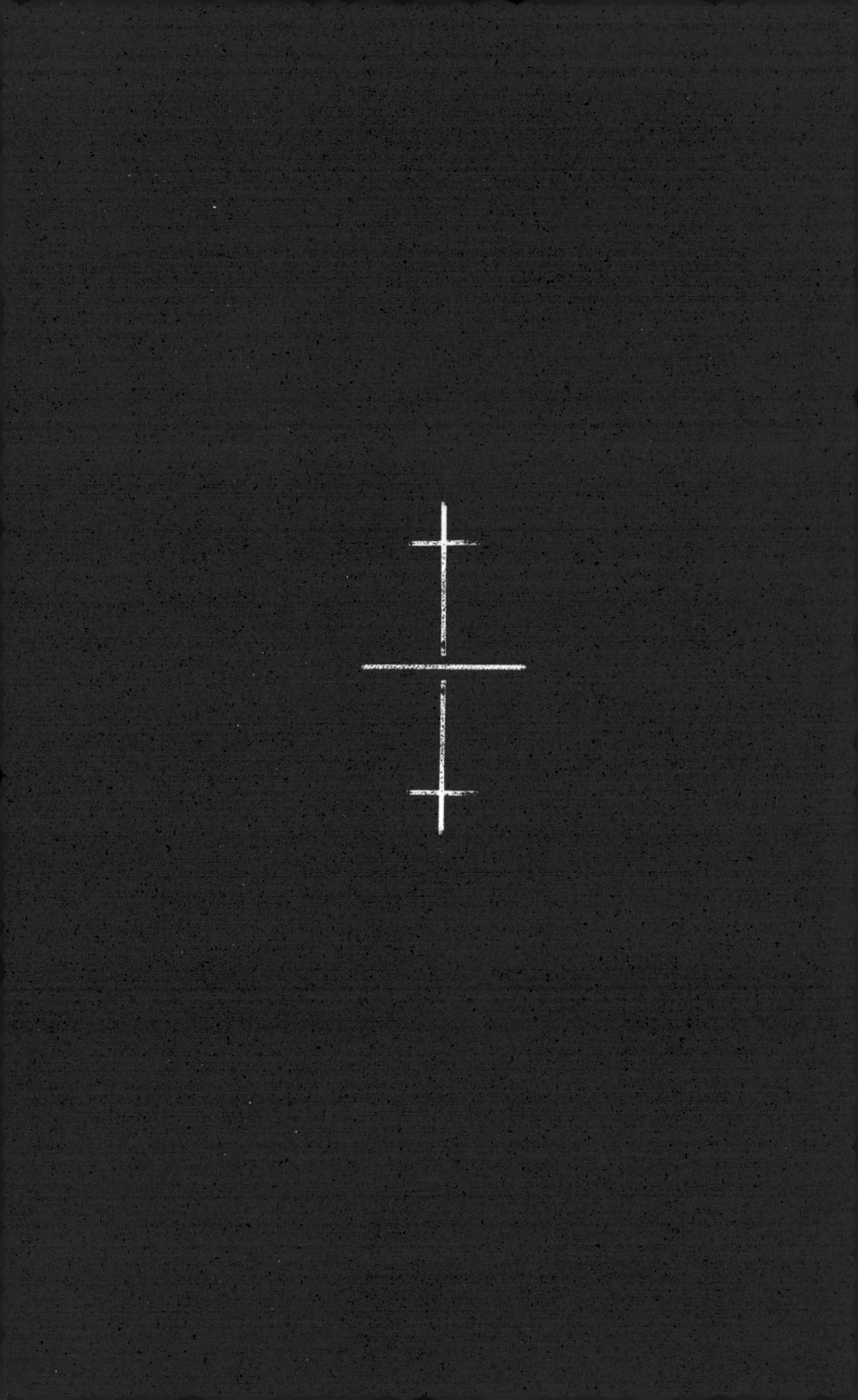

O DEMONOLOGISTA
ANDREW PYPER

CAPITULUM 8

A tristeza tem uma cor.

Há outras características, sei agora, que, coletivamente, formam uma espécie de personalidade. Uma figura hostil que entra em sua vida e se recusa a sair, ou a se sentar longe de você, ou a parar de sussurrar em seu ouvido o nome daquele que partiu. Mas para mim, mais que tudo, a tristeza se expressa essencialmente como um tom de tinta. O mesmo turquesa desalentador das paredes da cozinha do chalé onde passávamos nossos verões e, depois de vendermos nossa casa na cidade, onde vivemos até o dia em que nosso pai foi para o bosque um domingo de julho levando apenas uma foto do meu irmão e uma espingarda, e nunca mais voltou.

É a cor de minha mãe chorando de pé junto à pia, de costas para mim. A cor de meu pai sentado sozinho à mesa da cozinha durante toda a noite, levantando apenas para atender ao telefone que não estava tocando e dizer "Alô" para a linha muda. A cor do rio em que meu irmão se afogou.

E agora Nova York está toda pintada de turquesa. Eu vejo a cor em toda parte. As menores gotas saltando à minha frente e demandando minha atenção, uma campanha publicitária de guerrilha anunciando nada. Um turquesa sangrento que toca todas as coisas, como uma aquarela que se espalha a partir do ponto em que o pincel toca o papel. Vejo a cidade através de um gel azul-claro, o edifício Chrysler, os táxis que tomam a cidade de assalto, os cânions dos prédios que sombreiam o Centro com um verniz subaquático. Até minhas pálpebras fechadas têm a tristeza iluminando-as por trás. É a cor das casas de idosos, dos banheiros de rodoviárias. A cor do Grande Canal.

Já faz dois dias que voltei de Veneza, cinco desde que Tess despencou do terraço do Hotel Bauer, caindo na água. Eu teria voltado antes, mas a polícia de Veneza estava buscando por seu corpo todo aquele tempo, e eu não podia voltar enquanto eles ainda estivessem procurando. Eles nunca a acharam. Aparentemente, não era inusitado que aqueles que se afogavam no canal desaparecessem, arrastados para fora da cidade pelas correntes traiçoeiras, mais fortes do que se imaginava, através da lagoa, para além das ilhas externas e até o Mar Adriático. E ainda havia as muralhas e túneis submarinos, bem como os esgotos da cidade, uma rede de bolsões invisíveis onde um corpo poderia se alojar. Eles colocaram mergulhadores trabalhando no caso (o nosso chegou a ser manchete dos jornais, com direito a uma foto dos homens-rã pulando no canal com um gondoleiro de blusa listrada ao fundo), mas estes não acharam nada, o que não pareceu surpreendê-los.

Ninguém nem ao menos aventou a hipótese de que ela ainda estivesse viva. Nem eu achava que fosse possível. Mas era preciso perguntar, e eu perguntei. Cada vez que fazia isso, recebia o mesmo olhar em resposta. O tipo de olhar que você dá a alguém que sofreu um dano cerebral que o privou da coerência, fazendo com que não haja qualquer resposta possível além de um olhar de compaixão.

A questão é que Tess nunca voltou para mim, e, quando eles suspenderam as buscas (prometendo manter uma comunicação diligente e frequente), fui encorajado a voltar para casa, como se não houvesse nada mais que eu pudesse fazer em Veneza. Nunca me senti tão traidor como quando subi no avião e deixei o corpo de minha filha em algum lugar no fundo das águas.

Diane e eu conversamos, é claro, tanto pelo telefone como pessoalmente, algumas vezes, aqui em Nova York. E O'Brien deixou várias mensagens, oferecendo-se para mudar para meu apartamento enquanto eu precisasse de companhia. Eu declinei por meio de mensagens de texto. Em vez de aceitar convites para ser confortado, eu entupia o serviço de recados da polícia de Veneza com perguntas para todos os departamentos que tivessem alguma importância na busca por vítimas de afogamentos. Isso e ficar errando pela cidade turquesa. Recordando Tess.

Errando.

Talvez fosse isso o que a voz queria dizer quando disse o que me esperava. Mover-se assim, sem rumo, é o mais perto que os vivos podem chegar dos mortos. Caminhar de Wall Street até o Harlem, depois voltar, tomando desvios a esmo. Despercebido e ausente como um fantasma.

À medida que ando, algumas vielas da minha mente fazem conexões impossíveis.

Esse é o princípio da loucura. A culpa tão insuportável que entorta a mente. Ter esses pensamentos equivale a renunciar ao mundo e, acreditando neles, ainda que em parte, nunca retornar.

Saber disso não me impede de ter esses pensamentos.

Talvez a voz que tenha saído da boca de Tess tenha sido uma presença independente, um espírito que assumiu o controle dela nos últimos vinte minutos de sua vida. Talvez tenha sido isso que puxou a mão dela da minha. Talvez não tenha sido suicídio o que levou minha filha (como o legista e as autoridades inevitavelmente concluíram, assim que a suspeita sobre minha pessoa foi eliminada graças aos relatos das testemunhas), e sim um assassinato cometido interiormente.

Talvez a voz pertencesse ao demônio que o homem da cadeira afirmou que me visitaria.
Certamente não amigos. Mas inquestionavelmente próximos.
Talvez essa presença tivesse saído montada nas minhas costas daquele aposento onde estava o homem da cadeira, chegando até o hotel e ali passando para Tess. Explicaria algumas coisas. Porque eu me senti doente de maneira tão repentina quando fugi de Santa Croce, 3.627 — e tão rapidamente melhorei assim que estava de volta ao Bauer. Porque vi os porcos guinchando na rua. Porque Tess foi para o telhado. Porque as últimas palavras pronunciadas por ela pediam que eu a encontrasse. Porque seu corpo não foi achado.
Isso é o quão baixo eu desci.
Não. Não é verdade. Eu desci mais baixo que isso.
E se os traços de personalidade que eu e Tess compartilhávamos, a quase sempre disfarçável marca de nascença da melancolia, fossem não nosso temperamento, mas um sinal de que havíamos sido escolhidos desde o início? Se isso fosse uma sala de aula, e a pergunta que acabei de fazer a mim mesmo viesse de um estudante, eu saberia o precedente a ser recitado. Marcos 9. Outro relato de Jesus expulsando o demônio de uma alma aflita. Um menino dessa vez. Seu pai implorando ao salvador que liberte seu filho de um espírito imundo que sempre o leva "para o fogo, para as águas, para destruí-lo".
As águas.
Suicídio. Provocado por demônios.
Cristo perguntou ao pai há quanto tempo o menino sofria daquela forma.
E ele respondeu: Desde a infância.
Eis outra característica de um ser errante: emoções tão grandes que requerem superstição para explicá-las. Esse é o cerne do meu campo de estudos, no fim das contas. O medo — da morte, da perda, de ser abandonado — é a gênese da crença no sobrenatural. Quando alguém como eu subitamente se vê

cogitando mitos primitivos, isso só pode ser visto como o sintoma de algum tipo de surto psicótico. Sei que isso é tão comprovável como os números das casas pelas quais passo, como as horas marcadas em meu relógio. *Estou sugerindo que um demônio tomou minha filha de mim.* Apenas pare e diga isso algumas vezes em voz alta. Apenas *escute* isso. É o tipo de teoria que justifica, com toda razão, que alguém seja trancado no hospício para uma observação de longo prazo.

Então sigo em frente. Cercado por pessoas azul-turquesa em quarteirões azul-turquesa.

E não sinto quase nada.

Isto é, sinto saudades de Tess, estou de luto por ela, estou inconsolável. Mas "ter saudade", "estar de luto", admitir que se está de "coração partido" — são termos tão inadequados que beiram à ofensa. Não se trata de encontrar uma maneira de *seguir em frente*. Não se trata de ficar com raiva de Deus. Trata-se de morrer. De querer estar morto.

A única coisa que causa alguma impressão em mim são crianças. Sempre foi assim. Provavelmente não há um pai vivo no mundo que possa ver filhos de desconhecidos brincando sem pensar nos seus próprios. O riso, os convites para brincar de pique, a angústia de um joelho arranhado ou de um brinquedo surrupiado. Tudo isso nos leva a pensar em como nossos filhos faziam as mesmas coisas, as sutilezas que os tornam tanto semelhantes como totalmente distintos de todas as outras crianças do mundo.

Ali: uma menina brinca de esconde-esconde com a mãe entre as pedras e árvores no Laguinho das Tartarugas, no Central Park. Isso me lembra de quando brincava da mesma coisa com Tess. Sempre que ela se escondia — ainda que fosse em nosso apartamento — havia um meio segundo de verdadeiro pânico quando eu procurava nos lugares habituais e não a encontrava. E se, desta vez, ela tiver realmente sumido? *E se ela tiver se escondido tão bem que procurar entre as árvores, embaixo das camas ou nos cestos de roupa suja não seja o bastante?*

E então, no momento em que o pânico começava a tomar conta de mim, ela aparecia. Em um pulo, à minha primeira confissão de "Eu desisto!".

Desta vez, Tess está escondida e nunca mais vai voltar. Ainda assim, ela pediu que eu não desistisse.

Encontre-me.

Paro junto a um portão de ferro e vejo a mãe parar para procurá-la. Fingindo estar confusa sobre o esconderijo de sua filha. Mas quando ela caminha pé ante pé até uma árvore e estica a cabeça — *Peguei!* —, a menina não está ali. E, num segundo, vem a preocupação. A ideia de que, desta vez, o jogo não é um jogo.

"Mamãe!"

A menina vem correndo do gramado que circunda o laguinho e a mãe a pega no colo, as pernas da criança voando. Então a mãe me vê. Um homem parado, sozinho, junto ao portão. É a primeira vez que alguém se dá conta de minha presença desde que voltei a Nova York.

Dou as costas a elas, envergonhado da minha invasão negligente da privacidade delas. Mas a mãe já está partindo, com a criança em seus braços. Protegendo-a do homem que, visivelmente, sente falta de algo essencial que perdeu. Alguém que não está totalmente aqui, e que se torna mais perigoso por causa disso.

Um errante.

Os dias turquesa se transformam em noites turquesa. Eu volto para o apartamento e faço torradas. Passo manteiga nas fatias de pão e corto em tiras, como Tess gostava. Salpico com canela em pó. Jogo fora sem nem ao menos provar.

Preparo uma vodca com gelo. Ando pelo apartamento e percebo a luz acesa no quarto de Tess. O pôster de *O Rei Leão* sobre a cama (nós a levamos três vezes ao espetáculo da Broadway, pedidos de dois aniversários e um Natal). Um mapa de Dakota do Norte na parede (parte de um trabalho escolar, um estudo detalhado de um dos cinquenta estados). Os desenhos a giz de cera que eu honestamente elogiei e mandei enquadrar. Os bichos de pelúcia no chão, perto da cômoda, brinquedos há muito ignorados, ainda que amados o suficiente para evitar a remoção para o armário. O quarto de uma menina em transição, da infância para as sombrias confusões do que quer que venha depois.

Estou quase saindo do quarto quando vejo o diário de Tess em sua mesa de cabeceira (eu o coloquei ali depois de tê-lo trazido de Veneza, deixando-o no lugar onde costumava ficar depois de suas anotações). Nunca pensei em lê-lo quando ela estava viva, o medo de que ela descobrisse minha traição superando em muito qualquer curiosidade que eu pudesse ter sobre seus pensamentos secretos. Agora, no entanto, a necessidade de ouvi-la, de trazê-la de volta, importa mais.

O canhoto de uma entrada de cinema marca a anotação do dia que partimos para Veneza. O que significa que ela deve ter escrito isso quando estávamos no avião.

Papai não sabe que eu percebo o quanto ele está tentando. Os sorrisos "engraçadinhos", o oba-oba sobre tudo o que vamos ver. Talvez ele esteja realmente animado. Mas ele ainda usa a Coroa Negra.

Consigo vê-la hoje melhor que nunca. Parece até que ela está se mexendo. Como se houvesse algo vivo nela, fazendo um ninho. Rastejando.

O problema com mamãe faz parte disso. Mas não é tudo. Há algo esperando por nós, e ele nem desconfia. A Coroa Negra está indo conosco. Ele a está usando, mas não sabe que está aqui (como ele pode NÃO saber que está aqui??).

Talvez a coisa que está esperando do outro lado queira conhecer o papai também.

Só sei que ela quer me conhecer.

Depois disso vem pouco mais de uma página sobre o voo, o *vaporetto* até o hotel. E então a última entrada do diário. Datada do dia em que ela caiu. Escrita no nosso quarto no Bauer, enquanto eu visitava aquele endereço em Santa Croce.

Está aqui.
    Papai também sabe. Eu posso sentir. Como ele está apavorado.
    Ele está conversando com aquilo AGORA MESMO.

Não vai deixá-lo partir. Gosta que estejamos aqui. Ele está quase feliz.
    Talvez tenha sido um erro virmos para cá. Mas ficar longe não era uma escolha. Aqui ou lá. Mais cedo ou mais tarde.
    É melhor que esteja acontecendo agora. Porque estamos juntos, talvez haja algo que possamos fazer. Se não houver, é melhor que nos levem ao mesmo tempo. Eu não quero ficar para trás. E se tivermos de ir para LÁ, *eu não quero ir* SOZINHA.

Ele está chegando agora.

Eles estão chegando.

O diário cai das minhas mãos com as páginas fazendo um leve ruído.
    Ela foi a Veneza para encará-lo.
    Apago a luz e fecho a porta. Corro para o banheiro e ajoelho, com ânsia de vômito, junto à privada.
    Ela foi assumir a Coroa, para que eu não tivesse mais de usá-la.
    Assim que me sinto capaz, volto para a cozinha para renovar minha bebida. Percebo então que a porta de Tess está aberta. A luz acesa.

É um apartamento antigo, mas nunca houve uma corrente capaz de abrir uma porta. E nunca tivemos problemas elétricos. Então eu *não* fechei a porta e apaguei a luz.

Apago a luz. Fecho a porta. Eu me afasto.

E paro.

A alguns passos do quarto de Tess, ouço o clique da maçaneta sendo girada. O ranger das dobradiças. Eu me volto, a tempo de ver a luz acesa. Não *já* acesa. O quarto clareando aos poucos, à medida que consigo acertar o foco da minha vista.

"Tess?"

Seu nome atravessa meus lábios antes que a confusão se acomode em minha mente. De alguma maneira eu sei que isso não é uma alucinação, que não estou sonhando acordado. É Tess. No quarto dela. Talvez o único lugar onde ela fosse forte o bastante para me alcançar. Para me dizer que ela ainda está aqui.

Corro. Paro no meio do quarto com os braços estendidos, os dedos tentando agarrar algo.

"Tess!"

Nada a sentir além do vazio do quarto, preenchido pelo ar-condicionado. Apesar de a luz ainda estar acesa, ela não está mais aqui.

Sou, como dizem os repórteres policiais de suas fontes, uma "testemunha altamente qualificada". Tenho um doutorado pela Universidade Cornell, um punhado de eminentes prêmios acadêmicos, artigos assinados nas mais respeitadas publicações da minha área, um histórico clínico sem problemas mentais. Mais ainda, sou do tipo insistentemente racional, um estraga-prazeres no que diz respeito ao fantástico. Construí toda uma carreira com base na dúvida.

Ainda assim, aqui estou. Vendo o que não pode ser visto.

De manhã, sou acordado por quatro mensagens em meu telefone. Uma de Diane, pedindo, com a voz e as palavras de um cobrador, que eu ligue para ela o mais breve possível "para resolver um problema pendente". Outro do detetive em Veneza com o qual venho me correspondendo, para me dar a notícia de que não há nenhuma notícia. E dois de O'Brien, o primeiro exigindo me ver, o segundo avisando que eu vou "pirar de vez aí sozinho se não falar com alguém, e por 'alguém' eu quero dizer 'eu'".

Porque ela é a mãe de Tess, e porque eu só posso administrar uma única conversa com um ser humano esta manhã, eu me apoio contra a cabeceira da cama e ligo para Diane. Só quando o telefone dela começa a tocar é que percebo que dormi no quarto de Tess.

"Alô?"

"É David."

"David."

Ela pronuncia meu nome, seu marido por treze anos, como se fosse um tempero obscuro do qual ela busca se recordar se já provou antes.

"É uma hora ruim?"

"Pergunta idiota."

"É, foi. Desculpe."

Ela faz uma pausa. Não a hesitação de alguém que reluta em magoar outra pessoa, mas apenas, novamente, a pausa do cobrador, puxando a folha correta de diálogo para uma subcategoria específica de delinquente.

"Eu queria oficializar", ela diz. "Minha mudança. Começar o processo."

"Processo?"

"Divórcio."

"Certo."

"Você pode usar Liam se quiser", ela diz, referindo-se ao advogado em Brooklyn Heights que fez nossos testamentos. "Eu já falei com outra pessoa."

"Algum tigre do Upper East Side para enfrentar o gatinho Liam."

"Você pode escolher o advogado que quiser."

"Não queria fazer com que você se sentisse culpada. Eu só estava... sendo eu mesmo."
Ela faz um som que poderia ser o de uma pequena risada, mas não é.
"Eu só não entendo qual é a pressa", digo.
"Já se passou um bom tempo, David."
"Eu sei. Não estou lutando contra. Eu serei o corno mais prestativo e submisso da história da legislação matrimonial do estado de Nova York. Só estou perguntando, por que esta manhã? Menos de uma semana depois do desaparecimento de Tess."
"Tess não desapareceu."
"Eles ainda estão procurando."
"Não, não estão. Eles estão esperando."
"*Eu* ainda estou procurando."
Silêncio. Então: "Procurando o quê?"
Você pode pirar o quanto quiser. Minha O'Brien interior, vindo em meu auxílio. *Mas você precisa deixar que ela saiba que você endoidou?*
"Nada", respondo. "Não estou falando coisa com coisa."
"Então você vai conversar com Liam? Ou com qualquer outra pessoa? Agilizar os papéis?"
"Vou agilizar. Você nunca viu tanta agilização."
"Está bem. Ótimo."
Ela também está sofrendo. Não que ela me tenha demonstrado isso. Só posso assumir que Will Junger a está reconfortando e aguentando o rojão, ainda que eu não acredite que ele seja muito do tipo que aguenta rojões, ao menos não por muito tempo. De qualquer modo, Diane é a mãe de Tess, e agora que sua filha se foi, isso só pode estar destruindo-a pouco a pouco, assim como está fazendo comigo.

Mas aí é que está: não posso evitar pensar se eu estaria enganado sobre isso. Há uma privação na sua voz, bem como firmeza. Mas também há uma horrível satisfação. Não com o fato de que Tess nunca mais vai voltar, nada tão monstruoso assim. Mas a satisfação de que era eu quem estava lá — de que foi a minha falha — quando aconteceu.

"Eu não ligo se você acha que a culpa é minha. Se você me odeia. Eu não ligo se nunca mais nos falarmos", digo. "Mas você tem de saber que eu tentei salvá-la. Eu não a abandonei. Não fiquei apenas *olhando*. Eu *lutei* por ela."

"Eu reconheço o que você está tentando..."

"Todo pai diz — ou ao menos pensa — que ele sacrificaria sua vida por seu filho. Eu não sei se, na hora da verdade, todos fazem isso. Mas eu fiz."

"Você *não fez!*"

Esse grito vem tão claro e violento pela linha que eu tenho de afastar o fone do ouvido. "Você *não* sacrificou sua vida por ela", diz Diane. "Porque você ainda está aqui. E ela não."

Você está errada em uma coisa, tenho vontade de dizer. *Eu não estou aqui.*

Em vez disso, começo a balbuciar despedidas, um reconhecimento pelo tempo que passamos juntos e pela única coisa que fizemos direito, a única coisa da qual nunca nos arrependeremos, mas ela desliga.

Quem senta em uma igreja no meio da tarde de um dia de semana? Bêbados, fugitivos, todo tipo de viciados. Os que se perderam e só podem culpar a si próprios. Eu sei disso porque me sento entre eles. Rezando pela primeira vez na minha vida adulta.

Ou tentando rezar. Os símbolos religiosos, o silêncio forçado, os vitrais, tudo parece forçado. Sim, é uma igreja: *espera-se* que o ambiente seja igrejeiro. Mas não me sinto mais próximo da santidade do que me sentia na 43rd Street, há alguns minutos.

"Você se sente desconectado?"

Eu me volto e dou de cara com um homem grisalho, de cinquenta e poucos anos. Um empresário — ou ex-empresário — que pertence à classe dos alcoólatras, este é o meu palpite.

"Como?"

"Sua linha de oração. Com o Grandão. Ele deixou você na espera? Faz isso comigo o tempo todo. E aí, com os diabos, desliga na minha cara."

"Eu nem disquei o número."

"Melhor assim. Se você tivesse completado a ligação, escutaria tecle '1' para milagres, tecle '2' para ter o nome do cavalo vencedor do oitavo páreo em Belmont, tecle '3' para 'Sinto pelo que fiz... mas não o *bastante* para não fazer de novo.'"

"É mais ou menos como fazer análise."

"Ah é? E a sua analista é boa em escolher cavalos?"

Ela. A maior parte dos analistas são mulheres? Ou será que eu conheço esse cara? Um cara que conhece tanto O'Brien quanto eu?

"Ela não faz apostas", respondo.

"Não? Bem, você sabe o que dizem. Não dá para ganhar se não jogar."

Ele apoia seus braços no encosto do banco. Com o gesto vem um bafejo do desodorante recém-aplicado. Um perfume bruto que visa a enterrar o cheiro vulgar debaixo dele.

"Não quero me meter, mas você parece um pouco perdido, amigo", ele diz.

Seu olhar exprime uma verdadeira preocupação. E então me ocorre: ele é um desses missionários de rua. Alguém à paisana, recrutando fiéis para a igreja, perambulando pelos bancos.

"Você trabalha aqui?"

"Aqui?" Ele olha em volta, como se percebendo, pela primeira vez, onde estamos sentados. "Eles têm *empregos* aqui?"

"Eu apenas não estou em busca de uma oferta de salvação. Se é isso o que você faz."

Ele balança a cabeça. "Como é aquela camiseta? *'You've mistaken me for someone who gives a shit.'* Eu apenas percebi uma alma semelhante sentada aqui e pensei em dar um oi."

"Não quero ser antipático. Só prefiro ficar sozinho."

"Sozinho. Soa bem. É difícil encontrar um momento de paz onde eu vivo. Pandemônio. Um homem não consegue *pensar*. E acredite, amigo. Eu sou um pensador."

Essa palavra de novo. A mesma que O'Brien usou para descrever a estação Grand Central. O inferno de Milton. *Pandemônio*.

"Eu me chamo David", digo, estendendo a mão. Depois de um momento, ele a toma.

"Prazer em conhecê-lo, David."

Espero que ele diga seu nome, mas ele apenas solta minha mão.

"Acho que vou indo", digo e me levanto. "Só entrei aqui para sair do sol por um minuto."

"Não posso culpá-lo. Mas, pessoalmente, sou um gato caseiro."

Vou para o corredor central da igreja e, com um aceno de despedida, dirijo-me à porta. Do lado de fora, o dia arde.

Enquanto ando, o homem recita parte de um poema, em um murmúrio piedoso, como em uma prece.

Ó Sol, dizer-vos o quanto odeio vossos raios
Que me trazem a lembrança daquele estado
Do qual caí[1]

Milton. Escrevendo as palavras de Satã.

Eu me viro. Deslizo pelos bancos até onde ele está sentado, sua cabeça agora baixa, mãos reverentemente juntas. Agarro seu ombro e dou-lhe um puxão brusco.

"Olhe para mim!"

Ele se afasta, em um movimento defensivo. E se encolhe, esperando um golpe. Não é o homem que estava sentado aqui há um segundo. É um padre. Jovem e barbeado, seu rosto afogueado pelo susto.

---

[1] Livro IV. No original: "O sun, to tell thee how I hate thy beams/ That bring to my remembrance from what state/ I fell".

"Sinto muitíssimo", digo, já recuando. "Eu o confundi com outra pessoa."

Enquanto volto para o corredor, a expressão do jovem padre muda. Sua surpresa se transforma em um sorriso. "Estou pronto para ouvir sua confissão", diz. Sua risada me segue até a rua.

Era a voz de novo. Tenho essa certeza enquanto me afasto, cambaleando, da igreja de Santa Agnes em direção à Lexington Avenue, me apoiando na entrada de um bar irlandês para recuperar meu fôlego. Foi a mesma presença que passou de mim para Tess, que falou comigo no terraço do Bauer. Que recitou trechos de *Paraíso Perdido*, assim como o homem na igreja acaba de fazer. E como fez a Mulher Magra, ainda que eu não tenha tanta certeza de que ela fosse uma encarnação da voz — o ser no qual começo a pensar como o Inominável —, e sim talvez um representante humano, terreno. Por alguma razão, eu tive de ir a Veneza, a Santa Croce, 3.627, para que o Inominável entrasse na minha vida, e foi tarefa da Mulher Magra fazer com que eu aceitasse o convite para tal. O que sugere que ela não trabalhava para a Igreja ou uma de suas organizações, como eu havia pensado.

Ó Sol, dizer-vos o quanto odeio vossos raios

No poema de Milton, este é Satã falando. Amaldiçoando a luz do dia como uma dolorosa lembrança da sua queda, de tudo o que ele perdeu em seu autoimposto exílio nas trevas. É este o Inominável? O Adversário? O homem na cadeira — ou a pluralidade das vozes que falavam por meio dele — disse que não era o "mestre" que eu em breve encontraria, mas "aquele que se senta com ele". Em *Paraíso Perdido*, isso significaria os anjos caídos que formam o Conselho Estígio dos principais demônios do inferno, presidido por Satã. Eles eram treze, cada um com personalidade e habilidades distintas, atribuídas pelo poeta. Talvez o Inominável seja um deles. Um demônio originário, expulso do paraíso. Um ser capaz de mudanças de forma e imitações absolutamente convincentes, assumindo feições humanas — o velho no avião, o bêbado na igreja.

Ou melhor, talvez sejam sombras emprestadas de quem já viveu e morreu. Talvez o Inominável esteja limitado a habitar as peles daqueles que estão no inferno.

Agora é certo. Enlouqueci.

Em vez de simplesmente chorar por Tess, estou criando distrações góticas, quebra-cabeças miltonianos, diálogos demoníacos — tudo, menos encarar aquilo que não pode ser encarado. Estou usando minha mente para proteger meu coração, e isso é uma trapaça, uma desonra para com a memória de Tess. Ela merece um pai que fique de luto por ela, não que construa uma elaborada rede de disparates paranoicos. Estou certo de que os psiquiatras têm uma palavra para isso. Eu me contento com covardia.

Quando volto ao apartamento e checo a secretária eletrônica, há mais recados: algumas mensagens de condolências de colegas da universidade, e dois avisos sérios de O'Brien de que, se eu não ligar logo, ela será forçada a tomar uma atitude.

Por que eu *não* telefono para O'Brien? Honestamente, não sei responder. Cada vez que meus dedos pairam sobre o teclado, perdem a vontade de apertá-lo. Eu *quero* falar com ela, vê--la. Mas o que eu quero tem sido anulado por outra determinação, uma influência que sinto nas minhas veias como algo alheio, pesado e frio. Uma moléstia entorpecedora que, acima de tudo, não quer O'Brien por perto.

Além disso, estou ocupado.

Abro o armário de remédios do banheiro e pego o frasco de Zolpidem esquecido por Diane. Encho um copo d'água e vou para o quarto de Tess. Sento-me na beirada da cama dela e engulo os comprimidos, um a um.

Suicídio? E com remédio para dormir? Covarde e clichê.

O'Brien está aqui comigo, mas distante. Fácil de ignorar.

Encontrarei você, Tess, quando acabar?

Sim. Ela está esperando, diz uma voz, que não é nem a minha nem a de O'Brien. *Vá em frente, professor. Beba. Engula. Engula. Beba.*

Não acredito no que ela diz. Mas é impossível resistir. Beba. Engula.

CRASH!

Um porta-retratos cai no chão. Cacos de vidro cintilando sobre o tapete, ou encaixados nas frestas do assoalho. O prego ainda firme na parede, a moldura ainda intacta e firme no lugar.

Sei que foto é essa, mas vou até ela do mesmo jeito. Eu me abaixo e pego a foto.

Tess e eu. Nós dois rindo na praia perto de Southampton, há alguns verões. Abaixo de nós, fora do enquadramento, nosso castelo de areia era dissolvido pelas ondas. O engraçado eram nossos esforços inúteis para salvá-lo, para escorar as muralhas com mais areia, proteger o pátio com nossas mãos. A foto mostra o prazer que temos em ficar juntos ao sol, de férias. Mas também mostra a alegria em fazer algo com alguém que você ama, mesmo se a tarefa é grande demais para ser cumprida.

"Tess?"

Ela está aqui. Não apenas na memória evocada pela foto. Foi ela quem arrancou a foto da parede.

Eu me arrasto até o banheiro. Enfio o dedo na garganta. Esvazio meu estômago da água tornada rosa pelos tranquilizantes. Quando dou descarga, aquilo que pesava em meu sangue vai junto.

Fico um momento contra a parede de azulejos, minhas pernas esticadas à frente. Se eu não me mexer, é fácil fazer de conta que este não é meu corpo. Não conseguiria dar uma ordem para que qualquer parte dele se movesse.

Encontre-me.

Sou de novo o velho David, o homem de inação que Diane provavelmente estava certa em abandonar. Porque ainda há algo a fazer. Uma tarefa reconhecidamente impossível: encontrar e recuperar os mortos — ou meio-mortos — do mais escuro limbo.

E ainda há a questão de não ter a menor ideia de por onde começar.

Fico embaixo do chuveiro aberto, sem tirar as roupas. Sinto as referências acadêmicas e os fragmentos de poemas deslizarem como óleo. Logo não resta mais nada.

Exceto pela sensação de que não estou sozinho.

Abro meus olhos contra o esguicho da água quente. O vapor enche não apenas o box envidraçado, mas todo o banheiro, de modo que o local parece vivo com uma névoa ondulante. Nada ali. Mas fico olhando do mesmo jeito.

E vejo surgir Tess.

Tremendo de fome, de medo. Sua pele queimada pelo frio. Tentando me alcançar, mas impedida pelo vidro. As palmas de suas mãos com linhas escuras, como mapas antigos.

"Tess!"

Ela abre a boca para falar, mas um par de braços a cerca e a puxa de volta para o nevoeiro.

Braços longos demais, com músculos grotescos demais para pertencerem a um homem. Escurecidos por pelos que parecem os de um animal. Suas garras manchadas de terra, como as de um quadrúpede.

— O —
DEMONOLOGISTA
ANDREW PYPER

CAPITULUM 9

Assim que coloco roupas novas e, ao menos em parte, limpo minha cabeça, pego a câmera digital que o médico me deu em Veneza e baixo para meu laptop o vídeo que gravei do homem na cadeira. A razão pela qual faço isso só me ocorre depois de terminar.

Isso é importante. Eu ainda não sei o por quê. Mas o médico insistiu nisso. *Para você.* Então quem quer que fosse que estivesse dando instruções a ele queria que eu ficasse com ela. Apontar a câmera para o homem na cadeira e gravar o que ele dissesse, o que ele fizesse. Senão, para que me dar a câmera?

Então *o que* o homem fez e disse?

Vejo a gravação na tela do meu laptop. Sinto sua realidade vibrando de uma forma que nunca me ocorreu nem mesmo com os mais vívidos noticiários ou documentários. Um golpe físico em meu peito, que me faz recuar no sofá. E não é apenas por causa dos sons e imagens perturbadores. Há algo sobre o efeito que a gravação tem que é diferente de seu conteúdo.

Como descrevê-lo? Uma aura da dor da qual ele se origina. Um vislumbre subliminar do caos. Uma Coroa Negra.
Há as vozes, as palavras, as contorções torturantes do corpo. Mas a única coisa que anoto em meu caderno enquanto vejo a gravação é a lista de cidades e números que a voz disse que seriam relevantes no dia 27 de abril. Depois de amanhã.

Nova York 1259537
Tóquio 996314
Toronto 1389257
Frankfurt 540553
Londres 590643

A presença ofereceu isso como uma parte do que estaria por vir. Um instantâneo de um futuro imperceptível que, se correto, provaria sua habilidade, seu poder. Sua realidade.
À medida que a gravação prossegue, fecho meus olhos no momento em que o rosto do homem se transforma no de meu pai. Isso não evita que eu escute a voz do velho.
Deveria ter sido você.
Por mais terrível que seja interpretar suas palavras, não posso evitar a sensação de que ele quer dizer algo muito pior do que seu desejo de que eu tivesse me afogado no lugar de meu irmão.
Volto. De novo. De olhos abertos desta vez.
Vejo essa imagem na tela e sei, sem sombra de dúvida, que é o meu pai falando comigo de seja lá para onde ele foi depois que o enterramos. E ele está revelando um segredo que ainda não consigo entender completamente. Um convite para procurá-lo, quase tão irresistível quanto o de Tess.
Depois que termino de rever a gravação, fecho o laptop e o recoloco em seu estojo de viagem. Então guardo a câmera em uma velha bolsa de joias de Diane e coloco ambos em uma pasta de couro. Penso em simplesmente deixá-la na prateleira superior do closet de meu quarto, mas algo me diz que

é necessário ter mais cuidado. Não há nenhum esconderijo bom o bastante no apartamento.

Começo pela pasta, com a ideia absurda de ir a uma casa de penhores e comprar um par de algemas de modo que eu possa prender a alça ao meu pulso. À medida que vou andando, porém, surgem ideias melhores. O que preciso fazer é esconder a pasta em um lugar onde nem mesmo eu tenha acesso a ela até que passe o dia 27, quando a previsão contida na câmera prove ser falsa ou verdadeira, sem qualquer hipótese de que eu adultere algo.

Será que os bancos alugam cofres particulares grandes o bastante para uma pasta? Eis uma coisa que aprendo sobre bancos nas três horas seguintes: eles têm cofres particulares grandes o suficiente para um sedã se você estiver disposto a pagar. E eles vão fazer quase qualquer coisa por dinheiro, também. Por exemplo, tenha você uma conta ou não (eu escolhi uma agência em Midtown Manhattan na qual nunca havia entrado), eles vão colocar seus pertences em um cofre dentro de uma caixa-forte que só pode ser aberta por meio de um código numérico elaborado por você. Eles trarão o sócio sênior, de cabelos prateados, de um proeminente escritório de advocacia, a fim de preparar um documento assegurando que nenhum escriturário ou gerente do banco permitirá que qualquer pessoa — incluindo eu mesmo — acesse o cofre antes de 27 de abril, e então o gerente irá assinar e registrar as cópias, uma para o banco, uma para os advogados e outra para um envelope no meu bolso. Eles darão uma garantia por escrito de que o cofre não será aberto por pelo menos noventa e nove anos, a não ser que eu ou alguém com uma permissão escrita por mim e o código numérico apareça. Eles até oferecem uma xícara de um café razoavelmente decente enquanto você espera que tudo seja feito.

No caminho de casa, ligo para um cara que conheço no Departamento de Informática da Columbia. Depois de alguns rodeios, de uma conversa esse-calor-não-é-um-inferno?, eu faço algumas perguntas. Especificamente, quero saber se seria possível alterar o horário de registro em que um vídeo foi baixado em um HD depois que isso foi feito, ou, então, fazer sumir qualquer registro de que o download aconteceu.

Ele fica em silêncio por um momento, e eu imagino o diálogo dentro de sua mente:

Pergunta: Por que um professor de literatura iria querer saber isso?

Resposta: Pornografia.

Finalmente, ele responde que não. Seria "difícil pra caramba" apagar totalmente um download ou fazer com que algo baixado no dia 25 parecesse do dia 28. "Coisas assim sempre deixam pegadas", ele diz como quem pisca o olho, um aviso para a próxima vez que eu quiser pegar algo indecente na internet sem que minha esposa saiba.

O que eu não digo a ele é que a esposa se foi. E que eu não quero apagar meu download. O que eu quero é assegurar que o momento em que transferi o arquivo da câmera para o meu laptop expresse a mesma data e hora gravadas no vídeo: que o registro reflita eventos — e cite cidades e números — que ocorreram antes de 27 de abril.

Como um mágico mostrando que não há nada escondido nas mangas, sinto que fiz tudo o que podia para criar as condições para um verdadeiro truque. Se eu for capaz de descobrir o que as cidades e números significam no dia 27, e se eles corresponderem a uma realidade verificável, a magia da gravação é verdadeira.

E como o irmão Guazzo, do *Compendium Maleficarum*, observaria, se o milagre é uma das maneiras de o Salvador provar sua identidade, a magia é a maneira de os demônios provarem a deles.

Mais tarde, outra igreja. Esta nossa, ainda que só de nome, já que nossa frequência foi limitada a três vésperas de Natal das últimas cinco, além de uma doação anual feita por

Diane. Igreja de St. Paul e St. Andrew, na West 86th Street. Escolhida por Diane por sua congregação progressista e por sua denominação instintivamente inofensiva (Metodista Unida). Uma comunidade que escolhemos, mas à qual, na prática, não pertencemos. Mas hoje há um propósito. Uma cerimônia em memória de Tess. Marcada às pressas por Diane e só comunicada a mim ontem, em um e-mail carregado com "encerramento", "processo" e "cura". Vim por causa dela, para mostrar uma união parental. É o que se faz em ocasiões como essa: você aparece.

Mas agora que estou aqui, em pé diante da igreja, olhando para sua torre octogonal que, nunca havia percebido antes, hoje parece ameaçadoramente veneziana, olhando para os colegas em terno escuro, alguns conhecidos e membros da extensa família de Diane, todos arrastando coroas de flores e a si próprios escada acima, pelas portas abertas e escuras como uma garganta, eu sei que *não posso* entrar. Entrar seria admitir que Tess morreu. Se ela não morreu, isso poderia afastá-la de mim. E se ela morreu, eu não preciso da ajuda de quase estranhos para me lembrar de quem ela foi.

Vejo o último deles colocar o celular de volta no bolso e entrar. Só que, antes que eu me afaste, Diane sai ao sol. Ela devia estar recepcionando os convidados na porta, deixando que eles segurassem sua mão e respondendo com as frases adequadas que ela sempre foi boa em repetir. Agora, com o órgão começando seu prelúdio, ela dá uma última olhada para fora. Um último olhar em busca de mim.

Espero até que ela me encontre. Não há nada em seu rosto. Uma expressão mais honesta que qualquer outra que ela pudesse mostrar. É seu sentimento de vazio, percebo agora, que é intolerável para ela, e a cerimônia de hoje é parte de um esforço para preencher esse vácuo. Com atos, com palavras, com partir *daqui* para chegar *lá*.

Ela ergue a mão, como se para me mostrar as linhas desenhadas nela e pedir a leitura de seu significado. É um meio-aceno, ou talvez apenas uma mera contração muscular. Então, assim que seu braço volta a se abaixar, ela volta para a escuridão e as portas se fecham.

Há alguém esperando por mim na rua, em frente ao meu prédio. Quer dizer, há um homem de uns trinta anos, de pé, com as mãos nos bolsos, perto da entrada do meu prédio, olhando casualmente para os carros passando, como se esperasse um táxi, mas quando um aparece ele dá as costas, como se mudasse de ideia. Não há qualquer indício, quando o vejo no momento em que viro a esquina da Columbus Avenue, de que ele esteja esperando por mim. Nunca o vi antes em toda minha vida. E ele é, pelo menos a essa distância, um composto quase perfeito do indefinível: camisa branca de algodão com as mangas arregaçadas até o cotovelo, calça jeans, cabelo escuro cortado bem curto. Não alto, mas sólido, uma estrutura usada para distribuir e absorver golpes. Ele poderia ser um ex-militar. E ele poderia ter um desses empregos meio toscos que muitos ex-combatentes assumem em Nova York. Motorista de limusine, guarda-costas, porteiro de boate, barman.

Então o que faz com que ele se destaque? O fato de ele não ter nenhuma característica que salte aos olhos. Sua postura, a maneira como sua camisa está enfiada na calça, a ondulação estudada de seu lábio inferior. Ele é alguém que foi treinado para não se destacar. E, dadas as visitas que recebi na última semana, quando um homem desses fica em frente ao meu prédio, ele está esperando por mim.

Ainda assim, quando me aproximo, ele parece nem perceber. Estou quase passando por ele quando ele me aborda.

"David Ullman?"

"Quem é você?"

"Meu nome é George Barone."

"Não me diz nada."

"Nem deveria."

Eu o encaro por um momento.

"*Es vos vir aut anima?*" pergunto em latim. Você é um homem ou um espírito?

Ele não parece entender a pergunta. Mas também não parece surpreso com o fato de eu ter me dirigido a ele em uma língua antiga.

"Posso lhe pagar um café?", ele diz. "Talvez a rua não seja o melhor lugar para conversarmos."

"Quem disse que estamos conversando?"

"Estou certo de que essa área é cheia de cafés. Ficaria contente se você me levasse ao seu favorito", diz, ignorando minha pergunta e se colocando ao meu lado, de modo que seu ombro emparelha com o meu. A uma distância de uns vinte metros, pareceríamos velhos amigos decidindo para que lado ir a fim de tomar um drinque.

"Por que eu deveria falar com você?", pergunto.

"É no seu melhor interesse."

"Você está aqui para me ajudar?"

"Eu não iria tão longe."

Normalmente, eu fugiria de uma conversa com um desconhecido como este. Mas agora tenho de abrir todas as portas, aceitar qualquer convite. Mesmo se tiver a impressão de que não vai levar a nada de bom.

Para me aproximar de Tess, terei de dizer sim a tudo.

Uma jornada de sua autoria.

"Claro," respondo. "Há um lugar ótimo aqui perto."

Andamos na direção da Amsterdam Avenue, virando a esquina no The Coffee Bean, onde encontramos uma mesa junto à janela. O homem que diz se chamar George Barone me paga um cappuccino, mas não pede nada.

"Úlcera", explica, entregando-me meu café e sentando à minha frente. Relaxado e amigável, mas apenas *parecendo* relaxado e amigável. Não sou especialista nessa área, mas algo sobre esse homem me sugere uma capacidade para a violência, para a execução de tarefas impensáveis. O que o entrega é o fato de ele só prestar atenção em mim. Nenhuma garota — ou garoto — bonita que se aproxime de nossa mesa atrai o menor olhar que seja da parte dele. Quando um barista derruba uma bandeja de xícaras e elas se espatifam no piso de ladrilhos, ele nem pisca. Seu foco é o de uma ave de rapina.

"Estresse", digo. "É sempre assim com úlceras."
"Meu médico diz outra coisa."
"Ah, é? O quê?"
"Café. Cigarros. Álcool. Ele recomenda evitar o prazer."
"Sinto muito."
"Não se preocupe. Isso me mantém forte."
"O que você faz, senhor Barone? Para que precisa se manter forte?"
"Sou freelancer."
"Você escreve?"
"Não."
"Seu negócio é mais prático, então?"
"Eu persigo, digamos assim."
"Um perseguidor profissional. E seu alvo atual sou eu?"
"Só indiretamente."

Ele aguarda, como se eu é que tivesse de informá-lo sobre algo. Provo meu café. Coloco açúcar. Mexo. Provo de novo.

"Você é um assassino?", pergunto, por fim.
"Você ainda está vivo?"
"Tanto quanto posso perceber."
"Então não nos preocupemos com isso."
"E com *o que* deveríamos nos preocupar?"
"Com nada. Se você me ajudar, agora mesmo, com absolutamente nada."

Com a ponta do dedo, ele pega um cristal de açúcar da mesa. Olha para ele como se avaliasse a qualidade de um diamante lapidado.

"O homem que você viu em Veneza", diz. "Você sabe quem ele era?"
"O que você sabe sobre isso?"

"Um bocado, em alguns aspectos. Embora eu tenha sido informado apenas dos fatos que vão me ajudar a cumprir minha tarefa. Tenho certeza de que você tem dúvidas que eu não posso esclarecer."
"Para quem você trabalha?"
"Esta é uma delas."
"É a Igreja? Você sabe quem mandou aquela mulher ao meu escritório?"
"Não sei de mulher nenhuma. Só estou sabendo de nós. Aqui. Agora."
E é verdade. Ele só quer saber de nós. Sua concentração calma nega o mundo com o olhar fixo de um hipnotizador.
"Isso é muito budista", digo.
"É? Eu não saberia dizer. Sou apenas um coroinha de Astoria[1] com um trabalho a fazer."
"Então você é algum tipo de rufião do Vaticano? É isso?"
"Espero que você não esteja sendo grosseiro."
"Para quem mais você estaria trabalhando? O Diabo contrata fortões estúpidos como você — desculpe, *perseguidores*? De qualquer maneira, eles me colocaram na primeira classe, e você sabe disso. Seja lá quanto estão pagando a você para me molestar, é melhor pedir aumento."
"Vou perguntar de novo", diz, ignorando minha agressão. "Você sabe quem era o homem em Santa Croce, 3.627?"
"Era? O que aconteceu com ele?"
"Suicídio. Foi o que as autoridades afirmaram, de qualquer forma. Histórico de depressão, comportamento estranho e atípico recentemente, então sumiu. É um caso bastante fácil de resolver."
"Como ele morreu?"
"Dolorosamente."
"Explique."

---

[1] Bairro de Nova York, na região de Queens.

"Ingestão de produto tóxico. Mais especificamente, ácido de bateria. Uma coisa difícil de engolir, ainda mais um litro, mesmo que você queira acabar com a sua vida. Acredite. Essa coisa *queima*."
"Talvez alguém o tenha ajudado."
"Aí está. *Agora* você está pegando a ideia, professor."
"Você acha que ele foi assassinado."
"Não no sentido convencional da palavra."
"Qual é o sentido não convencional?"
"Uma operação traiçoeira", ele diz, sorrindo com a expressão. "O mais provável é que tenha havido alguma operação traiçoeira pra caralho."
"Você fez isso."
"Não, eu não. Algo pior."
Sinto meus joelhos se juntarem embaixo da mesa, e levo um segundo para separá-los de novo.
"Você não respondeu à minha pergunta", retoma o Perseguidor.
"Esqueci que você perguntou algo."
"Você sabe quem ele era?"
"Não."
"Então vou contar. Ele era você."
"Como assim?"
"Dr. Marco Ianno."
"Já ouvi esse nome."
"Achei que sim. Um companheiro acadêmico. Um professor de estudos cristãos em Sapienza[2] já há alguns anos. Casado, dois filhos. Muito respeitado em seu país natal por sua defesa da Igreja, ainda que, curiosamente, ele mesmo não a frequentasse. Seus trabalhos diziam respeito à necessária relação entre a imaginação humana e a fé."
"Parece uma das minhas aulas."
"Mais uma vez, você pega o espírito da coisa. Eles não distribuem esses títulos de ph.D. a troco de nada."

---

2   Também conhecida como Universidade de Roma I, fundada em 1303.

"Por que você está me dizendo isso? Você veio entregar um aviso?"
"Não sou um mensageiro."
"Então o que você quer de mim?"
Ele esmaga o cristal de açúcar em seu dedo contra a mesa, com um ruído fraco, mas audível.
"Acredito que você tem um documento", ele diz.
"Em profusão. Você deveria ver meu escritório."
"Pode ser algo escrito, ou uma fotografia. Mas minha aposta é que é um vídeo. Estou certo?"
Não respondo. Ele dá de ombros, como se bastante acostumado a essa resistência inicial.
"O que quer que seja", prossegue, "você tem algo que pegou naquele quarto em Veneza que eu gostaria que me entregasse."
"Não me diga. Você vai escrever uma soma astronômica nesse guardanapo, em troca do documento."
"Não. É uma questão de contabilidade. Rastros de papelada. Não pode haver registro para a transação."
"Eu apenas tenho de entregar essa coisa — esse *documento*. É isso?"
"Sim."
"E por que eu faria isso?"
"A fim de evitar uma possível repetição do destino do professor Ianno. E também para me evitar, claro."
"Vá para o inferno."
Algo passa em seu rosto. Tão rapidamente que eu posso apenas ter imaginado. Um tremor no alto de sua bochecha. A troca de uma marcha.
"Você não quer brincar desse jeito, David."
"Houve um tempo, bastante recente até, quando um tipo como você, dizendo as coisas que está dizendo, iria me assustar. Mas isso acabou."
"Sugiro que você reconsidere isso."
"Por quê?"

"Porque eu *terei* de assustar você. E se não eu, outra coisas. Coisas realmente extraordinárias."

"As coisas que mataram Marco Ianno."

"Sim."

"Você controla essas coisas?"

"Não. Ninguém controla. Mas elas parecem interessadas em você."

Levanto minha xícara, mas a visão do café lamacento, a ilha flutuante de leite, quase me faz vomitar.

"O homem naquele aposento estava mentalmente doente", digo. "Ele estava vulnerável e podia ser convencido de coisas impossíveis."

"Nós todos somos", o Perseguidor quase sorri. "Talvez ninguém mais do que você."

"Ele se matou."

"É o mesmo que dizem que sua filha fez. E como podem acabar falando de você."

"Você está me ameaçando?"

"Sim. Com certeza."

Levanto. Meus joelhos batem contra a mesa, derrubando minha xícara. O cappuccino ainda quente se derrama na mesa, respingando nas pernas do homem. Deve queimá-lo. Mas ele nem reage. Agarra meu pulso quando começo a me afastar.

"Entregue o documento."

"Não sei do que você está falando."

Sinto os olhares dos outros clientes sobre mim. Mas ele não se dá conta.

"Você não está entendendo", diz, devagar e pacientemente. "Não sou um incômodo do qual você pode simplesmente se distanciar."

Ele solta meu pulso. Espera que eu saia andando. Mas, em vez disso, eu me abaixo tanto que meu rosto fica a poucos centímetros do dele.

"Eu não quero saber o que você fará. Não vou lhe dar porra nenhuma", falo. "Quando se perde o que eu perdi, você se agarra a qualquer coisa que tenha ficado. Na minha posição, não se protege a si próprio, porque *não há mais* um eu a proteger. Então vá em frente. Persiga. E diga a seus patrões que vão se foder. Ok?"

Agora eu parto.

Subo a Amsterdam uma quadra e meia, viro à direita na minha rua. Não olho para trás. Mas mesmo depois que eu viro a esquina, ele está me vigiando.

Sei disso da mesma maneira que sei quem era o dr. Marco Ianno.

O DEMONOLOGISTA
ANDREW PYPER

CAPITULUM 10

Eu não o reconheci como o homem na cadeira na ocasião. Mas assim que ouvi o nome de Marco Ianno, há alguns instantes, a lembrança veio. Um colega que testemunhou um dos momentos mais não profissionais da minha carreira.

Era uma conferência surpreendentemente badalada, que teve lugar em Yale há sete ou oito anos. Dizia-se que Roma estava discretamente tomando notas. O nome da conferência era "Futuro/Fé", como se a crença fosse um produto esgotado que precisasse de uma vigorosa recauchutagem, o que eu acho que precisa. Eminentes acadêmicos e filósofos, assim como articulistas eruditos de todo o mundo, estavam reunidos para debater "as questões que o cristianismo enfrenta no novo milênio". Minha tarefa era apresentar uma versão repaginada em PowerPoint da minha palestra padrão sobre como o Satã de Milton é um defensor precoce da dissolução do patriarcado. "O Diabo tem problemas com o pai" era a minha frase de abertura para desanuviar os ânimos.

Depois da palestra, as luzes da sala foram acesas para uma breve sessão de perguntas e respostas. O primeiro a se levantar foi um teólogo cujo trabalho eu conhecia, um padre (de colar clerical e tudo para a ocasião), que, sabia-se, era um consultor do Vaticano, arquitetando barreiras que pusessem um limite às crescentes modernizações da doutrina cristã. Ele foi cortês, perguntando simplesmente sobre uma citação ou outra que ele não conseguira anotar. Ainda assim, algo em sua figura instantaneamente me colocou contra ele. Assumi uma postura estranhamente agressiva em minhas respostas às suas perguntas, até que, em alguns instantes, eu havia chegado ao ponto de cuspir insultos do oratório ("Talvez essa coisa em volta do seu pescoço esteja bloqueando a circulação para o seu *cérebro*, padre!"). A sala parecia aumentar e diminuir, respirando como os pulmões de um gigante ao acordar. Não havia nada que me parasse, nenhum controle. Era como se, involuntariamente, eu estivesse representando um papel, sendo uma pessoa completamente distinta.

Eu me lembro da película acobreada na minha boca quando mordi a parte de dentro da bochecha e sangrei.

Aí as coisas ficaram realmente estranhas.

O padre me olhou, perplexo, vendo algo que apenas ele observara. Ele deu um passo atrás, esbarrando nas pernas de quem quer estivesse sentado atrás dele. Suas mãos se agitavam, buscando equilíbrio.

"Qual é o seu nome?", perguntou ele.

E eu não podia responder, porque eu já não sabia mais.

"Professor Ullman?"

Uma nova voz, vinda do fundo da sala. Gentil e solidária. Uma voz com sotaque, que pertencia a um homem que se dirigia à frente com um propósito firme e com um sorriso familiar, de tal forma que, quando ele finalmente parou ao meu lado e segurou meu braço, tive a sensação de que o conhecia desde sempre.

"Acho que o tempo designado acabou", disse o dr. Marco Ianno, ao mesmo tempo que dava acenos de cabeça que significavam *Eu cuido disso* para as pessoas na sala e me levava em direção à porta. "Talvez você queira tomar algo comigo, David."
Assim que saímos, no ar revigorante do pátio, me senti eu mesmo outra vez. Pelo menos o bastante para agradecer Ianno, assegurá-lo de que eu estava bem, de que só precisava voltar ao hotel para descansar um pouco. Foi o fim de um desempenho embaraçoso, que depois exigiu cartas pedindo perdão, com a desculpa fantasiosa de que uma febre me atacara subitamente. Um incidente perturbador, claro, mas que passara.
Ainda assim Ianno, um homem que eu só conhecia por meio de seus trabalhos publicados e que nunca mais vi até aquele quarto em Santa Croce, procurou por mim depois que eu o deixei parado, de pé, no frio de New Haven. Uma mensagem que ignorei na ocasião pensando ser uma má tradução do italiano, e da qual só me lembrei quando o Perseguidor mencionou o nome de Ianno, há alguns instantes.
"O que aconteceu ali — aconteceu comigo também", afirmou. "Acho que nós estávamos errados em pensar que há apenas palavras em uma página, professor!"

Não volto diretamente para casa. Não por temor de que o Perseguidor vá me seguir até lá e arrombar a porta assim que eu estiver dentro de casa. Não serviria de nada: ele sabe que o que procura não estará no apartamento. Ele muito provavelmente *já* vasculhou o apartamento. Ele procurou em todos os lugares óbvios e agora exige que eu lhe conte o que ele quer saber. Hoje ele pediu de maneira cortês. Da próxima vez ele usará métodos de persuasão mais enérgicos.
Por que simplesmente não entregar o "documento" a George Barone? Seria muito fácil. E acredito que, se o fizesse, ele me deixaria em paz. Ele se mostrou preocupado com rastros: matar um professor da Columbia deixaria ainda mais

marcas que um pagamento em dinheiro. Seria a coisa mais simples do mundo acompanhar meu Perseguidor ao Banco Chase na esquina da 48th Street com a Sixth Avenue em dois dias (quando as instruções legais me permitirão o acesso ao cofre) e entregar-lhe o laptop e a câmera, as únicas provas de minha conversa com o falecido dr. Ianno.

Mas não posso fazer isso. Porque se o Perseguidor quer essas provas — ou que seja quem for que o estiver pagando pelo trabalho precise delas tanto como aparenta —, então elas têm valor. Sem elas, posso não fazer mais jus a qualquer visita, posso não receber mais qualquer sinal. Mesmo se guardar o que o Perseguidor chama de documento represente um risco, não tenho escolha senão ficar com ele e continuar sendo um alvo. Somente como um homem procurado poderei conservar minha parte da história. E, mesmo sem ter a menor ideia de *por que* eles me querem, preciso permanecer no show se quiser encontrar um caminho para Tess.

Uma coisa está clara agora que o Perseguidor se apresentou: há menos tempo do que eu esperava.

Ligo para O'Brien, e ela atende ainda ao primeiro toque.

"David", diz com alívio, "*onde* você está?"

"Aqui. Em Nova York."

"Então por que você está me evitando? Sou sua amiga, seu paspalho."

"Desculpe."

"O que está acontecendo?"

"Não sei se consigo dar um nome a isso."

"Não se autodiagnostique. Apenas me conte o que você tem feito. Porque eu sei que alguma coisa está acontecendo. Viagem surpresa para Veneza, o que ocorreu com Tess. E nenhum telefonema seu desde que você voltou. Não é do seu feitio, David."

"Eu estou bem, mas realmente confuso."

"É claro que está. Você sofreu uma enorme perda. É algo quase inimaginável."

"Não é só Tess. Há alguns... aspectos de seu desaparecimento que eu não posso explicar."
"Desaparecimento? Foi suicídio, David."
"Não tenho certeza disso."
Ela absorve essa informação. "Você está se referindo a como aconteceu?"
"Ao *por quê*."
"Ok. Que mais?"
"Eu recebi... visitas."
Posso ouvir O'Brien avaliando isso. Dando-me uma oportunidade para compartilhar tudo. Mas, de repente, na rua, no telefone, tenho medo de que o que estamos conversando não seja particular. Telefone grampeado. *Pode-se fazer isso agora com muita facilidade, certo?* E a última coisa que quero é colocar minha amiga em perigo. Ela já tem problemas demais para que eu mande um Perseguidor bater a sua porta.
"Você parece realmente muito estranho", ela diz.
"Você tem razão. São coisas emocionais não processadas que se transformam em coisas distorcidas e paranoicas. Coisas, coisas, *coisas*."
O'Brien faz uma pausa. Parece entender que minha aversão a falar qualquer coisa a mais não é uma fuga do assunto, mas uma preocupação com privacidade. De qualquer modo, quando ela fala, é em um código que só nós conhecemos.
"Bem, eu gostaria que pudéssemos nos ver", diz. "Mas estou até o pescoço com uma análise de dissertação agora. E ainda há uma imensidão de trabalhos atrasados de calouros para corrigir. Pandemônio completo."
A palavra. O palácio do demônio. Nosso ponto de encontro.
"Chato ouvir isso. Seria ótimo nos encontrar."
"Fica para outra vez. Até breve, ok? Cuide-se, David."
"Obrigado. Cuide-se você também."
Ela desliga.
E eu chamo um táxi.

"Estação Grand Central", digo ao motorista, e damos uma guinada para as ondas dos carros que seguem em direção ao Centro. Ao menos *deveríamos* estar indo para o Centro. O motorista deve ser novo. Ou está chapado. Ou ambos. Ele pega a Columbus Avenue na direção sul, antes de fazer uma agressiva e espontânea curva à direita que me joga contra a porta. Ele então dá a volta no quarteirão e, mesmo tendo a chance de corrigir seu caminho, continua seguindo em direção à avenida que circunda o Central Park.

"Eu falei Grand Central. A *estação de trem*", reclamo pela janelinha do dinheiro na divisória de acrílico. "Você sabe de algo que eu não sei?"

Ele não responde. Encosta no meio-fio, na altura do número setenta e pouco.

"Por que você parou?"

Bato no acrílico. Ele não se vira.

"Eu preciso seguir *naquela* direção", digo, apontando à frente.

"Você está aqui" diz o motorista. Mal se escuta sua voz, mas ela tem um som nitidamente molhado, como se ele tivesse acabado de passar por uma cirurgia dentária que deixou sua boca cheia de saliva e dormente.

"Eu vou para o *Centro*."

"É para cá... que você deve ir."

Ele não se move. No espelho retrovisor, apenas parte de seu rosto pode ser visto. E metade dessa parte está oculta por óculos escuros do tipo aviador, além de uma barba negra, até o peito, no estilo Oriente Médio. Em resumo, ele se parece com um motorista de táxi.

Exceto pela língua. Deslizando por entre seus lábios, brilhante e obscena. A ponta se contorcendo. Provando o ar.

Assim que saio e bato a porta, ele arranca. Tento anotar sua placa, mas em um segundo a visão do carro é bloqueada pelo tráfego. Um sedã amarelo detonado como todos os outros.

Agora estou aqui. A meio quarteirão ao norte da 72nd Street. Onde o grandioso e velho edifício Dakota domina o parque. Não o lado sul, mais famoso, onde John Lennon foi assassinado (ponto de parada para um número inesgotável de turistas vampirescos), mas a esquina norte, famosa por nada. Se o motorista queria que eu visse uma das manchas de sangue mais amadas de Nova York, ele errou *até* nisso.

Decido que há uma razão.

É tanto um ato de vontade da minha parte como dedução. Não há mais acidentes, apenas significados e profecias. Subitamente, sou um intérprete fundamentalista, buscando a confirmação de algum Grande Plano no rosto da Virgem que surge no contorno de uma nuvem ou no que aparece escrito na minha sopa de letrinhas.

Ele me largou na esquina norte do edifício. Norte do Dakota. Dakota do Norte.

O mapa na parede de Tess. O estado que ela escolhera para seu trabalho da escola. Ou, agora que penso nisso, o estado que lhe foi indicado.

"Por que Dakota do Norte?", lembro-me de perguntar no dia em que ela levou o mapa para casa e começou a vasculhar tudo em busca da fita adesiva para prendê-lo na parede.

"Não sei. Foi indicado para mim."

"Pela professora?"

"Não", ela respondeu, fingindo estar ocupada fuçando uma gaveta na cozinha.

"Então quem, minha linda?"

Ela não respondeu. Mas será que seus ombros se enrijeceram quando a resposta passou pela sua mente, antes de ela tirar o rolo de fita da gaveta e correr para o quarto? Certamente é como eu me lembro desse momento agora, ainda que não tenha significado nada na ocasião além de uma impaciência de pré-adolescente com a rabugice do pai.

Significa muito mais que isso agora.

Se o propósito de eu errar por aí é a busca de sinais, talvez este seja um deles. Fosse ele um dos caras bons, ou um dos malvados, o motorista me trouxe aqui por uma razão. Estou destinado, como os apóstolos, a ver significado nas coincidências. Eu tenho de ver, pelo bem de Tess.

Fé cega. Ainda que, no meu caso, não no céu, mas naqueles em guerra com ele.

O DEMONOLOGISTA
ANDREW PYPER

CAPITULUM 11

Não telefono para ninguém. E para quem ligaria? Diane não precisa saber. E ainda que Tess não esteja aqui, talvez *ela* saiba. Há O'Brien. Em quem eu dei um cano. Eu poderia mandar um torpedo para avisar que não vou, mas estou no metrô, indo para meu escritório no campus da universidade. Lá, rapidamente pego as únicas coisas que acho que serão de alguma utilidade, além dos cartões de crédito em minha carteira. Livros. Monto às pressas uma biblioteca pessoal de demonologia com o que está nas minhas prateleiras, que é enfiada em uma bolsa de couro. *Paraíso Perdido. A Anatomia da Melancolia.* A Bíblia. Junto com o necessário, mas sem qualquer relação com os outros, *Atlas das Estradas dos Estados Unidos*.

Vou do campus para o Harlem e compro um carro. Alugar certamente sairia mais barato, mas temo que meu paradeiro fique mais fácil de traçar se eu estiver comprometido com a Budget ou a Avis em devolver a propriedade deles em algum momento. E há um revendedor de carros usados na 142nd Street pelo qual passei uma vez a caminho de um bom mexicano (ou seja, de um lugar que tem uma boa margarita) onde O'Brien e eu estivemos algumas vezes. Eles aceitam o pagamento total em cartões de crédito e não pedem um documento quando informo, para fazer o registro, que meu nome é John Milton.

A melhor decisão seria provavelmente um modelo genérico, algum confiável quatro portas japonês cinza ou bege. Em vez disso, compro um Mustang preto customizado. Não um modelo genuinamente antigo, mas um novinho em folha — dois anos, com pouco mais de doze mil quilômetros rodados, a confiar no odômetro — com calotas cromadas e forro de pelúcia de oncinha nos bancos. Sutil para um padrão de traficante de drogas, mas ainda assim algo que se destaca nas discretas autoestradas e desvios da América de hoje. Nunca dirigi um carro como esse — na verdade, nunca fui muito chegado a carros —, e agora, andando pelo estacionamento repleto de Mercedes tomadas por falta de pagamento e utilitários com traseiras enormes, a contradição de alguém como eu, usando óculos de armação metálica e Levi's tradicional (o eterno visual de estudante, como Diane chamava), montado em um carango de subúrbio me deixa empolgado. É engraçado. Se Tess estivesse aqui, ela também acharia engraçado. Ela pularia no banco do carona, acomodando-se na pele falsa de oncinha, e me diria para mandar bala. Então faço uma tentativa, em sua honra. Uma educada cantada de pneus e tomo a direção sul, para o apartamento, onde jogo algumas roupas em uma bolsa. Junto com o diário de Tess.

Então, norte de novo, para as faixas que se unem e levam à ponte George Washington, que me conduz para fora da ilha. De lá, na direção oeste na I-80, entrando na malha das interestaduais, com seus restaurantes COMIDA BOA! e seus hotéis CRIANÇAS GRÁTIS!, um mundo próprio, de pontos de exclamação. Um portão asfaltado para espaços abertos e cada vez menos gente. Deixando as certezas de Nova York para trás, na direção das possibilidades mais selvagens das cidades e vilarejos menos explorados, das planícies esquecidas. Dakota do Norte. O Estado Esquecido.

Não que eu vá chegar ao menos perto dele hoje. Uma fadiga acumulada me atinge quando estou rodando pela divisa com a Pensilvânia, e começo a procurar uma parada. Também para ligar para O'Brien. Ela não merecia minha rudeza, mais cedo, e provavelmente estará preocupada com o fato de eu não ter aparecido. Mas eu senti que tinha de cair fora da cidade imediatamente, uma urgência alimentada tanto pelo Perseguidor como pela oportuna peça do quebra-cabeça que foi o edifício Dakota.

Este lugar parece bom. Uma área de piquenique sem mato, apenas alguns papéis de hambúrguer rolando junto às latas de lixo entupidas. Paro no canto mais afastado do estacionamento e ligo.

"Você está bem?" O'Brien pergunta ao atender. A preocupação em sua voz triplica minha culpa.

"Sim. Escute, desculpe por não ter aparecido esta tarde."

"Então você entendeu meu código."

"Ah, sim. Aliás, aquilo foi ótimo."

"Estou corando."

"Eu estava a caminho do Centro quando... tive de mudar de ideia."

"O que aconteceu?"

Como responder? "Recebi um sinal", digo.

"Um sinal. Do tipo um sinal dos céus?"

"Não do céu."

"David, você poderia por favor me dizer o que está acontecendo?"

Como responder a *isso*? Que tal a verdade? A verdade impossível é que estou a meio caminho de acreditar, mas não me permiti dizer isso em voz alta e nem mesmo pensar nisso até agora.

"Acho que Tess pode estar viva", digo.

"Você ouviu algo? A polícia italiana — eles a encontraram? Alguém a viu?"

"Não, ninguém a viu."
"Por Deus, David! Ela *contatou* você?" No pensamento seguinte, O'Brien se torna sombria. "É um sequestro? Alguém está com ela?"
Sim, alguém está com ela.
"Ninguém me procurou", digo, em vez disso. "A polícia não achou nada. Na verdade, eles meio que desistiram de procurar. Só estão esperando que seu corpo apareça. Eles acham que ela está morta."
"E você não?"
"Parte de mim sabe que ela deve estar. Mas há outra parte que está começando a achar outra coisa."
"Onde ela está então?"
"Não na Itália. Nem aqui."
"Ok. Imagine que eu estou segurando um mapa. Onde devo olhar?"
"Boa pergunta."
"Você não sabe?"
"Não. Mas sinto algo. Que ela está viva, mas não viva. Esperando que eu a encontre."
O'Brien respira. É como um suspiro de alívio. Ou talvez seja o sinal de que ela está reunindo as forças necessárias para levar adiante uma sessão com um amigo que, com essas últimas palavras, comprova que pode ser judicialmente interditado.
Mas acaba sendo outra coisa. Ela está ajustando a direção de sua mente, de modo a poder viajar junto com minha linha de pensamento. Não que ela aceite o meu raciocínio. Ela apenas entrou no modo diagnóstico.
"Você está falando sobre o espírito dela?", começa. "Como um fantasma?"
"Não, acho que não. Isso implicaria que ela se foi totalmente."
"O purgatório, então."
"Algo parecido."
"Ela disse isso a você?"

"Eu tentei me matar ontem", digo, e isso sai assim simplesmente, de maneira casual, como se eu contasse que acabei de fazer uma limpeza nos dentes.

"Oh, David."

"Tudo bem. Tess me impediu."

"A lembrança dela, você quer dizer? Você pensou nela e não pôde fazê-lo."

"Não. Tess me impediu. Ela atirou uma foto que estava na parede para que eu soubesse que ela estava lá. Que eu tinha um trabalho a fazer."

"E que trabalho é esse?"

"Seguir sinais."

"Como isso funciona, precisamente?"

"Não há nada preciso sobre isso."

"Como funciona *imprecisamente*?"

"Acho que se trata de abrir minha mente. Usar o que eu conheço do mundo, de mim. Tudo o que estudei e ensinei, tudo o que eu li. Pensar e sentir ao mesmo tempo. Destampar minha imaginação, para que eu possa ver aquilo que treinei a mim mesmo — que todos nós nos treinamos — para não ver."

"A escuridão visível", ela diz.

"Talvez. Talvez seja para o inferno que estou sendo atraído. Mas, se for isso, talvez Tess também esteja lá."

O'Brien suspira de novo. Só que desta vez eu sei o que é. Um calafrio.

"Você está me assustando", diz.

"O que te assusta? O fato de eu acreditar que Tess quer que eu procure por ela no inferno? Ou o fato de eu soar como um doente mental em fuga?"

"Posso dizer que ambos?"

Ela ri um pouco disso. Não porque seja engraçado, mas porque ela acaba de ouvir coisas que fazem qualquer pessoa sã rir.

"Onde você está agora?", ela pergunta.

"Pensilvânia. Estou na estrada."

"Você acha que Tess pode estar lá?"

"Estou apenas dirigindo. Procurando por sinais que me levem para mais perto dela."
"E você vai achar esses sinais na Pensilvânia?"
"Dakota do Norte, espero."
"O quê?"
"É complicado. Eu me sentiria como um idiota se contasse."
"David? A verdade? Você já soa como um cara meio idiota."
"Obrigado."
"Sério. Eu não sei o que fazer com tudo isso."
"Estou louco."
"Talvez não completamente louco. Mas eu preciso dizer isso, você me deixou preocupada. Você está prestando atenção no que diz?"
"Sim. Também me deixou preocupado pra caralho."
Uma pausa. É O'Brien se preparando para chegar aonde ela tem de ir.
"David?"
"Sim."
"O que realmente aconteceu em Veneza?"
"Tess caiu", digo, concluindo que já falei demais. "Eu a perdi."
"Não estou falando disso. Estou falando do que levou você até lá em primeiro lugar. Por que Tess fez o que fez. Porque você sabe, não? Você não acredita que foi suicídio."
"Não, não acredito."
"Então me conte."
Eu quero. Mas compartilhar a história da Mulher Magra, do homem na cadeira e da voz do Inominável é demais. Eu me arriscaria a romper o frágil elo que ainda mantenho com O'Brien, e preciso dela ao meu lado. E também há o problema da segurança dela. Quanto mais ela souber, maior o perigo a que eu a exponho.
"Não posso", respondo.
"Por que não?"
"Apenas não posso. Não ainda."
"Tudo bem. Mas responda uma coisa."

"Ok."
O'Brien respira fundo. Devagar e ruidosamente. Ela não quer fazer essa pergunta, mas ela não poderá ficar ao meu lado se não o fizer.
"Você tem algo a ver com o que aconteceu com Tess?"
"Alguma coisa como? Não entendi."
"Você a *machucou*, David?"
Por mais chocante que seja a pergunta, eu imediatamente entendo de onde ela veio. Minha conversa sobre sinais, espíritos e purgatório pode ser resultado de culpa. O'Brien certamente viu isso em seus anos de prática psiquiátrica. Uma consciência insustentável que busca alívio por meio da fantasia.
"Não. Eu não a machuquei."
Assim que digo isso, eu me dou conta dos aspectos não tão verdadeiros dessa resposta. Não fui eu quem levou o Inominável de Santa Croce, 3.627, para o hotel? Tess não estaria aqui hoje se eu não tivesse aceitado o dinheiro da Mulher Magra? Eu não machuquei minha filha. Mas ainda há culpa.
"Perdoe-me", diz O'Brien. "Mas eu tinha de perguntar, certo? Para pôr tudo em pratos limpos."
"Não precisa se desculpar."
"É muita coisa para digerir."
"Entendo. O'Brien?"
"Sim?"
"Não chame os caras de jaleco branco para me buscar. Por favor. Eu sei como isso deve soar. Mas não tente me impedir."
Isso não é fácil para ela. Percebo pelo tempo que ela leva calculando os riscos de fazer tal promessa, a responsabilidade que ela agora vai carregar se algo de ruim acontecer comigo. Ou, acaba de me ocorrer, se eu fizer algo de ruim com alguém.
"Ok", ela finalmente diz. "Mas você terá de manter contato. Entendeu?"
"Pode deixar."
Ela quer saber mais, mas não pergunta nada. Isso me dá uma chance para perguntar como ela está sentindo, o que os

médicos estão dizendo, se ela está enfrentando algum mal-estar. Além de "um pouco de rigidez pela manhã", ela afirma que está se sentindo bem.

"E quem liga para os médicos?", acrescenta. "Eles me deram receitas suficientes de opiáceos para divertir uma dúzia de drogados em tratamento por um mês. Os médicos romperam comigo. E eu rompi com eles."

Eu sei que O'Brien fala sério. Ela vai lidar com sua doença e, quando chegar a hora, com sua morte, com firmeza e dignidade. Mesmo assim, ao falar do câncer, escondida logo abaixo da superfície de suas palavras, há uma aresta de raiva também. Do mesmo modo que eu. Ambos decidimos soltar os cachorros contra os ladrões invisíveis que invadiram nossas vidas.

"Eu vou voltar para a estrada", digo quando percebo que ela não quer mais falar do assunto.

"Espero que você encontre o que está procurando."

"Mesmo se você acha que é uma miragem."

"Às vezes as miragens acabam sendo reais. Às vezes há água no deserto."

"Eu te amo, O'Brien."

"Conte uma novidade", ela diz e desliga.

Viajo pelo cinturão do aço da Pensilvânia, a interestadual aproximando-se dos arredores de cidades que giravam em torno de fábricas de celulose e fundições, os enormes cartazes desbotados prometendo que ali era UM GRANDE LUGAR PARA VIVER! e sugerindo DÊ UMA PARADA... VOCÊ VAI GOSTAR! Mas eu não paro. Continuo rodando até o início da noite, o Sol dormitando atrás das chaminés e árvores.

De repente, uma joaninha pousa sobre o painel do carro. Os vidros estão fechados, e eu não a havia visto antes. Ainda assim, lá está ela, olhando para mim.

Isso me faz pensar — como quase tudo agora — em Tess. Uma memória que me surpreende por suas possibilidades de releitura. O que diz sobre ela. Sobre nós. As coisas que ela deve ter sido capaz de ver desde o início, enquanto eu aperfeiçoava minha cegueira para elas.

Uma vez, logo depois de ela ter feito cinco anos, Tess me pediu para deixar a luz acesa quando eu a estava colocando na cama. Até então, ela nunca havia demonstrado ter medo do escuro. Quando eu perguntei sobre isso, ela balançou a cabeça, expressando uma frustração você-não-entendeu-papai.

"Não é do escuro que eu tenho medo", ela corrigiu. "É do que *tem* no escuro."

"Ok. O que tem no escuro que te assusta?"

"Esta noite?" Ela estudou a questão. Fechou os olhos, como se convocando uma imagem em sua mente. Abriu-os de novo assim que conseguiu.

"Esta noite, é uma joaninha."

Não fantasmas. Não a Coisa que Mora Embaixo da Cama. Nem mesmo aranhas ou vermes. Uma *joaninha*. Tentei disfarçar, mas mesmo assim ela me pegou rindo.

"O que é tão engraçado?"

"Nada, docinho. É só que... joaninhas? Elas são tão pequenas. Elas não picam. Elas têm essas pintas bonitinhas."

Tess me encarou com uma seriedade que arrancou o sorriso da minha cara.

"Não é a aparência de uma coisa que a torna má", afirmou.

Prometi a ela que, fossem boas ou más, não havia joaninhas no apartamento. (Era pleno inverno. Para não dizer que eu nunca vi uma o tempo todo em que moramos lá, ou em qualquer outro lugar de Manhattan, na verdade.)

"Você está errado, papai."

"É? Como você tem tanta certeza disso?"

Ela puxou a coberta até o queixo e voltou seus olhos para a mesinha de cabeceira. Quando acompanhei seu olhar, vi uma joaninha na mesa. Não estava lá um segundo antes.

Pensando tratar-se de um brinquedo ou da casca seca de algum pavoroso inseto rastejante morto há muito tempo, encontrada embaixo de um tapete — e colocada ali por um truque esperto das mãos de Tess —, eu me aproximei para examiná-la. Quando meu nariz estava a poucos centímetros dela, ela rapidamente se virou para me encarar. Abriu os élitros para testar suas asas negras.

"Às vezes, os monstros são reais", disse Tess, virando de lado e me deixando sozinho com a joaninha me encarando. "Mesmo se eles não se parecem com monstros."

Quando o Mustang dá um pinote e eu acordo num pulo para descobrir que deslizei para o cascalho do acostamento, chego à conclusão de que é hora de procurar um lugar para passar a noite. A próxima cidade? Milton. População 6.650. Outro sinal. Ou não. Ou uma coincidência vazia. Estou cansado demais para decidir.

Há um Hampton Inn próximo à autoestrada ("C&C GRÁTIS. CDM! TV A CABO!"). Eu me registro, compro meia dúzia de cervejas e um hambúrguer e como no meu quarto, as cortinas fechadas. Lá fora, a interestadual sussurra e boceja. A propaganda da televisão vive entre essas quatro paredes.

Quando ela era menor, um dos jogos habituais entre Tess e eu era Quente/Frio. Ela escolhia um item no apartamento e contava, baixinho, para Diane — sua marionete de princesa, o espremedor da cozinha — e eu tinha de procurar, sendo guiado apenas por seus avisos de "Quente!" e "Frio!". Às vezes, o item secreto era ela mesma. E eu me aproximava dela, as mãos esticadas à frente, tateando como um cego. *Quen-te! Queeeeeen-te! Mais quente!* PELANDO! Minha recompensa era um abraço risonho enquanto eu fazia cosquinha na minha presa, sem piedade.

Agora estou aqui, em Milton, Pensilvânia. Procurando no escuro.

"Estou ficando quente?", pergunto ao quarto.

O silêncio traz uma nova onda de preocupação. E um grunhido do meu estômago, que não foi acalmado pelo duplo bacon com queijo. Sentir a falta de alguém é como ter fome. Um

vazio insaciável no cerne de si próprio. Se eu me deixar ficar aqui, pensando nela, isso vai me consumir.
E eu não posso sumir agora.
Pego o diário de Tess no carro. Começo pelo princípio desta vez. Muito do que ela escreve é o que se esperava. A normalidade de suas observações — os garotos amalucados de sua turma, a perda de sua melhor amiga que se mudou para o Colorado, as humilhações no quadro-negro do seu professor de matemática "que cheira a cebola"—é um alívio para mim. Quanto mais as anotações ficarem nesse patamar, mais eu posso alimentar a ideia de que ela era aquilo que parecia. Uma menina esperta, uma amante de livros meio à parte, defensora dos companheiros nerds, feliz de todas as maneiras que importam.
Mas até mesmo a recordação da felicidade pode ter um efeito contrário. Saber que um momento não apenas passou, mas pode nunca mais ser citado de novo, traz um tipo completamente novo de dor.

Sou provavelmente a única criança da escola que gosta de ir ao médico, ao dentista e ao cara que examina os seus olhos. Não porque eu goste de dentistas ou de médicos ou dos caras dos olhos. É porque, a maior parte das vezes em que papai marca para eu fazer essas coisas, na verdade estamos fugindo da escola.

Começou, talvez, há um ano. Papai tinha de me levar ao dentista, e quando terminamos, em vez de ele me levar de volta para a escola, tiramos o dia livre e visitamos a Estátua da Liberdade. Eu me lembro de que o vento no barco que ia para lá estava tão forte que o boné de beisebol dos Mets com as manchas de suor na borda que deixa a mamãe LOUCA *saiu voando e caiu no rio. Papai fez de conta que ia pular para pegar o boné, e essa dona pensou que ele ia mesmo fazer isso e gritou pra caramba! Depois que papai conseguiu acalmá-la ele disse que*

só um idiota pularia no Hudson para recuperar um boné dos Mets. "Se fosse dos Rangers? Então, talvez..."
Depois disso, começamos a perder as aulas de propósito.
O esquema funciona assim:
Papai me pega — aparecendo do nada, então nunca sei quando vou ser liberada — e só decidimos o que vamos fazer quando estamos na rua. Na maior parte das vezes nós apenas andamos e andamos pela cidade, olhando coisas, conversando e conversando. Papai chama isso de "Brincar de turista no seu quintal". Eu chamo de Passeando em Nova York. Não importa, É TUDO.
Este ano, já acabamos nessa rua em Chelsea com umas galerias de arte esquisitas (tinha uma escultura de um homem com flores crescendo do seu traseiro!), fizemos não um, nem dois, mas TRÊS passeios de carruagem em torno do Central Park, e fizemos um piquenique com macarrão vietnamita no meio da ponte do Brooklyn.
Esta semana entramos em uma fila sem nem saber para que era. Acabou que era para o Empire State Building. Eu nunca tinha ido lá. Papai também não.
"Eu vi as fotos", ele disse.
"Fotos nunca são a mesma coisa que ao vivo", eu disse.
Depois de cerca de uma hora, tomamos o elevador e chegamos ao local de onde você pode ver Manhattan inteira. O parque, os dois rios, o que pareciam pequenas TVS em Times Square.
Foi estranho ver como a cidade parece quieta vista de cima. O que é barulho na rua fica como um zumbido. Algo sendo ajustado. Você não consegue saber se está se preparando para uivar como um animal ou cantar como um anjo.

Continuo lendo. Não tenho certeza do que estou procurando. Mais, suponho. Mais dela. Mais do que eu sabia, bem como do que não sabia.
E encontro.

> *Há um garoto que tem me visitado muito ultimamente. Não neste mundo, mas no Outro Lugar. Um garoto que não é mais um garoto.*
> *Seu nome é* TOBY.
> *Ele é tão triste que é quase impossível ficar com ele. Mas ele diz que foi destinado a nós. Porque algo Muito Ruim de onde ele vem tem uma mensagem para o papai. E* TOBY *vai entregar essa mensagem.*
> TOBY *diz que sente muito. Que ele queria poder apenas ficar comigo, mostrar que é apenas uma criança, como eu. Uma vez, ele disse que gostaria de me beijar. Mas eu sei que, se a coisa pedisse isso a ele, ele arrancaria minha língua com os seus dentes se nós nos beijássemos.*

Não conheço nenhum Toby. E por mais que eu não *queira* conhecer este, acredito que logo isso irá acontecer.

Ela é você, disse O'Brien. Mas Tess admitiu a existência de seus demônios — nossos demônios — de uma maneira que eu nunca consegui.

Até agora.

Na página seguinte há um desenho. Como eu, Tess era mais de escrever e falar que de desenhar, e a imagem que ela rabiscou aqui é rudimentar. Ao mesmo tempo, talvez por sua simplicidade, a imagem é mais surpreendente. Os poucos detalhes que a distinguem, que a tornam algo mais que apenas "Um homem do lado de fora da casa", indicam a intenção por trás dela. Em uma olhada eu pude ver que Tess testemunhara essa cena antes. Ou que esta lhe fora mostrada.

Um horizonte plano. Tão amplo que passa de uma página para a outra, ainda que na segunda página não haja nada além da linha reta do chão e o céu acima. Isso funciona para isolar ainda mais o assunto do desenho.

Na primeira página, uma casa quadrada com uma única árvore no quintal, um caminhozinho de cascalho à frente.

Um enorme vespeiro na ponta superior do telhado. Um ancinho encostado na árvore. E eu. Aproximando-me da varanda com os lábios apertados para mostrar irritação, ou talvez dor. Apenas duas palavras na página. Sombriamente gravadas sob o chão sobre o qual estou, como uma rede de raízes.

Pobre PAIZINHO

Fecho o diário com as mãos trêmulas.
TV. Entendo agora. É a esmagadora solidão dos quartos de hotel que faz com que todos liguem a TV imediatamente ao entrar.
Vou trocando os canais até chegar à CNN. E lá está: o grande espetáculo americano da distração. Abro uma lata de cerveja Old Milwaukee e deixo minha vista ficar embaçada com as telas divididas e as faixas de notícias que correm na parte inferior. Contagens de corpos, celebridades entrando e saindo de clínicas de desintoxicação, a arrecadação das bilheterias. Os apresentadores usando tanta maquiagem que parecem bonecos engenhosamente animados do Museu de Cera Madame Tussaud.
Não estou realmente assistindo. Nem ouvindo. Mas algo me atrai para perto da tela.
Leva um tempinho para que eu consiga atingir o nível de atenção plena e compreenda que o que me atraiu não é uma notícia passando nem um nome que foi dito, mas números. Uma série de algarismos deslizando pela parte inferior da tela. Cada um deles precedido por uma cidade. Os índices de fechamento das bolsas de valores no dia 27 de abril.
... NYSE 12595,37... TSE 9963,14... TSX 13892,57... DAX 5405,53... LSE 5906,43...
Nova York. Tóquio. Toronto. Frankfurt. Londres.
O mundo será marcado por nossos números.
E foi.

Mas o que isso significa? Prova. É o que o homem na cadeira prometera. Na ocasião, a voz que queria ser reconhecida como um coletivo de demônios não respondeu *o que* os números provariam. Isso ficaria claro quando chegasse a hora. Que é agora. A projeção correta dos índices de fechamento das bolsas prova que a voz estava certa, que previu uma série de eventos além de qualquer chance razoável de coincidência ou oportunidade de truque, algo que um homem em um sótão em Veneza, são ou qualquer outra coisa, nunca poderia fazer. Foi vencido um dos testes do irmão Guazzo. Aquele que determina a voz como não humana.

Isso é *real*.

Levanto. Jogo a lata de cerveja no lixo, de onde ela tenta escapar jogando espuma para o alto. Ando de um lado para outro, desde o banheiro, onde lavo as mãos, até a porta, onde espio pelo olho mágico para a estrada à noite.

O Inominável fez sua promessa.

Quando você vir os números, você só terá até a Lua aparecer.

A Lua, em si, não é uma marcação de tempo. Mas ela tem um ritmo, uma maneira de *medir* o tempo. O começo do ciclo sendo a Lua nova, quando a superfície está totalmente escura. O mais próximo da ausência total da luz do Sol a que o mundo chega. É por isso que ela tem um papel tão grande na magia, sendo uma ferramenta tanto para adivinhadores bíblicos como para mágicos egípcios. Para demônios, também. É uma forma de prever a morte de alguém, entre outras coisas. Lembro-me de ter lido sobre um método em particular, no qual os judeus da Morávia[1] enquadravam a Lua nova entre os ramos de um galho de árvore. Com o tempo, o rosto de uma pessoa querida aparecia. Se as folhas caíssem, essa pessoa estava destinada a morrer.

---

[1] Região oriental da República Tcheca.

Então a próxima Lua será a hora mais escura para mim, também. O momento em que Tess estará para sempre fora do meu alcance.

A criança será minha.

Pego meu celular, procuro um site que mostre um calendário lunar global detalhado. Encontro a data da próxima Lua nova. Confiro duas vezes. Mais uma vez, bem devagar. A data — exatos hora, minuto e segundo — inscrita na memória.

Se eu não encontrá-la antes, minha filha morrerá às 6h51min48s da noite do dia 3 de maio.

Daqui a seis dias.

O DEMONOLOGISTA
ANDREW PYPER

CAPITULUM 12

Eu tive um professor que certa vez, em um discurso inflamado desvairadamente fora do tema, possivelmente estimulado pelo álcool, argumentou que se perguntássemos ao americano médio o porquê de termos nos dado o trabalho de combater na Europa na última guerra, se o americano médio fosse totalmente honesto, a essência de sua resposta seria algo como "Um Denny's 24 horas em todas as cidades".[1] Todos riram. Em parte porque provavelmente é verdade.

Então um brinde ao Mac 'n Cheese Big Daddy Patty Melt (do menu especial "Viva o Queijo!") com acompanhamento de anéis de cebola frita às 23h24 no Denny's de Rothschild, Wisconsin. Um brinde às garçonetes cadeirudas com bules de café grudados nas mãos. Um brinde ao conforto de um lugar limpo e bem iluminado, um oásis da fritura ao longo da autoestrada. Um brinde à liberdade.

---

[1] Cadeia de restaurantes dos EUA cujo lema é funcionar 24 horas por dia, sete dias por semana.

Estou fora de mim.

Tendo dirigido o dia todo, dando oi e tchau ao volante do Mustang para as paisagens de Ohio, Illinois e Indiana, girando o botão do rádio AM, indo de coros evangélicos à Lady Gaga, depois desligando para embarcar em longos, assombrados silêncios, estou faminto e solitário. E o Denny's proporciona alívio para as duas condições.

"Mais café?", pergunta a garçonete, o bule de café já meio inclinado na direção da minha xícara. Eu preciso de mais cafeína assim como preciso de um Louisville Slugger[2] na cabeça, mas aceito. Seria uma grosseria, talvez até falta de patriotismo, agir de outra forma.

Meu celular vibra em meu bolso. Um ratinho acordado de seu cochilo no ninho do bolso.

"Estive pensando", diz O'Brien quando eu atendo.

"Eu também. Nem sempre é algo bom de se fazer. Acredite em mim."

"Tenho uma sugestão."

"O sundae Maple Bacon?"

"Do que você está falando?"

"Deixa pra lá."

"David, acho que você está recriando sua própria mitologia."

Tomo um gole de café. Sabor de ferrugem líquida. "Entendo."

"É um delírio, claro. Estou certa de que parece uma experiência bastante real para você; no entanto, é um delírio."

"Então você chegou à conclusão de que eu estou doido."

"Cheguei à conclusão de que você está se mortificando. Seu luto levou sua mente em uma determinada direção, levou-a para um lugar onde sua culpa pode ser expiada de uma maneira compreensível."

"Ahn-hã."

"Você é um professor de mitologia, certo? Você dá aulas sobre isso, vive isso, respira isso: a história dos esforços do

---

2 Marca famosa de bastão de beisebol.

homem para dar sentido à dor, à perda, ao mistério. Então é onde você está, é o que você está ativamente criando. Uma ficção que funciona em uma tradição de ficções anteriores."

"Sabe, O'Brien? Estou cansado. Você pode me dar a versão do curso de férias?"

O'Brien suspira. Espero por ela, olhando pela janela próxima da minha mesa. O estacionamento inundado de luz, como se à espera de um evento esportivo, uma partida de futebol a ser jogada entre as picapes e as minivans. Ainda assim, há cantos escuros, nos quais a luz não chega. No mais distante deles, um carro de polícia, sem identificação, estacionado. A silhueta escura da cabeça do motorista apenas visível no assento. Um patrulheiro tirando um cochilo.

"Conhece Cícero?", começa O'Brien.

"Não pessoalmente. Acho que foi uns dois mil anos antes do meu tempo."

"Ele também foi pai."

"Túlia."

"Isso. Túlia. Sua amada filha. E quando ela morreu ele ficou arrasado. Não podia trabalhar, não podia pensar. Até César e Brutus enviaram cartas de pêsames. Nada ajudava. Então ele leu tudo que estava disponível sobre a superação da dor, sobre o domínio da fria realidade da morte. Filosofia, teologia, provavelmente alguma coisa de magia negra também. No final, no entanto..."

"'Minha dor derrota toda consolação.'"

"Um ponto extra pela citação correta, professor. Todas as leituras e pesquisas de Cícero de nada adiantaram. Não havia nenhum feitiço que ele pudesse invocar para trazer Túlia de volta. Fim da história."

"Exceto pelo fato de que *não foi* o fim da história."

"Não. Porque é aí que nascem os mitos. No ponto onde terminam os fatos e a imaginação prossegue, disfarçada de fato."

"A chama eterna."

"Exato. Alguém em Roma encontra o túmulo de Túlia no século xv e encontra... uma lamparina! Ainda acesa depois de todos aqueles séculos!"
"O amor imortal de Cícero."
"Impossível, certo? Uma chama *literal* nunca poderia queimar por tanto tempo assim. Mas uma chama *figurativa*, sim. O símbolo é poderoso o bastante — útil o bastante para todos aqueles que já perderam um ser amado, ou seja, *todo o mundo* — para que o mito se sustente. Talvez até que se torne crível."
"Você está dizendo que sou Cícero. Exceto que, em meu caso, em vez de chamas eternas, minha invenção consiste em espíritos maus que me enviam em uma caçada inútil."
"A questão não é essa. A questão é que você é um *pai*. Isso que você está enfrentando, esses sentimentos, é tudo normal. Até mesmo os sinais secretos e presságios devem ser vistos como normais."
"Ainda que eles não sejam reais."
"E eles não são. Com quase toda a certeza, eles não são."
"Quase. Você disse com *quase* toda a certeza."
"Tive de dizer."
"Por quê?"
"Porque é você."
Lá fora, no estacionamento, o policial que cochilava acorda. Sua cabeça se ergue, uma mão ajusta o espelho retrovisor, para afastar o sono de seus olhos. Mas ele ainda não liga o motor. Não sai do carro.
"Há um problema com a sua analogia", digo.
"Sim?"
"Não estou alegando que encontrei uma lamparina queimando há centenas de anos. Tudo que vi, vi com meus próprios olhos. E nada, falando rigorosamente, é cientificamente impossível."
"Talvez não. Eu não saberia. Você não me contou *o que* você viu. Mas veja aonde isso o levou. Atravessar o país dirigindo

seguindo pistas deixadas por — por quem? Tess? A Igreja? Demônios? Anjos? E com que objetivo? Recuperar sua filha das mãos da morte."

"Eu não disse isso."

"Mas é nisso que você está pensando, não é?"

"Algo assim."

"Não estou dizendo que está errado. Estou falando que está *tudo bem*. Quantos cursos você deu sobre Orfeu e Eurídice? Dez? Vinte? Faz sentido que, neste momento de aflição, seu cérebro recupere essa velha história e a refaça à sua moda."

"Estou em uma jornada para o inferno. É isso?"

"*Eu* não estou dizendo isso. *Você* sim. Para encontrar aquela que você mais ama. A velha ânsia humana de ultrapassar as fronteiras da mortalidade."

"Orfeu tinha uma lira que encantou Hades. O que eu tenho? Uma mente cheia de dissertações."

"Você tem erudição. Você conhece o território. Mesmo que esse território seja completamente inventado."

"Você é esperta, O'Brien."

"Então você vai voltar para Nova York?"

"Eu disse que você era esperta. Não que você estava certa."

Enquanto isso, a luz dentro do carro do patrulheiro estadual se acende. Revela detalhes suficientes do interior para mostrar que eu estava errado. Apesar de ser um desses enormes modelos Crown Victoria da Ford usados pela polícia, não é um patrulheiro que está ao volante. É Barone. O Perseguidor. Mostrando-me um sorriso irônico pelo espelho retrovisor.

"Ligo para você depois", digo, levantando e largando uma nota de cinquenta na mesa para sair.

"David? O que está acontecendo?"

"Orfeu tem de correr."

Eu desligo e caminho para o carro. Mas, antes disso, a garçonete me chama. Era para ser um gracejo, mas, no estilo do Meio-Oeste, soa como uma ordem.

"Tenha um bom dia!"

Só que este não é um bom dia.

    Dirigindo podre de cansado noite adentro, pegando atalhos a esmo, parando nas estradinhas de acesso às fazendas com os faróis apagados para ter certeza de que não estou mais sendo seguido.

    Parece funcionar. Quando as primeiras cores da aurora surgem no horizonte, não há mais qualquer sinal do Perseguidor. Isso me permite consultar o mapa e traçar meu progresso para Dakota do Norte. Decido me manter nas estradas secundárias e evitar as interestaduais. Ponho o sono de lado e apenas continuo dirigindo. Uso a energia nervosa de quem vara a noite e vejo o quão longe ela vai me levar.

    O problema é que esse tipo de coisa tem seus efeitos colaterais. Suor pastoso. Indigestão. Além de ver coisas.

    Como a pessoa à frente, por exemplo. Uma garota com o polegar esticado, no gesto universal do carona. Só que a garota é Tess.

    Piso forte no acelerador a fim de deixar a visão para trás. Quando passo por ela, faço questão de não olhá-la, pois sei que *não pode* ser ela, e se *não é* ela, então muito provavelmente é alguma coisa sórdida. Uma máscara de pesadelo usada pelo Inominável para se divertir. Pela dor que ela causa.

    Ainda assim arrisco uma olhada no retrovisor ao passar, e ela continua lá. Não é Tess de forma alguma, e sim uma garota alguns anos mais velha. Parecendo muito mais assustada que eu.

    Paro o Mustang e ela corre pelo acostamento, uma mochila suja de Dora, a Aventureira, balançando-se contra seu quadril. O ímpeto de arrancar. Mesmo que ela não esteja envolvida no que O'Brien acredita ser meu delírio de fabricação de mitos, não pode haver nada de bom em pegar pessoas perdidas nas estradas do interior de Iowa. Estou violando a regra nova-iorquina de não se envolver.

    À medida que ela se enquadra melhor no retrovisor, sua corrida agora uma caminhada, posso ver que ela tem aquele olhar inexpressivo dos que estão há muito tempo sozinhos.

Tentando escapar. Ela se parece cada vez menos com Tess a cada passo. Mas ela tem mais coisas em comum comigo.

Ela abre a porta e desaba no banco de carona antes mesmo de me olhar. E quando ela o faz, não é para meu rosto que ela olha, e sim minhas mãos. Calculando se elas são capazes de fazer algum mal.

"Para onde você está indo?", pergunto.

Ela fixa o olhar à frente. "Direto."

"Isso não é um lugar."

"Acho que não tenho certeza de para onde vou."

"Você está encrencada?"

Ela me olha pela primeira vez. "Não me leve para a polícia."

"Não vou. Nem se você quisesse. Só preciso saber se você está machucada."

Ela sorri, mostrando um bocado de dentes surpreendentemente amarelos. "No sentido de machucada de hospital, não."

Ela se vira para olhar pelo vidro traseiro, como se também estivesse sendo seguida. Retomo a estrada e deixo passar um quilômetro e meio antes de olhar para ela novamente.

"Você parece um pai", ela diz.

"É por causa do cabelo grisalho?"

"Não. Você apenas *parece*." E acrescenta: "Você lembra o meu pai".

"Engraçado, porque você lembra um pouco a minha filha. Mas ela é mais jovem. Quantos anos você tem?"

"Dezoito", ela responde. E agora, nessa proximidade do Mustang, ela não se parece nem um pouco com Tess, o que faz com que eu também tenha contado uma mentira.

"Você ainda vive com sua família?", pergunto.

Mas ela não está prestando atenção. Ela pegou meu iPhone do apoio para copos do carro, onde eu o havia deixado, e está tocando em sua tela, seus dedos pulando a cada reação que provocam, como se ela nunca tivesse visto tal coisa.

"É um telefone", explico. "Você quer falar com alguém?"

Ela considera isso um momento. "Sim."

"Vá em frente. Você sabe qual é o número?"
"Eles não têm um número."
"As linhas telefônicas não chegam lá onde eles vivem?"
Ela faz um som como se sugasse por entre os dentes, que poderia ser uma demonstração sufocada de riso. Continua a brincar com a tela, passando de um aplicativo para outro com rapidez cada vez maior, à medida que ela aprende as funções do aparelho. Isso me permite espiá-la sem que ela se dê conta. Cabelo avermelhado em um rabo de cavalo, sardas grandes, um vestido leve imundo com padrão de pintinhas rosa. Uma boneca. Uma enorme boneca de pano que ganhou vida. Ela é, isso me ocorre em meio a uma onda de vergonha, um fetiche ambulante. A Menina Sardenta do Campo. A Boneca de Pano Obscena. Algo que faltava nela foi preenchido por detalhes ordinários, vagamente sexualizados.

Ela fecha uma janela no celular e gira a cabeça em volta, pegando-me a olhar para ela. Pela primeira vez, seus olhos simulam um brilho ao encontrar os meus. Isso me dá a sensação de que ela me pegou no meio de algum ato lascivo, na indulgência de alguma perversão particular. E seus olhos dizem que tudo bem. Meu segredo está a salvo com ela.

"Você acredita em Deus?", ela pergunta. Uma renascida. Talvez seja tudo o que essa menina seja. Talvez apenas uma inofensiva fanática da Bíblia, pegando uma carona para algum churrasco saudosista mais acima na estrada. Isso explicaria sua voz insípida, os olhos ao mesmo tempo observadores e opacos. Sua aparência bizarra, semelhante à de uma boneca, teria sido aprendida. Um subproduto da fé.

"Não sei se há um Deus ou não", respondo. "Se existe, nunca o vi."

Ela me encara. Não se mostra aborrecida com minha resposta. Apenas espera para ouvir o resto.

"Mas eu vi o Demônio. E, eu garanto a você, ele é real."

Isso leva um momento para alcançá-la. Como se ela estivesse do outro lado de uma ligação interurbana ruim, esperando que o significado chegasse. Quando chega, ela faz novamente aquele som de sugar os dentes.

Volto os olhos para a estrada. Corrijo a inclinação para a esquerda que levou o Mustang para a contramão.

"Como ele é?", ela pergunta.

Ele não se parece com ninguém. Ele se parece com você, quase digo.

Inicialmente, quando sinto meu colo quente, penso que mijei nas calças. Muito cansaço, muito café. Um fluxo incessante de ardor desce por minhas pernas.

Mas quando olho para baixo, esperando encontrar meus jeans molhados, vejo em vez disso a mão da garota. Meu zíper aberto. Sua mão dentro.

"Você acredita aqui", ela diz, colocando o indicador de sua mão livre contra minha têmpora. Só que a voz não é mais a da garota. É a voz que falou pela boca de Tess no terraço do Bauer. Ao mesmo tempo viva e sem vida.

"Agora você precisa acreditar *aqui*", diz o Inominável.

Com isso, ela aperta.

Arranco a mão dela com um puxão em seu pulso, mas isso resulta em uma virada quase total do volante, o que faz o carro resvalar no acostamento antes de dar uma guinada violenta para o outro lado, oscilando pelas duas pistas. Pisar no freio agora nos faria rodopiar, e nessa velocidade — o ponteiro encostando em 100 km/h — nós sairíamos voando para um campo próximo. O melhor a fazer é realinhar o carro para então reduzir a velocidade. E me encarrego de fazer isso, soltando a garota, de modo a manter as duas mãos no volante, compensando o movimento da traseira do carro ao mover as rodas dianteiras na outra direção.

Estamos nos endireitando, e eu começo a pisar no freio, quando a garota enterra as unhas no meu rosto. É o que dá início à derrapagem.

Céu.

Asfalto.

Lua em pleno dia.
Um espetáculo de giros e luzes.
Paramos no meio da estrada. Se alguma coisa vier do outro lado da elevação vai nos acertar antes que tenha tempo de frear.
Mas agora a garota está arranhando, guinchando e rangendo os dentes como um animal raivoso, como o homem na cadeira em Veneza. Eu a empurro contra a porta do passageiro e sua cabeça bate no chassi. Ela nem sente. Apenas dá um novo bote. Busca meus olhos.
Balanço meus punhos sem parar — acertando sua mandíbula, suas costelas, um golpe direto em sua orelha. Então, quando ela parece estar enfraquecendo, eu me debruço sobre suas pernas e abro a porta.
Estou voltando ao lugar quando ela morde.
Dentes que se enterram, rosnando, na parte de trás do meu pescoço. Não sei se o grito estridente que se segue é dela ou meu. O vívido choque da dor subitamente me traz uma nova força. É o bastante para empurrar a garota porta afora, e ela cai de bunda na estrada com um suculento *ploft!*
Retomo o volante. Engato a primeira.
Mas a garota vem junto.
Nos dois segundos que levei para começar a andar ela deve ter se erguido, agarrando-se firmemente na janela aberta da porta do carona. A garota agora está sendo arrastada pelo carro. A porta abre, de modo que ela sai raspando o cascalho do acostamento. Então, quando fecha de novo, ela bate contra a lateral do carro.
O Mustang voa por cima da elevação.
A garota uiva.
Deixo meu pé afundar no pedal até o chão.
"Por favor!"
Uma nova voz. Não a falsa, que pertencia à Boneca de Pano, nem a do Inominável. A voz real da garota. Aquela que lhe pertencia quando ela estava viva. Tenho certeza disso.

Essas palavras abriram caminho por sobre a muralha da morte para pedir uma ajuda que eu não posso dar.

Essa impressão se confirma quando me viro para olhar. A garota agora está sendo açoitada na lateral do carro, ainda agarrada à porta, que continua a abrir e fechar. Mas eu não reduzo a velocidade. Porque ela já se foi. Já pertence a ele.

"Me ajuda!"

Ela sabe que eu não posso. Uma garota que nadou até a superfície apenas para dar de cara com um estranho que está se afogando igual a ela.

Mas eu lhe estendo a mão de qualquer forma. E ela faz o mesmo. Solta sua mão esquerda da maçaneta e a estica sobre o banco do carona, de modo que, por um breve instante, nos tocamos. A pele fria como carne retirada do fundo do congelador.

Ainda assim, tentamos de novo.

Isso força seu peso para trás e a porta se escancara. Sangue escorre de suas pernas que se arrastam pelo asfalto, dando pulos como uma fileira de latas amarrada a um para-choque onde se lê "RECÉM-CASADOS!". Ela olha para mim e, segundos antes de ela soltar a porta, vejo a opacidade retornar a seus olhos. Quem quer que ela tenha sido na vida afundou de novo nas águas. Agora só resta essa marionete animada, essa casca de rosto sardento.

Então ela se vai.

As unhas de uma das mãos arranham a lateral do carro, buscando onde se agarrar. Um baque nauseante quando a roda traseira do Mustang passa por cima da garota.

Paro.

Saio do carro e vou para trás. Eu me ajoelho para olhar debaixo do chassi, procuro ao longo das valas nos dois lados da estrada. Nada da garota.

Passo a mão na parte de trás do pescoço e ela volta suja de sangue. E o iPhone. Ainda ligado. Ainda guardando os minutos que se passaram desde que ela encontrou o aplicativo do gravador e o ligou.

Volto. Teclo play.

Você acredita em Deus?

Quem quer que ela tenha sido, ela estava aqui. Não uma parte da minha construção de mitos. Não um delírio. Toda a conversa foi gravada.

...E, eu garanto a você, ele é definitivamente real.

Desligo o gravador para não ter de ouvir o pedido de socorro da verdadeira garota. Um som mais assustador até mesmo que o tom de voz vazio do Inominável.

A ideia de que eu deveria apagar esse arquivo me passa pela cabeça. É o que quero fazer mais do que qualquer outra coisa.

Em vez disso eu lhe dou um nome. Chamo o arquivo de boneca. Salvo.

CAPITULUM 13

Encosto para tirar cochilos de vinte minutos. Dirigir. Dormir. Dirigir. À tarde atravesso a divisa de Dakota do Norte sem que ninguém perceba. Eu mesmo mal me dou conta.

    Em Hankinson, depois de um borrachudo misto-quente e um bule inteiro de café, eu me sinto inutilmente revigorado. Estou em Dakota do Norte. E agora? Espero um telegrama? Vou de porta em porta, escancarando minha carteira com uma foto de Tess de cinco anos atrás e pergunto se alguém viu minha filha? Imagino a cena:

VELHINHA FOFA
Oh céus. Que coisa horrível. Ela desapareceu por aqui?

HOMEM
Não, aqui não. Em Veneza, na verdade.
E ninguém além de mim acredita que ela possa estar viva.

VELHINHA FOFA
Entendo. E o que você acha que aconteceu com ela?

HOMEM
Eu? Eu acho que um demônio a mantém prisioneira.

VELHINHA FOFA
Henry! Chame a polícia!

BAM!
A porta bate bem no nariz do HOMEM.
Ele o esfrega e vai embora, e se ouvem SIRENES ao longe.

Resolvo, já que estou aqui, dar uma olhada nas atrações de Hankinson. Não demora muito. Hot Cakes Café. Golden Pheasant Bar & Lounge. Banco Estadual Lincoln. Umas poucas igrejinhas brancas, revestidas de madeira, recuadas. Um dos maiores orgulhos da cidade, a julgar pela placa de tinta descascada, é "OKTOBERFEST... EM SETEMBRO!"

Mas nenhum sinal de Tess ou do Inominável. Nem um sinal de qualquer sinal. Quando chego à Biblioteca Pública de Hankinson — uma estrutura de aspecto provisório, de blocos de concreto e janelas minúsculas —, entro com a ideia de tomar as rédeas da situação. Afinal de contas, sou um pesquisador profissional. Eu deveria ser capaz de achar uma alusão encoberta, uma piscadela escondida em um texto. Mas qual *é* o texto? O único livro com o qual estou trabalhando é o mundo real à minha volta. Um material em cuja tradução eu nunca fui muito bom.

Adquiro um cartão da biblioteca por um dólar e cinquenta, acesso um dos terminais de computador. Acho que posso muito bem começar por onde todos os meus graduandos preguiçosos iniciam suas pesquisas para dissertação estes dias. Google.

"Dakota do Norte" traz os resultados-padrão da Wikipédia sobre população (672.591, o que o coloca em quadragésimo sétimo lugar entre os estados em densidade), capital (Bismarck), senadores (um democrata, um republicano), o ponto mais elevado (que é Colina Branca, o que provoca uma catalogação mental de possíveis trocadilhos).[1]

Mas também há, bem no fim dos resultados, uma lista dos jornais estaduais. *Beulah Beacon*. *Farmers Press*. *McLean County Journal*. E um que salta aos olhos: *Devils Lake Daily Journal*. É para lá que devo ir? O nome é adequado, ainda que a pista me pareça muito óbvia para o Inominável, cujo caráter (se é que se pode dizer que *tenha* caráter) tem se mostrado mais sutil, deleitando-se com sua inteligência. Então não, não vou pegar a estrada para Devils Lake.[2] Não vou pegar a estrada para lugar algum até descobrir o porquê de eu estar aqui.

Talvez seja essa a questão. Talvez não seja o caso de eu me mover, de errar ainda mais, mas sim de *chegar*.

O que me leva a pensar se eu não vim a Dakota do Norte não para encontrar outro enigma para decifrar, e sim uma história. Como Jesus encontrando o homem em Gérasa possuído por uma legião de demônios, como eu voando para ver o colega acadêmico amarrado em uma cadeira em Santa Croce, talvez eu esteja aqui para testemunhar outro "fenômeno". Talvez meu papel — e meu caminho para encontrar Tess — não seja como acadêmico ou intérprete, mas como um cronista. Alguém que reúne antievangelhos. Ou provas.

Era a tarefa dos discípulos. Mas eles só conquistaram suas vagas depois de professar sua fé inquestionável no messias. Eu? Não estou seguindo o Filho de Deus, mas um agente profanador do outro time. E, por Tess, eu o farei. Por ela, verei o que quer que seja que nunca deveríamos ver.

---

1 No original, White Butte, que remete a *"white butt"*, bunda branca.
2 Lago dos Demônios, em tradução literal.

Um problema. Se estou aqui para procurar por um novo "caso", este certamente não vai pular na minha frente nas ensolaradas e muito amplas ruas de Hankinson. Mais uma vez, as indicações da presença demoníaca provavelmente não estarão totalmente visíveis por aí, mas antes disfarçadas como alguma outra coisa, assumindo uma máscara, a exemplo de quando o Inominável me visitou como a garota no carro, o homem na igreja, o velho no avião. Será um acontecimento que *poderia* ser racionalmente explicado, mas que tem algo de muito estranho e errado. O tipo de história que é obtida nas agências de notícias e divulgada junto a outras esquisitices nas intermináveis páginas da internet. O mistério passageiro que pode ser encontrado nas páginas finais dos jornais das cidades pequenas. Algo que, aparentemente, não falta em Dakota do Norte.

Uma nova busca. "Demônios Dakota do Norte." O que me leva diretamente à pornografia.

Outra tentativa.

"Inexplicável Dakota do Norte."

"Mistério Dakota do Norte."

"Desaparecimento Dakota do Norte."

"Fenômeno Dakota do Norte."

Depois de algum tempo procurando, uma história chama mais a atenção que as outras. Um texto bem curto, que não aparenta ser mais do que um fim de linha deprimente e comum para as inúmeras almas negligenciadas, algo mais para o lado triste que exatamente perturbador.

A história apareceu inicialmente em 26 de abril no jornal *Emmons County Record*, de Linton. Há apenas três dias.

MULHER DE STRASBURG, 77, SUSPEITA DO DESAPARECIMENTO DA IRMÃ GÊMEA

Delia Reyes assegura que sua irmã, Paula Reyes, seguiu "vozes".

Por Elgin Galt

LINTON—
Delia Reyes, de 77 anos, que passou a vida trabalhando em uma pequena fazenda em Strasburg com sua irmã gêmea, Paula Reyes, foi classificada como uma "pessoa-chave" pelo delegado que conduz as investigações sobre o desaparecimento desta última.
Delia Reyes procurou a polícia há seis dias, em 20 de abril, para informar o desaparecimento de sua irmã. Ao ser interrogada pelos policiais, no entanto, a mulher deu uma versão dos fatos que deixou as autoridades intrigadas.
"Segundo Delia, há algum tempo Paula ouvia vozes vindo do porão", contou o delegado Todd Gaines ao *Record*. "Vozes que a chamavam, para descer e juntar-se a elas."
Delia disse à polícia que ela própria não ouvia essas vozes e estava preocupada com o estado mental de sua irmã. Temendo que esta pudesse se machucar, ela fez Paula prometer que não desceria sozinha.
Então, segundo Delia, uma noite Paula não conseguiu mais resistir. Ela declarou ter visto Paula abrir a porta que dava para o porão e descer as escadas. Quando Delia — que tem algumas limitações físicas — conseguiu descer, Paula havia sumido.

"Foi a última vez em que ela, ou qualquer outra pessoa, viu Paula Reyes", disse o delegado Gaines. Com a permissão da srta. Reyes, os investigadores vasculharam exaustivamente o interior e o exterior da propriedade das irmãs, mas até agora não encontraram qualquer sinal da idosa. Perguntado se havia algum indício de crime, o delegado Gaines disse que não. "É um caso de desaparecimento que consideramos um pouco fora do comum, apenas isso", afirmou. Apesar de diversas tentativas de contato, Delia Reyes recusou-se a comentar as investigações.

Demência em idosos não é nenhum sinal de demônios. No entanto, vozes que convidam você a juntar-se a elas em um velho porão em Dakota têm algo que pode ser útil. É, pelo menos esta semana, o melhor que o quadragésimo sétimo estado mais densamente povoado da nação tem a oferecer em termos de pistas deixadas pelo Adversário.

Penso em ligar diretamente para o repórter, Elgin Galt, mas depois acho melhor não fazê-lo. O *Emmons County Record* não precisa saber que um professor de Nova York ligou para saber da irmã Reyes sobrevivente. É melhor que ninguém fique sabendo. Nenhum telefonema antecipado, nenhum pedido por alguns minutos do tempo da senhorita Delia.

De qualquer maneira, não quero informações. Não é isso o que o Inominável espera de mim. Ele espera que eu seja uma testemunha. Que eu documente. Que eu construa uma narrativa sombria de seus feitos.

O Livro de Ullman.

O DEMONOLOGISTA
ANDREW PYPER

CAPITULUM 14

A viagem de Hankinson para Linton é tão completamente destituída de pontos de referência ou de interesse que chega a ser uma versão do inferno. Não as ardentes, lotadas de almas, cavernas das pinturas de Giotto, mas um lugar de tortura onde o tédio é o principal castigo.

Ainda assim, à medida que tomo a saída da autoestrada 83 que conduz a Linton, tenho a sensação cada vez mais forte de que tinha razão em vir para cá. Ou seja, não vem *nada de bom* por aí.

Um desconforto que a paisagem afável que as plantações de grãos no início da estação e as chácaras com longas veredas não conseguem disfarçar por completo. Uma espécie de som. Uma nota de alta frequência que nunca desaparece totalmente.

De início acho que é o canto das cigarras, mas, mesmo quando fecho totalmente as janelas, continuo ouvindo. Eu acharia que seria uma espécie de zumbido nos ouvidos se às vezes eu não distinguisse algo no meio disso. Palavras. Um monólogo indiscernível ou uma declamação transmitida em uma altura fora do alcance da audição. Uma voz sibilada se dirigindo ao mundo. E agora, à medida que me aproximo da fazenda Reyes, começo a desenvolver a indesejada capacidade de compreender sua mensagem.

Quando chego a Linton há como que uma triste escuridão pulverizada sobre a cidade. Uma luz esparsa que parece realçar as bandeiras esquecidas do lado de fora de metade das lojas, as enormes faixas APOIEM NOSSAS TROPAS amarradas nos troncos de olmos e nas varandas das casas. Agora já é tarde para procurar a fazenda Reyes. Então, em primeiro lugar, uma pizza havaiana para viagem na Hot Spot Pizza. O quarto mais afastado do Don's Motel. Uma ducha pelando. Uma surfada na TV, entre vítimas da fome e shows de calouros. Cama.

Durmo apenas para ser acordado em poucos minutos. É o que sinto, mas o relógio na mesa de cabeceira marca 3:12 AM. A única luz é uma pálida réstia que vem do estacionamento, que se espalha na parede vindo por baixo das cortinas fechadas. E nenhum som. Nenhuma razão para ter acordado, afinal.

Ao mesmo tempo tenho esse pensamento, eu ouvi algo. O rangido de uma mola metálica. O roçar de pele contra borracha. Um som de quintal, de infância.

Alguém pulando numa cama elástica, sem parar. Um jogo triste, sem risadas ou gritos.

Levanto e dou uma espiada pela janela da frente, sabendo que não vou ver nada lá. O som vem de trás do anexo do hotel.

... *Riic-TIC. Riic-TIC. Riic-TIC...*

O pulador continua pulando. O som é mais alto no banheiro.

A cama elástica está perto da janela de ventilação. As cortinas de náilon repetidamente sopradas e sugadas, como se os pulos fossem o som da respiração noturna, o fragmento enferrujado de suas inspirações e expirações.

Abro a cortina da janela de ventilação. A brisa agora direto em meu rosto. A janela é muito pequena para que se possa ver muita coisa sem chegar perto. Para ver qualquer coisa além de parte do gramado dos fundos e do charco mais à frente, tenho de encostar o nariz na tela de proteção.

... *Riic-TIC. Riic-TIC...*

Olho para a direita. Nada ali.

Pressiono com mais força até que a tela sai de sua moldura. Ponho a cabeça para fora. Meu pescoço apoiado no peitoril.

... *Riic-TIC...*

Olho para a esquerda. Lá está ela.

Os braços de Tess artificialmente rígidos ao lado do corpo. Suas pernas só se dobram nos joelhos em compasso perfeito com a lona, de modo que seus pulos têm sempre a mesma altura. Os pés descalços retos como madeira serrada.

Seu corpo, ainda que não esteja sob seu próprio controle. Seu rosto. Do queixo para cima é minha filha que me olha com ar confuso, em pânico. Sem saber bem por que está aqui, como fazer isso parar. Ela mantém seus olhos em mim porque é tudo o que pode fazer. A única coisa que a prende a este mundo.

Sua boca se abre. Nada sai. Posso ouvir, de qualquer forma.

Papai...

Tento me enfiar pela janela, mas ela é pequena demais para que meus ombros passem. Então retiro minha cabeça de lá e corro para a porta. Os pés descalços se apressam no estacionamento, depois deslizam pela grama úmida de orvalho quando viro a esquina.

Mesmo quando vejo que ela não está lá, continuo correndo. Coloco minhas mãos na superfície da cama elástica, buscando um resquício do calor dela.

Contorno o prédio na tentativa de conseguir vê-la. Eu entro no charco e afundo até a cintura em uma escuridão que libera arrotos de enxofre.

É claro que ela não está aqui.

É claro que eu continuo procurando.

Por mais de uma hora, caminho por toda a extensão do terreno do hotel. Gritando seu nome a cada cinco minutos, mesmo depois de um hóspede abrir a porta e avisar que, se eu não calar a boca, ele próprio vai cuidar disso. Em algum momento, seu nome se transforma em lágrimas na minha garganta. Um louco enlameado andando na noite, uivando para a Lua minguante.

Não foi o que se poderia chamar de uma boa noite de sono.
Pela manhã, vou à cidade para fazer a primeira refeição do dia no Harvest Restaurant & Grill e estaciono na rua. Ao me dirigir para a porta do restaurante, um vira-lata abanando o rabo se aproxima para um afago. Digo-lhe bom dia e ele responde com uma lambida em meu pulso.
"Fique de olho no meu carro, sim?", peço, e ele parece compreender, sentando na calçada e me olhando partir, suas orelhas de pé como duas tendas no alto de sua cabeça.
Lá dentro, pego uma mesa perto da cozinha, de costas para a porta. É por isso que, um minuto depois, não vejo se aproximar o homem que se senta à minha frente, jogando o *New York Times* de ontem na mesa.
"Pensei em trazer um gostinho de casa para você", afirma o Perseguidor.
Olho em volta. Nenhum dos outros clientes parece ver algo de estranho na sua súbita aparição. E por que deveriam? Dois estranhos, viajando juntos, reunindo-se para tomar o café da manhã. Pensando bem, essa afirmação é mais ou menos verdadeira.
"Você me achou", digo.
"Eu nunca perdi você."
"Cascata."
"Ok. Precisei dar alguns telefonemas para recuperar a pista."
"Telefonemas para quem?"
Ele coloca o indicador sobre os lábios. "Segredo comercial."
A garçonete chega para servir café para nós dois. Pergunta se estamos prontos para pedir. Eu aponto o Especial nº 4, o Festim do Fazendeiro.

"Torrada", diz o Perseguidor, devolvendo o cardápio sem tirar seus olhos dos meus.

Vem a minha mente a ideia de que, agora que ele me achou de novo, este homem vai me matar. Não aqui neste restaurante, não neste momento. Mas certamente aqui, em Linton. É estranho, mas mais do que meu iminente assassinato, é a ideia de morrer em Dakota do Norte que me deixa abalado. Sempre achei que minha vida monótona chegaria ao fim em casa, na cama, sedado e sem sentir dor, recitando os poetas na hora da minha partida. Levar um tiro em Caipiralândia pertenceria à história de outro homem. Mas claro, estou vivendo a história de outro homem agora.

"Bem, Dave", ele diz. "Aqui. Olhe para mim."

Devo correr? Apenas levantar e sair em disparada, na esperança de chegar ao Mustang mais rapidamente que o Perseguidor consiga chegar ao seu Crown Victoria?

Eu perderia. Posso enganar esse homem por algum tempo — eu o *enganei*, senão não estaria aqui —, mas no fim ele vai me encontrar. E ele fará o que tiver de fazer.

"Não vou entregar para você", afirmo.

"Tudo bem. Meus clientes alteraram minhas instruções."

Não consigo continuar olhando para o quadrinho de um caçador atirando em um pato, pregado na parede acima da geladeira de tortas. Então olho para ele. Percebo que ele parece quase amigável.

"Como assim?"

"Você se tornou interessante", responde.

"Você precisa me ver depois de alguns drinques."

"Meu cliente quer saber qual é o seu rumo."

"Nenhum."

Ele toma um gole de café. O gosto, pelo visto, o faz lembrar-se de sua úlcera, pois ele bate a xícara contra o pires como se tivesse visto uma aranha se afogando nela.

"Suas instruções", afirmo. "Você disse que elas mudaram."

"Temporariamente. É claro que nosso interesse principal continua em obter o documento."

"Que você ainda nem havia mencionado."

"Sabemos que você não está viajando com ele. Sabemos que você tem ciência de sua localização, e você vai acabar revelando-a para mim. No entanto, por enquanto, esse momento foi suspenso."

"Quanto tempo eu tenho?"

"Não muito, pelo meu palpite."

"Seu cliente é impaciente."

"Compartilhamos isso."

Chega o Festim do Fazendeiro. Um ninho de ovos mexidos, mais a oferta completa de carnes para o desjejum: salsicha embrulhada em bacon em cima do presunto. O Perseguidor olha sem disfarçar a inveja.

"Quer um pouco?", ofereço.

"Isso é um cimento louco para as suas artérias."

"Todos nós partiremos um dia."

"É. Mas para onde você vai partir no dia *seguinte*, professor?"

Ele morde sua torrada. Uma enorme chuva de farelos cai sobre a fórmica.

"O que você está fazendo aqui, de qualquer modo?", digo.

"Se você está apenas me seguindo, siga-me."

"Estou aqui para inculcar em você a gravidade da situação. Porque acho que você ainda não entendeu direito."

"Eu entendi."

"Jura? Então me diga. O que você está procurando aqui?"

"Isso não lhe diz respeito."

"É pessoal. Entendo. Meu cliente já viu pessoas em situações parecidas. Pessoas para as quais se abriu uma porta. O tipo de porta que se deve fechar. Ou fugir dela. A maioria faz isso. Mas, às vezes, as pessoas pensam que podem entrar por elas, dar uma olhada, pegar uma lembrancinha na loja de suvenires a caminho da saída. Nunca acaba bem."

"Espere aí", digo, calculando se eu conseguiria agarrar o colarinho dele de onde estou sentado. "Você *sabe* quem está com ela?"

"Viu? É *disso* que estou falando. Você está buscando algo que não deveria."

"Esse é o conselho do seu cliente?"

"Não, é o meu. Meu cliente só está interessado em ter aquilo que está com você e, se possível, saber o que você sabe."

"Então essa preocupação que você está mostrando por mim — isso vem só de você?"

"Farei aquilo para o qual sou pago, professor. Eu farei qualquer *maldita* coisa. Mas, como disse antes, no fundo sou apenas um coroinha de Astoria."

Ele pega outra fatia de torrada, mas, desta vez, parece não ter estômago para comer.

"Então vamos tentar de novo, David", ele diz. "O que traz você a Linton?"

"Estação de caça."

"Caçando sua filha. Tess."

"Você sabe onde ela está?"

"Não vou *querer* saber, para falar a verdade."

"Então o que você sabe?"

"Que ela se foi. Que você acha que pode consertar isso. Nada inédito, do ponto de vista do meu cliente. Ainda que, é preciso admitir, você seja considerado um caso um tanto especial."

"Por causa do documento."

"Porque o que quer que você ache que tem sua filha agora tem interesse em *você*. É por isso que você tem o documento, para início de conversa."

"Você está dizendo que eu estava *destinado* a ter o documento?"

"Você pensa que era só porque você é muito esperto?"

A garçonete para junto à mesa a fim de encher de novo nossas xícaras de café. Leva alguns segundos a mais do que deveria. Ela dá uma boa olhada. Não no mercenário do outro lado da mesa, mas para um repentinamente suado, trêmulo, eu.

"Você e eu temos objetivos diferentes", retoma o Perseguidor assim que ela se vai. "Ainda assim, se você analisar bem, se desculpar alguns dos meios usados, nós dois estamos do lado dos bons propósitos, David."

"Mas você não pode trazer minha filha de volta."

"Você acha que ele pode?"

"Ele?"

"Ele. Ela. Eles. Aquilo. Sempre pensei no Diabo em termos masculinos. Você não?"

"O que o Diabo tem a ver com isso?"

"Tudo. Ele é a razão de você estar aqui, dirigindo pelas planícies. De você ficar escondendo a coisa que eu quero. De Tess não estar mais com você."

Tudo me atinge de uma vez. Uma vertigem tão severa que eu agarro a beirada da mesa para poder continuar sentado no banco. Estou falando demais. Estou ouvindo alguém demais. E o Inominável não gosta disso.

"Ele..."

"Fale claramente, professor."

"Ele tem minha filha."

"Talvez", ele dá de ombros. "Mas se ele estiver com ela, você nunca a terá de volta."

"Preciso falar com ele."

"Ele é um *mentiroso*, David. O Diabo *mente*. Ele quer algo de você. E neste momento, seja o que for que você esteja fazendo, você está a caminho de entregar essa coisa para ele."

"*Você* quer algo de mim."

"Sim. Mas talvez eu possa ajudá-lo."

"Você pode trazer minha filha de volta?"

"Não."

"Então você não pode me ajudar."

Levanto. E a cada centímetro que me afasto do Perseguidor, meu equilíbrio melhora. O que ele vai fazer? Parar-me no meio do movimento matinal no Harvest Grill?

É exatamente o que ele faz.

Sua mão agarra meu ombro no momento em que empurro a porta. Ele me faz virar de lado. Seus lábios tão próximos que quase roçam minha orelha.

"Fui um cavalheiro esta manhã", diz, e enterra seus dedos abaixo do músculo de meu ombro. Torce. "Mas quando a chamada vier, isso não vai significar nada para mim. Entendeu?"

Ele me solta um segundo antes que um grito de dor escape. E me empurra para o lado a fim de sair primeiro.

Devo ter ido até o Mustang de cabeça baixa, porque só percebo o cachorro quando pego as chaves, abrindo a porta do motorista. Seu corpo em cima do capô. Uma espessa camada de sangue escorrendo em direção aos faróis. Olhos abertos, orelhas ainda de pé em alerta.

Eu farei qualquer maldita coisa.

Deslizo minhas mãos sob o corpo e o levo até a rua, o que me deixa encharcado. O sangue morno como água do banho no meu rosto e pescoço.

Penso em colocá-lo na mala e ir até uma loja de ferramentas, comprar uma pá e cavar uma sepultura para ele em algum lugar, mas acabo deixando-o onde está.

Aninhado contra o meio-fio, encarando o Sol da campina.

Quanto tempo eu tenho?

Não muito, pelo meu palpite.

Quando sento atrás do volante, arrisco uma olhada para o Sol. Queima.

De volta ao hotel, sento na beira da cama, pensando em que diabos estou fazendo aqui. Não, não é bem isso: eu sei o que estou fazendo aqui, apenas não sei *como* fazê-lo. Na improbabilidade de que eu esteja certo em perseguir um demônio de verdade pela paisagem americana, que meios eu poderia usar para enfrentá-lo? Não tenho água benta nem crucifixo, nem mesmo um punhal de ouro com sinetes de aprovação de Roma. Sou um professor cuja carteira da academia de

ginástica caducou. Não exatamente São Miguel Arcanjo bramindo ao descer do alto.[1]
Mas o Perseguidor tinha razão. O demônio atrás do qual estou andando se interessa por mim. Deu-se o trabalho de assumir forma humana para conversar comigo, mais recentemente como a garota que espremia braguilhas. O poema de Milton trazia um alerta exatamente sobre isso.

Pois os espíritos, quando lhes apetece
Qualquer um dos sexos assumem, ou ambos[2]

E qual era a mensagem da Boneca de Pano? Que eu tenho de me esforçar mais para acreditar. Não apenas em minha mente, mas em meu corpo.
E o Verbo se fez carne e habitou entre nós...
Os Evangelhos contam a história de Deus e de Seu Filho. Mas também contam a história da tentação, do pecado, de estorvos, demônios. E se tudo isso fosse não simplesmente uma alusão, mas história literal, um relato de personagens desempenhando ações verificáveis, tanto no passado como no presente? Agora, certamente, depois de tudo o que vi, eu seria forçado a admitir que isso seria possível. Imaginar todas as palavras e histórias que estudei como sendo físicos, habitando o mundo. Como *não* sendo histórias.
Agora você precisa acreditar aqui.
Destino. O fator que determina para onde vai um personagem nos textos antigos sobre os quais dou aula, mas que pressupomos não ter influência no eu moderno. No entanto, e se a pressuposição moderna estiver errada? E se essa caça ao demônio tiver sido traçada como meu destino desde que as bolsas de estudo me tiraram do mundo turquesa

---

[1] No Apocalipse, São Miguel Arcanjo ajuda Deus a derrotar Satã na batalha dos céus.
[2] Livro I. No original: "For spirits when they please/ Can either sex assume, or both."

em que eu vivia e me permitiram a liberdade de seguir uma vida intelectual?

É bem verdade que, quando fui para a universidade, mais que as panelinhas endinheiradas e as lindas calouras, foi a abundância de escolhas que me deixou atônito. Meu objeto de devoção era a literatura, eu sabia. Mas em qual de seus muitos túneis eu entraria? Houve breves flertes com Dickens, com James, com os românticos. Então, para minha surpresa ateia, a Bíblia assumiu um lugar fixo na minha carreira de estudos. E Milton logo depois. Seus versos sem rimas pareciam defender o indefensável. O poema que, em minha primeira leitura, me fez chorar ao reconhecer a mim mesmo quando o vilão tenta colocar seu passado de lado e encontrar uma maneira de sair da escuridão, usando apenas sua mente para se dissuadir de seu sofrimento.

Que importa se a batalha for perdida?
Nem tudo está perdido[3]

Eu me lembro das noites como um estudante da graduação na velha Biblioteca Uris em Cornell, lendo essas linhas e decidindo: *É isso*. Um grito de encorajamento dirigido a mim, também um forasteiro que buscava a vitória não pelo otimismo, mas pela negação. Decidi que iria dedicar-me a fazer a defesa desse personagem, desse Satã, como faria a defesa de mim mesmo, também caído, também solitário.

Ainda que eu nunca tenha admitido isso a ninguém, eu às vezes via outra pessoa comigo, em meio às estantes, naquelas noites. Uma presença que parecia me empurrar para ir mais fundo em meu compromisso com o rumo escolhido para meus estudos. Pelo menos, foi como interpretei os vislumbres de meu irmão afogado. Lawrence. Pingando água no chão enquanto ficava sentado, as pernas balançando na

---

3   Livro I. No original: "What though the field be lost?/ All is not lost."

cadeira, do outro lado da mesa, ou deslizava por trás de uma estante, deixando uma poça de água verde do rio. Contudo, talvez o que tomei como encorajamento tenha sido, na verdade, um aviso. Talvez Lawrence tenha aparecido para mim a fim de mostrar como os mortos — tanto aqueles conhecidos na vida como os imaginados em livros — nunca estão tão mortos como nós nos forçamos a acreditar.

Então, se essa jornada na qual embarquei é meu destino, qual é o meu papel nela? Eu sempre me vi como estando fora das coisas, um inofensivo especialista em história cultural, um intérprete de uma linguagem esquecida. Mas talvez a Mulher Magra estivesse mais correta em nomear minha verdadeira vocação. *Demonologista*. Chegar até Tess vai exigir que eu use todo o meu conhecimento de uma maneira prática que nunca imaginei antes. Começando por levar a mitologia do mal a sério.

O primeiro passo em uma partida como essa é determinar com que versão da demonologia estamos lidando. Velho Testamento? Ou o Novo? Os *shedim*[4] judeus do Talmude ou os demônios platônicos (espíritos intermediários, nem deuses nem mortais, mas algo entre eles)? Platão, penso nisso agora, definia *daimon* como "sabedoria". O poder demoníaco procede não do mal, mas do conhecimento das coisas.

No Velho Testamento, satãs (pois os registros da palavra vêm quase sempre no plural) são como guardas na Terra, colocando à prova a fé dos homens em sua capacidade de serem servidores devotos de Deus. Até no Novo Testamento, o próprio Satã é uma das criações de Deus, um anjo que se extraviou. Como? Pelo abuso da sabedoria. Não foi a partir da escuridão que o Anticristo se formou, mas a partir da inteligência. Presciência.

Como saber o resultado das bolsas de valores do mundo com uma semana de antecedência.

---

4 Palavra em hebraico para demônios. Usada sempre no plural.

Visivelmente meu demônio queria demonstrar seu poder dessa maneira. Mostrar sua inteligência tanto quanto sua capacidade de possuir, de roubar.

Aquilo.

Ele. Ela.

O Inominável.

Durante todo o tempo, em todos os encontros, da Mulher Magra à Boneca de Pano, a presença se recusou a fornecer um nome. É outra forma de zombar de mim. Mas também uma de suas vulnerabilidades. De acordo com o rito oficial de exorcismo da Igreja Católica, usar o nome do demônio contra ele mesmo é uma das principais maneiras de negar sua autoridade.

Preciso decifrar a identidade do demônio. A partir disso, posso descobrir o que ele quer. Encontrar Tess.

Se eu abordar a questão usando toda a biblioteca de possibilidades, colocando nisso todas as figuras demoníacas de todas as fés e tradições folclóricas, será impossível apontar um suspeito. Mas meu demônio me escolheu. Um miltoniano. Suas várias citações de *Paraíso Perdido* não podem ser vistas como coincidência. É a versão do universo demoníaco pela qual ele deseja ser visto.

O que nos leva ao Pandemônio. Às câmaras do conselho em que Milton descreveu Satã reunindo seus discípulos para discutir as melhores formas de minar o domínio de Deus.

MOLOCH.

QUEMÓS.

BAAL.

ASTAROTH.

TAMUZ.

ASTARTE.

DAGON.
REMON.
OSÍRIS.
ÍSIS.
HÓRUS.
BELIAL.

Meu Inominável está entre eles. E eu tenho apenas três dias para descobrir qual deles ele é.

O próprio Satã pode ser eliminado, se eu confiar na voz que falou por meio de Marco Ianno. Na verdade, o fato de o Inominável ter organizado uma introdução prévia, uma espécie de fanfarra antes de sua aparição, diz algo sobre seu caráter. Orgulho. Vaidade. Teatralidade. E o fato de ele usar Milton fornece mais do que pistas. Mostra que a presença também se vê como um acadêmico. Uma afinidade — assim como uma competição — comigo.

Terei de descobrir o nome do Inominável por meio de uma interpretação de sua personalidade. Milton imputou características aos membros do Conselho Estígio, uma maneira de distingui-los, de "humanizá-los".

Então é isso o que farei. Traçar o perfil de demônios.

####### O #######
DEMONOLOGISTA
ANDREW PYPER

CAPITULUM 15

Encontrar a fazenda Reyes mostra-se tão fácil como abrir a lista telefônica em meu quarto de hotel e mapear o endereço pelo meu iPhone. Não é longe. A apenas dez quilômetros de onde estou, aparentemente. Se eu partir agora, estarei lá bem antes do almoço.

Há o problema com o Perseguidor, claro. Se eu dirigir até a fazenda Reyes com ele na minha cola, não apenas eu chamaria sua atenção para o pequeno mistério das irmãs gêmeas, mas poderia ser uma provocação suficiente para que o cliente dele desse a ordem para me abater. Preciso descobrir se estou certo ou errado sobre a vinda para Linton. Sem ele.

Estava pensando em como fazer isso quando olho pela janela da frente e vejo o Crown Victoria do Perseguidor estacionado a apenas seis metros do Mustang. Pelo visto, ele agora também é um hóspede aqui. E não se importa que eu fique sabendo.

Consciente de que ele está vigiando todos os meus movimentos, vou até a recepção do hotel e peço emprestados uma chave de fenda e um balde de gelo. Encho este com água.

Caminho de volta para meu quarto (com o ar de um homem pronto para jogar uns cubos de gelo em seu refrigerante) e paro ao lado do carro do Perseguidor. Uso a chave de fenda para arrancar a portinhola do tanque de gasolina, tiro a tampa. Despejo a água que está no balde no tanque.

E saio correndo.

Já estou ao volante do Mustang, dando ré, quando o Perseguidor sai de seu quarto — de início sem pressa, depois, quando ele vê a tampa do tanque no chão, soa o alarme —, de modo que sou capaz de ver toda a fúria em seu olhar.

Agora tudo mudou, é o que ele está me dizendo. Não mais ameaças com cachorros mortos, nenhum aviso mais. Quando vier a ordem, ele não apenas vai executá-la, ele vai degustá-la.

Mas não posso continuar olhando, principalmente porque ele agora começou a correr. Na minha direção. Suas mãos à frente como se estivesse preparado para rasgar uma passagem pelo para-brisa.

Meu pé afunda no acelerador e passo por ele, propositadamente pegando a direção errada e depois dando a volta no quarteirão para tomar a direção sul e sair da cidade sem ser visto. Não vai demorar para que ele arrume novas rodas.

Mas as minhas já estão rodando. Já se foram.

Não demoro a tomar a saída sul de Linton até a encruzilhada para o vilarejo de Strasburg, depois uns três quilômetros a oeste até a fazenda Reyes. Não há muita coisa crescendo na terra neste momento. Os campos nos dois lados da estradinha que conduz à casa foram lavrados mas não semeados, então agora apenas algumas ervas daninhas brotam do solo. Isso faz com que a casa das Reyes seja ainda mais visível. Um brinquedo de madeira branca que se destaca no horizonte infinito.

A mesma casa — o mesmo horizonte — que Tess desenhou em seu diário.

Do lado de fora, a única árvore com um ancinho apoiado nela, o cabo com rachaduras devido à longa exposição ao Sol.

Junto à ponta formada pelas duas águas do telhado, um vespeiro, um buraco negro na parte inferior com furiosas idas e vindas. No solo, ervas daninhas crescem espessas e espinhosas como rolos de arame farpado ao longo do caminho da frente. É como se toda a fazenda e o trabalho que costumava ser feito nela tivessem parado há alguns anos, e agora o lugar está a meio caminho de se tornar outra coisa, um retorno à vegetação desordenada.

E eu. Agora caminhando para a varanda, os músculos do rosto rijos de apreensão.

Tess viu tudo isso. Sabia que eu viria.

Pobre PAIZINHO.

A porta da frente está entreaberta. A polícia? Um vizinho para deixar uma cesta de ovos? Por algum motivo, eu não esperava concorrência pelo tempo de Delia Reyes. Enquanto bato na moldura da porta externa de tela, começo a editar em minha mente as minúcias que planejara. Quanto mais eu demorar a entrar, maiores as chances de alguém mais aparecer e me arrastar para fora.

Vou bater de novo quando a porta interna se abre totalmente para revelar uma mulher vigorosa, vestida com camadas de velhos suéteres e uma saia jeans até o tornozelo. Seu longo cabelo preso atrás com um elástico que deixa as pontas enfeixadas como uma vassoura. Olhos castanhos grandes e vivos, oscilantes de caprichos.

"Senhora Reyes?"

"Sim?"

"Meu nome é David Ullman. Não sou da polícia. Não trabalho para nenhum jornal."

"Fico contente em ouvir isso."

"Só vim para falar com você."

"Acho que você já está fazendo isso."

"Vou então ao ponto. Parece que algo incomum aconteceu com você, nesta casa, recentemente."

"Diria que sim."

"Algo semelhante aconteceu comigo. Estava pensando se poderia fazer algumas perguntas, para ver se você poderia me ajudar a encontrar algumas respostas."

"Você também tem alguém que desapareceu?"

"Sim."

"Alguém próximo."

"Minha filha."

"Céus."

"É por isso que vim até aqui, aparecendo na sua porta sem ser convidado."

Ela abre a porta de tela.

"Considere-se convidado", diz.

A cozinha é ampla e fresca, com uma mesa de madeira grossa no meio, usada, aparentemente, tanto para preparar como para fazer as refeições. Uma velha geladeira Frigidaire soprando e suspirando num canto. Duas pias de ágata lado a lado. Uma imensa planta fazendo o possível para bloquear a luz que entra pela janela. Tudo contribuindo para uma natureza honesta, de museu, de velha cozinha de fazenda de Dakota. Um lugar animador, se não fossem as paredes turquesa. A cor da melancolia. Da dor.

Fico de pé junto à mesa, e a mulher se esquiva de retomar o lugar onde estava sentada antes que eu chegasse. Isso pelo menos é o que eu suponho, devido à solitária xícara de café em suas mãos. No entanto, olhando para dentro da xícara, ela não parece apenas vazia, mas limpa, como se recém-tirada da prateleira, como um brinquedo ou peça de cenário teatral.

"Paula Reyes", ela diz, estendendo a mão. Somente quando a tomo é que me dou conta do significado do nome.

"Paula? Achei que você estivesse desaparecida."

"Eu estava. Mas *agora* fui encontrada, certo?"

"O que aconteceu com você?"

Ela passa o dedo pela borda da xícara.

"Não sei exatamente. Não é espantoso?", ela diz, respondendo a si mesma com uma breve gargalhada. "Devo ter batido a cabeça ou algo assim. Algum disparate de velha! Só me lembro de entrar pela porta de tela hoje e Delia estar sentada bem aí, onde você está se apoiando, tomando café desta mesma xícara, e nós duas nos abraçando e Delia fazendo ovos como se nada tivesse se passado entre nós."

"Essa é a xícara de Delia?"

"Ahn-hã."

"Está vazia."

"Ela terminou o café."

"Mas parece intocada."

Ela olha para o fundo da xícara, depois para mim. "Realmente", diz.

"Você está bem?"

Ela não parece ouvir a pergunta.

"Você tem uma irmã, senhor Ullman?" ela pergunta.

"Não. Eu tinha um irmão, no entanto. Quando era jovem."

"Bem, então você sabe o lugar que um familiar assim ocupa em seu coração. Não se pode fazer esse tipo de marca desaparecer, por mais que se esfregue, não é?" Ela balança a cabeça. "O sangue fala alto."

À menção do sangue percebo, pela primeira vez, as manchas no suéter que a mulher usa por cima de todas, um cardigã com os bolsos para fora. Um borrifo fino bem no meio. Junto com terra e sujeira. Borrões aqui e ali, na roupa e embaixo de suas unhas.

"O que é isso?"

Ela olha para baixo. Limpa o sangue e a terra com as costas da mão.

"Não sei como veio parar aqui, é a mais pura verdade", diz, ainda que com um tremor de incerteza desta vez. "Mas quando se trabalha em uma fazenda, você para de se perguntar como a terra e outras coisas grudam em você."

"Parece não ter muito trabalho por aqui há algum tempo."

Seus olhos me encaram, imediatamente esvaziados de calor. "Você está dizendo que eu e minha irmã somos preguiçosas?"

"Saiu sem querer. Perdoe-me."
"Não estou no negócio do perdão, senhor Ullman", ela diz, subitamente sorrindo de novo. "Você quer *isso*? De joelhos."
Não consigo saber se ela disse isso literalmente ou não. Algo rijo por trás de seu sorriso sugere que essa última observação não foi uma piada, mas uma ordem. Não tenho escolha a não ser fazer de conta que não entendi.
"As vozes que você ouviu", digo. "Aquelas que a chamavam do porão."
"Sim?"
"O que elas diziam?"
Ela analisa minha pergunta. Franze as sobrancelhas como se buscasse a resposta em um passado distante, como se eu tivesse perguntado o nome do garoto que sentava a seu lado no jardim de infância.
"É engraçado", ela finalmente responde. "Ainda que eu saiba que havia palavras, não me lembro delas como palavras. Mais como uma *sensação*, entende? Um som que colocava uma *sensação* dentro de você."
O zumbido em meus ouvidos ao dirigir para Linton. *Um som que colocou uma sensação dentro de mim.*
"Você poderia descrevê-la?", pergunto.
"Algo *horrível*. Você preferiria estar duplamente doente. Você preferiria cravar um prego na palma da sua mão."
"Porque era doloroso."
"Porque abria você de dentro para fora. Tornava as coisas tão claras que elas eram moldadas na mais pura escuridão, em vez de na luz. Uma escuridão na qual você poderia ver *melhor* que em qualquer luz."

Nenhuma luz, mas antes escuridão visível
Que só servia para revelar visões de pesar[1]

---

[1] Livro I. No original: "No light, but rather darkness visible/ Serv'd only to discover sights of woe."

"A pergunta pode parecer estranha" digo. "Mas você já leu John Milton? *Paraíso Perdido?*"

"Não sou de ler, sinto muito. Além do Grande Livro, é claro. Ocupada demais com o dia a dia."

"Claro. Posso voltar à sensação que você mencionou? O que você viu nessa escuridão visível?"

"Como a verdadeira liberdade poderia ser. Sem regras, sem vergonha, sem amor para conter você. Liberdade como um vento frio pelos campos. Como estar morto. Como não ser nada." Ela faz que sim com a cabeça. "Sim, acredito que isso capta a ideia. A liberdade de não ser absolutamente nada."

Sei algo sobre isso. É a sensação que levei comigo de Santa Croce, 3.627, até o Hotel Bauer. A doença que contaminou Tess. Que a fez cair. *Como estar morta.* Mas pior. Uma morte não natural porque era mais final que a morte. *Como não ser absolutamente nada.*

"Onde está Delia agora, Paula?"

"Ela desceu para o porão um pouco antes de você chegar."

"O porão?"

"Disse que tinha de arrumar algo. Agora que eu voltei e tudo."

"Você se importa se eu descer e falar com ela?"

"À vontade. Não que eu vá acompanhá-lo."

"Por que não?"

"Porque tenho medo." Ela me olha como se eu fosse estúpido. "Você não?"

Não respondo. Apenas me afasto da mesa e vou até a porta que, de alguma forma, sei que se abre não para um closet, uma despensa ou uma escada para o segundo andar, mas para baixo, para o amplo vão embaixo da casa.

Paula assiste enquanto eu pego a maçaneta e a giro. Sinto seus olhos nas minhas costas, empurrando-me para a frente, para o alto da escada. Seu dedo passando pela borda da xícara ainda mais rapidamente, de modo que agora a cerâmica emite um silvo de advertência.

Um interruptor acende um par de lâmpadas lá embaixo, mas ainda não posso vê-las da altura em que estou, apenas os dois círculos amarelos que elas jogam no piso de concreto. Então, quando estou na metade da escada, a lâmpada à esquerda se apaga. Não com o estouro de queimado, mas com o silvo de uma lâmpada mal atarraxada no soquete. Eu poderia andar no escuro e arrumá-la com apenas uma volta. Mas é uma perspectiva menos convidativa que ficar de olho no círculo remanescente de calor, à direita.

Quando meus pés chegam ao chão, consigo observar alguns dos detalhes que a luz proporciona. Mesas de carpintaria contra as paredes, entulhadas de ferramentas, tesouras de podar, potes de conserva cheios de porcas e parafusos. Velhas latas de tinta empilhadas em torres oscilantes. Sacos de lixo de papel empilhados no canto mais distante, o fundo deles preto devido à lenta dissolução de seu conteúdo.

É desses sacos que vem o cheiro. Uma putrefação decididamente orgânica, penetrante e forte. A cócega no fundo da garganta de açúcar queimado.

Nenhuma Delia à vista. Ela pode estar na escuridão do lado esquerdo. Mas mesmo que estivesse sentada no chão tricotando meias eu não conseguiria vê-la. Só agora me ocorre que, antes que eu acendesse a luz, ela estaria na mais completa escuridão. Caso realmente estivesse aqui.

O que passou pela minha cabeça, ao confiar em uma senhora idosa suja de terra e sangue que acaba de voltar de uma estada de dez dias sem saber como passou o tempo? Uma velha com o dom de ouvir coisas que o resto do mundo reza para nunca ouvir? Uma mentirosa — porque nem uma gota de café esteve naquela xícara esta manhã. Também não havia nenhum cheiro de café na cozinha, nenhum bule no fogão.

Eu *não estava* confiando nela, claro. Tive de abrir mão das deliberações que a confiança requer. Não há tempo. A desvantagem do avanço precipitado, porém, é cair direto em uma armadilha.

E *isto* é uma armadilha. Paula provavelmente está fechando a porta no alto da escada neste instante. Não havia um ferrolho pelo lado de fora, prateado e novo? Ela deve estar colocando o cadeado enquanto me viro e piso no primeiro degrau. Fechando-o...

"Aqui."

Uma voz como a de Paula — mas não a de Paula — me interrompe. Permite que eu veja que a porta no alto da escada do porão continua meio aberta, da mesma maneira que a deixei.

Quando me viro, há um raspar metálico pelo chão. E lá está ela. Delia Reyes. Puxando uma banheira virada para o alcance da luz com um suspiro cansado.

"Bom dia", falo.

"Dia. É mesmo? Leve o Sol embora e você perde a noção do tempo aqui."

"Você não acendeu as luzes."

"Não? Você vive tempo bastante em um lugar e, acho, consegue ver algumas coisas muito bem no escuro."

De início, assumi que sua postura curvada e seus olhos semicerrados se devessem à fadiga. Mas, com essa última frase, percebo que estava errado. Apesar de sua afabilidade, suas palavras são esvaziadas por uma tristeza imensurável, débil e tênue. Eu sei porque é dessa forma que escuto minha voz agora.

"Meu nome é David Ullman. Eu vim..."

"Eu ouvi", ela me interrompe, erguendo seus olhos para o teto. "*Meio* que ouvi."

"Você deve estar satisfeita. Com Paula."

Ela volta seus olhos para mim. "Você é real?"

"Tanto quanto posso ver."

"O que você fez?"

"Desculpe. Não sei se..."

"Se você está aqui, você deve..."

Ela deixa o pensamento se afastar. Passa uma mão sobre o rosto, como se afastasse uma teia de aranha.

"Você acha que está frio aqui?", ela pergunta.

"Um pouco", digo, ainda que, na verdade, nos últimos segundos, a temperatura do porão pareça ter caído uns dez graus ou mais.

Delia esfrega seus ombros. "Esta sempre foi uma casa fria. Mesmo no verão, ela nunca esquentava, o calor nunca chegava a todos os cantos. Como se os próprios aposentos detestassem ser tocados pelo Sol."

Ela parece prestes a se levantar, depois muda de ideia. Sua mente foi transportada para alguma parte específica de seu passado.

"Eu e Paula sempre andando com longos casacos em agosto", diz. "E cachecóis em torno das orelhas na manhã de Natal!"

Sua risada faz lembrar a de sua irmã, mas, ao contrário desta última, sinaliza mais perda que divertimento.

"Que bom que vocês tinham uma à outra aqui", digo.

"Talvez. Ou talvez fôssemos próximas demais uma da outra."

"Como assim?"

"Gêmeas. Você pode perder a compreensão do que é o quê em uma casa fria por sessenta anos. E somente outro você com quem conversar. Outro você para olhar."

Dou um passo na direção dela. É disso que ela parece precisar. Uma mão em seu cotovelo para ajudá-la a ficar de pé. Alguém para dizer-lhe que tudo acabou, que não é preciso ficar remoendo antigas inquietações aqui na escuridão malcheirosa. Mas, quando me aproximo, ela ergue um dedo para me fazer parar. Tenho a curiosa sensação de que não apenas ela quer terminar seu pensamento, mas evitar que eu me aproxime demais.

"Eu pedi aos céus que a levassem", diz. "É uma coisa vergonhosa, mas é verdade. Desde que eu era menina eu desejava que minha irmã ficasse com o braço preso na debulhadeira, ou adormecesse ao volante voltando da cidade, ou que engasgasse com um pedaço de carne e não conseguisse cuspir. Eu conseguia *ver* as maneiras como isso aconteceria. Tão simples. Coisas terríveis de se desejar! Mas tudo parecendo perfeitamente natural. Acidentes."

Ela está chorando. Um som confuso que parece destacado de sua voz, como se ela estivesse fazendo um truque de ventriloquismo, soluçando e falando ao mesmo tempo.

"Por que você desejava que houvesse um acidente?"

"Para que eu ficasse sozinha de vez! Não metade de um todo, não os nomes pelos quais as pessoas nos chamaram a vida inteira. Não a Dupla Dinâmica ou as Gêmeas Reyes ou As Garotas. Somente eu." Ela engole, mas prossegue sem limpar a garganta, de modo que sua voz fica ainda mais baixa. "Eu rezei. Mas os céus nunca fizeram nada. Então comecei a rezar para o outro lado. Dessa vez, algo respondeu."

"Devemos subir agora", digo.

"Subir? Por quê?"

"Sua irmã voltou para casa. Lembra?"

"Eu matei minha irmã."

"Não, Delia. Ela está bem."

A velha mulher balança a cabeça. "Eu a matei."

"Mas eu estava falando com ela agora mesmo lá em cima. Paula não está mais desaparecida. Ela está aqui."

"Aquela... *coisa*. Não é Paula."

"Quem é?"

"Aquela que respondeu às minhas preces."

A idosa ergue sua mão para apontar algo sobre meu ombro, na escuridão por trás de mim.

Não há escolha. Não posso deixar que haja uma escolha. Dou-lhe as costas e avanço, com minha própria sombra à frente como outra camada de escuridão. Mantenho as mãos erguidas, para que elas encontrem o fio da outra lâmpada pendurada. No momento em que estava achando que havia passado, o fio faz cócegas em meu rosto. Meus dedos o seguem até a lâmpada. Apertam bem. O calor me alerta que funcionou antes da revelação da luz.

As irmãs lado a lado no canto. Suas costas contra a parede, na ponta do alcance da luz, de modo que seus rostos ficam apenas fracamente iluminados. É o bastante para ver que elas são reais. Que a espingarda atravessada no colo de Delia, a mancha escura e fresca contra os tijolos causados pela saída do tiro na parte de trás de sua cabeça, a boca aberta onde o cano da arma fora encaixado, são reais. Os restos de Paula, salpicados pela terra que se agarra a ela, os pedaços de raízes e as pedrinhas do chão de onde ela foi retirada, a pele roxa e entumescida, são reais.

Passam-se alguns segundos entre a captação dessa imagem e a primeira luta com o seu significado. E é nesse período em que o cérebro corre para recuperar o atraso que o resto do corpo se adianta. Ele me faz dar a volta. Evita que eu vomite aqui e agora.

"Por que você a trouxe para cá?", pergunto a Delia, que agora está sentada esfregando os nós dos dedos contra seu nariz reluzente, que escorre.

"Pediram que eu o fizesse."

"Diga-me o nome dele."

"Não tem."

"Vão pensar que você fez isso."

"Eu fiz."

"Você foi mandada."

"Disseram que eu *podia*."

"Mas tudo o que você me disse — a coisa com a qual falei lá em cima, suas preces — ninguém nunca vai saber."

"Você sabe."

Agora é a vez de a outra lâmpada tremeluzir e se apagar. A Delia com a qual eu estava conversando volta para a escuridão.

"Você sabe que vai matar também, não sabe?", ela diz, muito mais próxima agora.

"Não..."

"É o que ele quer. Para que você saiba o que ele faz. Para mostrar que você também pode fazê-lo. Para que você acredite. Matar."

A velha tão próxima que eu consigo ler o contorno de seu rosto a centímetros do meu, mesmo na escuridão. O marfim manchado de seu sorriso.

"Alguém próximo", sussurra.

Recuo e começo a subir a escada. Primeiro devagar, assegurando-me dos passos nos degraus estreitos. Depois correndo para o topo. Minha respiração um suspiro trabalhoso em meus próprios ouvidos. Atravesso correndo a cozinha — a solitária xícara de café ainda lá, a cadeira vazia — e saio pela porta, até o meu carro.

Deixo para trás o terreno da fazenda e saio em disparada pelo caminho que leva à estrada, batendo no volante para fazer a volta e acertando a caixa de correspondência onde se lê REYES. Sua portinhola se abre, de modo que, quando olho para trás depois de alguns metros, parece uma figura curvada cambaleando atrás de mim, sua boca escancarada em um grito estridente.

– O –
DEMONOLOGISTA
ANDREW PYPER

CAPITULUM 16

Rumo ao Sul. Parece a direção menos previsível. Venho do Leste, a direção lógica para uma retirada. E para o Norte está o Canadá. Não é uma opção desejável para mim. Saí de lá há muito tempo, com a intenção de traçar uma fronteira entre minhas origens e como eu poderia me reinventar. Já me bastam os espíritos que tenho no momento; não preciso que fantasmas há muito enterrados se insinuem para uma visita.

Então adeus Dakota do Norte, olá Dakota do Sul. E quando eu estava pensando que nunca houve uma razão menos inútil para uma divisa, entro em Nebraska, que se parece mais com Dakota do Norte que Dakota do Norte. Finalmente, Kansas. Sem nada que o diferencie dos estados anteriores, mas já bafejado pela fama, com Dorothy, Totó e estacionamentos de trailers destruídos por tornados. Também há algo na aparência dos campos (ou talvez do dia) que me lembra da sequência do pulverizador de plantações em *Intriga Internacional*, de Hitchcock. Cary Grant se abaixando para escapar dos ataques do avião, pensando em onde raios havia se metido. Um dos prediletos de O'Brien.

E agora, de repente, a lembrança dela provoca um aperto no meu coração. Como sinto falta dela. Como dirigir na planície pode duplicar a solidão de uma viagem já solitária.

Quão terrível e inabalavelmente assustado estou.

A estrada pode limpar completamente as ideias. Também pode resgatar memórias ao acaso, de maneira desordenada e negligente, atirando-as contra o para-brisa com tanta força que você pula no assento devido ao impacto.

Agora mesmo, por exemplo. Minha primeira viagem para acampar com Tess.

Diane não gostava muito do que chamava de "ao ar livre." Isso me deixava livre para dirigir até as montanhas Adirondack com Tess quando ela tinha cinco anos, para ensinar-lhe algumas das habilidades que eu aprendi em minha juventude no norte de Ontário: fazer uma fogueira, guardar a comida numa árvore para mantê-la fora do alcance dos ursos, a virada correta do pulso com o remo ao conduzir uma canoa.

No caminho, brincamos de "O que é, o que é?" e compusemos algumas das trovinhas malcriadas que Diane proibia em casa (*Era uma vez um menino chamado Riquinho/ Que apitava sempre que usava o peniquinho*). A verdade é que eu estava preocupado durante toda a viagem. Com a chuva, com os mosquitos, com *não nos divertirmos*.

Não queria que Tess, nascida em Nova York, surtasse com todos os incômodos de um fim de semana prolongado na floresta. Mais do que isso, eu não queria falhar. Voltar para casa com uma criança toda inchada pelo contato com plantas venenosas, além de promessas de seu pai de nunca tentar *isso* de novo.

Em vez disso, a viagem foi sensacional. Borboletas pousaram nos pés de Tess depois que ela ficou parada por quase uma hora em meio a arbustos de mirtilo, fingindo ser "uma flor gigante", até que as monarcas se aproximaram, confiando nela. Nadar à noite no lago, o movimento de nossos corpos distorcendo o luar refletido na superfície da água. Aperfeiçoar a rotação da vareta para garantir que os marshmallows ficassem tostados por igual.

Mas tudo isso só vem depois. Depois da lembrança que me deixou sem fôlego enquanto eu dirigia pelos intermináveis campos.

Depois do segundo dia, Tess pediu que eu a acordasse no meio da noite para que ela pudesse ver o que eu descrevera como "as verdadeiras estrelas". Ela acreditou na minha história de Via Láctea, de céus onde o bordado de luz igualava a escuridão. Marquei o relógio para as três da madrugada. Quando chegou a hora, abrimos a barraca e ficamos de pé no meio do acampamento, as cabeças para trás. O domo do céu brilhava.

Nenhum de nós falou. Apenas voltamos para a barraca depois de algum tempo, dormimos de novo. De manhã, acordamos exatamente na mesma hora. Olhamos um para o outro e começamos a rir. Não a rir *de* alguma coisa. Não compartilhamos nenhum pensamento em silêncio. Apenas os dois se encontrando na alvorada com uma gratidão espontânea.

Foi isso que quase me fez encostar o carro para recuperar o fôlego e esperar que minhas mãos parassem de tremer ao volante: eu me lembro de, mesmo enquanto aquele momento ocorria, ter a ideia clara de que *Você nunca foi tão feliz*.

E nunca mais fui.

Desde então.

A uma hora de distância da cidade de Wichita eu paro em um posto de gasolina e entro em uma cabine telefônica que cheira a mostarda e peido.

"Veja como estou", diz O'Brien quando atende. "Sentada ao lado do telefone como uma adolescente sem companhia para o baile de formatura."

"Você iria ao baile comigo, Elaine?"

"Sem chance. Nunca vou perdoar você."

"Por que não?"

"Você não ligou, bocó."

"Já faz algum tempo desde a última vez que me chamaram disso."

"É mesmo? Então vamos recuperar o tempo perdido. Onde está você, bocó?"

"Kansas."

"Onde em Kansas?"

"Perto de Wichita. Talvez passe a noite aqui. Vi um cartaz do Scotsman Inn há alguns quilômetros. Acho que vou dar uma conferida no haggis[1] deles."

"Haggis em Kansas."

"Diga *isso* três vezes, bem rápido."

"Como foram as coisas em Dakota do Norte?"

Bem, eu acho. Conversei com um demônio encarnado em uma velha morta, logo depois com o fantasma da irmã gêmea dela. Fui o primeiro a encontrar os restos mortais do verdadeiro assassinato-suicídio delas. Ah, e um matador de aluguel — ou algo parecido — está atrás de mim porque pensa que eu possuo provas que indiscutivelmente demonstram a existência de demônios. E eu tenho mesmo.

"Estranhas", respondo.

"Algo mais foi... revelado a você?"

"Acho que sim."

"Como o quê?"

Por exemplo, que o demônio que estou tentando encontrar precisa de mim como uma testemunha de sua influência nos assuntos humanos. Ele precisa de mim como um apóstolo.

"Não sei se você entenderia", digo.

"Tente."

"Acho que Tess está tentando me alcançar tanto quanto eu estou tentando alcançá-la."

---

[1] Prato típico escocês, que consiste em bucho de carneiro recheado com vísceras.

"Ok. Isso é bom, certo?"
"A não ser que eu não consiga chegar até ela."
Um silêncio enquanto ambos pesam o significado disso.
"Algo mais?", ela finalmente pergunta.
"Acho que me foi mostrado como a presença — como o Inominável — trabalha. Busca uma porta, um caminho para o seu coração. Tristeza. Mágoa. Inveja. Melancolia. Encontra uma abertura e entra."
"Os demônios afligem os fracos."
"Ou aqueles que pedem por ajuda sem se incomodar com quem está pronto a dá-la."
"E então?"
"Rompe a parede entre o que você imagina fazer e aquilo que você nunca faria."
"Você se dá conta de que acaba de descrever sua própria situação?"
"Como você chegou a essa conclusão?"
"Um homem que sofreu uma grande perda. Fazendo agora algo que ele nunca faria normalmente."
"Não se aplica totalmente ao meu caso."
"E a diferença é...?"
"O Inominável não quer me possuir. Ele quer que eu — ou pelo menos a melhor parte de mim — continue sendo eu mesmo."
"Com que finalidade?"
"Isso eu ainda não consegui entender por completo."
"Certo", diz O'Brien, puxando o ar com tanta força que posso ouvir.
"Há algo mais."
"Manda."
"Tenho razão."
"Sobre o quê?"
"Tudo. Estou ainda mais seguro de que, ainda que as coisas que estão acontecendo à minha volta sejam insanas, *eu não estou* louco."
"Delírios, por si só, não fazem de você um louco."

"Talvez não. Mas eu *pensei* que estava. Até agora." Respiro fundo. Isso acende imediatamente toda a fadiga em meus ossos, de modo que eu apoio a mão contra a cabine em busca de equilíbrio. "Não sei bem para onde ir agora."

"Você está esperando um sinal."

"Você podia ao menos disfarçar seu sarcasmo."

"Não estou sendo sarcástica. Só que é difícil falar desse assunto e *não soar*, mesmo sem querer, sarcástica."

Uma pausa. Quando O'Brien volta a falar, sua ironia mal-humorada é substituída por sua voz de médica. Se ela não consegue fazer uma brincadeira comigo nem por um minuto, devo estar pior do que imaginava.

"Você parece destruído, David."

"*Estou* destruído."

"Você não acha que seria uma boa ideia deixar essa história de busca por um tempo? Descansar? Recompor-se?"

"Isso faria sentido se eu tivesse alguma preocupação com meu próprio bem-estar, mas não tenho. Estou pendurado na ponta de uma corda esfiapada. E não posso soltá-la."

"Mesmo que ela leve você para um lugar ruim?"

"Já levou."

Fora da cabine telefônica, os carros vêm e vão. Todos os motoristas olham na minha direção. Eu, um sujeito que precisa se barbear, em um telefone público. Há apenas cinco anos eu pareceria um vendedor estressado fazendo um interurbano para a esposa. Hoje, na era do telefone celular, sou uma provável curiosidade criminal. Um viciado em crack tentando comprar drogas. Um sujeito marcando um encontro com uma prostituta. Um terrorista.

"Há coisas neste mundo que a maioria de nós nunca vê", acabo por falar. "Nós nos treinamos para não vê-las, ou tentamos *fingir* que não vimos se elas ocorrem. Mas há uma razão para o fato de, não importa o quão sofisticadas ou primitivas, todas as religiões terem demônios. Algumas podem ter anjos, outras não. Um Deus, deuses, Jesus, profetas — a figura

de autoridade máxima varia. Há muitos tipos diferentes de criadores. Mas o destruidor sempre toma, essencialmente, a mesma forma. O progresso do homem tem sido, desde o início, frustrado por provadores, mentirosos, corruptores. Criadores de pragas, loucura, desespero. A experiência demoníaca é a única verdadeiramente universal de todas as experiências religiosas do homem."
"Isso pode ser verdade, no que diz respeito à observação antropológica."
"É verdade porque é muito difuso. Por que esse aspecto da fé compartilhado por tantos, por tanto tempo? Por que a demonologia é mais comum que a reencarnação, que os sacrifícios, que a maneira pela qual rezamos, que nossos locais de culto ou a forma pela qual ocorrerá o apocalipse no fim dos tempos? *Porque demônios existem*. Não como uma ideia, mas aqui, na Terra, no mundo cotidiano."

Minha respiração fica presa na garganta, então percebo que estou arfando como se tivesse ficado prendendo a respiração. E durante todo esse tempo O'Brien não diz nada. É impossível saber se ela está digerindo tudo o que eu falei ou se está alarmada por perceber a que ponto cheguei. Há uma qualidade no silêncio que deixa claro que, no último minuto, ou eu a conquistei ou a perdi de vez.

"Tenho pensado muito em você", ela acaba por dizer.
"Eu também. Como você está se sentindo?"
"Dolorida. Meio enjoada. É mais como uma ressaca. Uma ressaca crônica, sem a diversão da noite anterior."
"Eu sinto muito, Elaine."
"Não sinta. Apenas me escute."
"Estou escutando."
"Não estou tentando fazer com que você se sinta culpado ou algo do gênero, mas não sei quanto tempo eu ainda tenho. E você é meu melhor amigo. Deveríamos ficar juntos."
"Eu sei."
"Mas você está em Wichita."

"Sim."

"Wichita é um bocado longe."

"Eu tenho sido um amigo de merda. Sei disso. Você sabe que eu estaria aí com você se pudesse. Mas eu preciso..."

"Você precisa fazer isso. Eu aceito isso. Já desisti de tentar convencer você do contrário. Só quero pedir algo."

"Vá em frente."

"Já ocorreu a você que seja lá que forças que você acredita estar combatendo podem querer isolar você?"

"O que você quer dizer com isso?"

"Você acha que está fazendo o certo ao me deixar de fora. Mas isso pode não estar fazendo nenhum bem a você. A distância entre nós — essa pode ser uma parte do plano do demônio. Pense nisso. Se se tratasse apenas de torná-lo um crente, isso poderia ser feito em Nova York. Mas você foi conduzido para longe de casa. E de mim."

"Que escolha eu tenho?"

"Leve-me com você."

"Não posso arriscar que você se machuque."

"Pelo amor de Deus, estou morrendo. É meio tarde para isso."

"Elaine? Escute. Vou pedir que você me prometa algo."

"Eu prometo."

"Não fale de novo sobre vir comigo. É muito difícil para mim dizer não. Mas eu preciso dizer não."

"Minha vez."

"Certo."

"Diga-me uma coisa. Por que os homens sempre acham que têm de agir como super-heróis autodestrutivos quando surge algum problema?"

"É a única maneira de amar que conhecemos."

Os carros vêm e vão. É uma das maiores verdades sobre a América. Eles dão ré, estacionam, retornam à estrada. Seria uma espécie de consolo se um dos carros, em algum lugar a quilômetros daqui, na noite infinita da pradaria, não contivesse o Perseguidor.

"Preciso desligar agora", digo.
"Você não vai me dizer quem está atrás de você, vai?"
"Sem chance."
"Mas *alguém* está atrás de você?"
"Sim."
"Uma pessoa de verdade. Um ser humano."
"Tão verdadeiro e humano como pode ser."
"Ele está *aí*?"
"Ainda não. Mas está vindo."
"Então vá, David. E mantenha-se a salvo", ela diz e, para minha surpresa, desliga. É uma prova mais eficaz de sua crença em mim do que qualquer declaração que ela pudesse fazer.

Entro no Mustang e vou para Wichita. A noite cai sobre a interestadual tão abruptamente como se puxassem o fio da tomada. Penso em ligar o rádio, mas todas as vezes em que faço isso ouço algo — uma canção, uma propaganda de automóvel, uma previsão do tempo — que me faz lembrar de Tess.

O verdadeiro inferno é dirigir à noite em busca de uma criança desaparecida.

Encontro o Scotsman Inn sem precisar procurar. Adequadamente sem vista, sem charme, sem qualquer coisa de escocês. É perfeito.

Caminho em círculos enquanto espero pela pizza da Domino's que encomendei e, depois de comer só uma fatia e jogar o resto no lixo, ligo e desligo a TV três vezes, o botão de volume não ficando baixo o suficiente para evitar irritantes guinchos e soluços do horário nobre. Tentaria dormir, mas Delia e Paula aparecem sempre que fecho os olhos. E acho que não posso lidar com mais nenhuma surpresa do diário de Tess. Não esta noite.

No fim das contas, vou até o carro, abro a mala e pego o exemplar de *Paraíso Perdido* que ficava no meu escritório. O volume engrossado por anos de anotações nas margens e leituras em voz alta na sala de aula. O mais próximo de um amigo aqui no Kansas.

Mas esta noite, não adianta. Todas as tentativas de adentrar a linguagem familiar são infrutíferas, as palavras nadam na página, à deriva. É como se o próprio livro estivesse vivo, alinhado com algum propósito novo. Enquanto olho para a página, o poema se reescreve, pegando as letras como se fossem pedras do jogo de tabuleiro Palavras Cruzadas, formando sacrilégios e blasfêmias ao acaso.

Levanto da poltrona e deixo o livro aberto no assento. Rastejo para baixo das cobertas e espero o sono chegar. Não demora.

Ou talvez eu não esteja totalmente adormecido quando eu olho e a vejo.

Tess.

Sentada na mesma cadeira da qual acabei de levantar. Meu *Paraíso Perdido* aberto em suas mãos.

Ela está olhando diretamente para mim. Seus lábios entreabertos, formando palavras que não consigo ouvir, apenas leio enquanto ela lhes dá forma. De alguma forma, não parece ser um discurso, não parece que ela está tentando conversar comigo. É por isso que ela segura o livro. Ainda que não olhe para o livro, ela está lendo suas páginas em voz alta.

Tess...

O som da minha voz me desperta. Também faz com que ela vá embora. O livro está aberto, virado para baixo, na poltrona, como o deixei.

No sonho — se é que era um sonho —, ela me olhava. Mas suas palavras vinham do livro em suas mãos.

Meu exemplar de *Paraíso Perdido* está aberta na poltrona perto da porta, no mesmo lugar em que o coloquei antes de ir para a cama. Mas é outra página. Alguém o pegou enquanto eu dormia, apenas para largá-lo na página setenta e quatro.

Leio a página e, quase instantaneamente, vejo as linhas que Tess recitava para mim.

Ó Sol, dizer-vos o quanto odeio vossos raios
Que me trazem a lembrança daquele estado

Do qual caí...

A queixa sincera de Satã contra a luz do Sol, um dos muitos confortos para os quais ele deu as costas ao prosseguir em sua rebelião ambiciosa contra Deus e suas criações. Sentir a luz só lhe trazia à lembrança o que ele um dia tivera. Uma metáfora da dor. De fato, pode-se argumentar — como faço agora, aqui, no quarto 12 do Scotsman Inn em Wichita, Kansas — que todo o poema é a história da ira impossível de Satã contra sua própria iminente, irrefreável morte.

Mas foi Tess que escolheu essas linhas. Não é apenas Satã, mas minha filha que vive em um lugar ao qual é negada a luz do Sol. E foi ela que, por meio de esforços inimagináveis, veio ao meu quarto à noite pegar meu livro e falar comigo em um código que esperava que eu entendesse. Talvez ela estivesse apenas fazendo o que seu captor havia mandado. Talvez fosse o Inominável assumindo a forma de Tess. Mas eu não acredito. Até agora, ele não se fez passar por Tess. E por que não? Ele ainda não a possui totalmente.

Há alguns momentos, ela segurou o livro que já havia tentado ler e abandonado várias vezes, tentando ver o que eu via nele, mas frustrada pela densidade das palavras, as alusões resumidas e as camadas de significados. Mas talvez ela tenha conseguido mais em suas tentativas do que eu jamais acreditara. Pois ela leu aquelas linhas sem olhar para a página. Ela as conhecia de cor.

E ela estava ali. É o que importa. Ela estava *ali*.
Mas poderei encontrá-la de novo?

Ó Sol.

O Sol brilha em todos os lugares ao longo do dia, não importa o quão limpo ou nublado o céu, não importa quão longa foi a noite. Deve haver algo que dê forma ao conceito de "sol" que ainda não captei. Algo que carregue um "onde".

Há um "onde" no trecho, claro. Satã não cai do paraíso, mas de um "estado". Uma condição do ser, mas, em meu caso, talvez um lugar. Como Dakota do Norte.

O estado do Sol.

Ou Flórida.

O Estado Ensolarado.

É tênue. Mas assim foram as conclusões a que cheguei depois de ser largado perto do Dakota e que pareceram funcionar bem. E, de qualquer modo, o que mais eu tenho?

O sono desta vez realmente toma conta de mim. Não traz imagens, apenas uma sensação crescente de calor. Multiplicando-se sobre meu corpo em ondas, como uma espécie de cobertor fluido, intocável.

E então acordo.

Um pânico de chutar os lençóis. Um pesadelo de cujo fim não consigo me lembrar, o travesseiro esponjoso com uma mistura de suor e lágrimas. É tarde. 11h24. Dormi toda a noite, e mais um pouco. Mas eu me sinto mais podre que descansado.

É por isso que, quando escuto um único som de alguém batendo à porta, abro sem nem ao menos olhar pelo olho mágico. Sem perguntar quem está ali.

Pertença aos vivos ou aos mortos, estou pronto para ouvir o que ele quer.

O
DEMONOLOGISTA
ANDREW PYPER

CAPITULUM 17

"Café?"

Não a reconheço de imediato. Perdeu peso. Sua pele branca como giz. A mudança é tão surpreendente que, por um ou dois segundos, tomo O'Brien pela Mulher Magra.

"Você está aqui."

"Em carne doentia e osso."

"Como você me encontrou?"

"Quantos Scotsman Inns você acha que existem em Wichita?"

"Você *voou* até aqui?"

"Um ônibus não parecia ser a melhor opção em termos de tempo."

"Meu Deus! Elaine, você está *aqui!*"

"Sim, estou. E você vai pegar este café ou não? Está queimando minha maldita mão."

Pego o café. E ele queima minha maldita mão.

Mas O'Brien está em meu quarto. Fecha a porta atrás dela e desaba na cama, abrindo braços e pernas nos lençóis úmidos, como se fizesse um anjo na neve.

"Suores noturnos", ela diz, sentando. "Conheço bem."
"Como você está?"
"Qual é a minha aparência?"
"Ótima. Como sempre."
"David, se minha aparência sempre tivesse sido esta, eu teria me matado há muito tempo."
Sento ao lado dela na cama. Tomo sua mão nas minhas.
"Você está mais magra", digo.
"Eu como. Mas há um monstrinho insaciável dentro de mim, que devora tudo. Seria fascinante se não estivesse acontecendo comigo."
"Você pode estar aqui? Sem seus médicos, quero dizer?"
"Eu já lhe disse o que eu penso dos meus médicos. E trouxe tudo o que a moderna medicina pode oferecer. Está bem aqui." E puxa um frasco de comprimidos do bolso de seu jeans. "Morfina. Divido com você se você for bonzinho."
"Este café está ótimo por enquanto, obrigado."
"Este café tem gosto de cocô de rato fervido."
"Ah, *bem* que eu achei."
Tomo outro gole. Quase ponho para fora quando O'Brien começa a rir e eu vou atrás. Conseguimos retomar o controle um minuto depois, e eu limpo o café que saiu pelas minhas narinas, enquanto O'Brien fica vermelha por causa de uma tosse convulsiva que a assola.
"Espere", digo. "Você havia prometido que não viria."
"Não é verdade. Eu prometi que não perguntaria mais se *poderia* vir."
"Então você embarcou num corujão..."
"...e voei a noite inteira para socorrê-lo."
"Não preciso ser socorrido."
"É discutível. Mas você certamente precisa de *mim*."
Não há como discutir isso.
"Sabe, O'Brien? Preciso lhe dizer isso. Estou apavorado."
"Com o que, especificamente?"
"Com a possibilidade de perder Tess."

"Mas não é somente isso, certo?"
"Não, não é só isso. Há as coisas que tenho visto. O Inominável, do qual acho que estou me aproximando. O cara que está me seguindo."
"Aposto que ainda há outra coisa."
"O quê?"
"Que eu esteja certa. Que você tenha pirado. Que você seja apenas um cara que precisa seriamente de ajuda."
"Talvez. Talvez isso também."
"Deixe eu me preocupar com isso um pouquinho, ok?"
"Esse é o problema. Agora que você está aqui, estou preocupado com você também."
Ela vai até a janela. Abre a cortina um centímetro e dá uma espiada no entorno, no céu azul-claro.
"Vamos deixar uma coisa bem clara", ela diz ao se voltar para mim. Na semiescuridão a doença é ainda mais visível que em plena luz. Revela o quando dela já se dissolveu nas sombras que a circundam. "Você está escutando?"
"Estou."
"Esta é a última viagem que jamais farei. Não sei quanto tempo vou durar, mas vou deixar claro, irei até o fim com você. Não posso explicar completamente o porquê, mas isso é tão importante para mim como é para você."
"Eu quero que você viva. Que fique curada..."
"Mas *eu não vou*, David. E tudo bem. Eu só preciso que você saiba que eu não estou buscando compaixão, nem por alguém que limpe minha fronte ou que escute as memórias ensolaradas da minha infância. Estou aqui por minhas próprias razões. Então, quanto mais tempo você passar se preocupando comigo em vez de manter sua mente focada no assunto em questão, mais puta da vida eu vou ficar."
Vou até ela. Envolvo-a nos braços.
"Estou contente que você esteja aqui", digo.
"Com cuidado agora. Fico toda roxa."
"Desculpe."

Ela se afasta de mim. Desvia o olhar. Assoa o nariz.

"Precisamos começar", ela diz.

O'Brien se dirige à porta, mas eu a seguro pelo cotovelo. O osso parece uma pequena bola macia em meus dedos.

"Por que você veio?", pergunto.

Seus olhos encontram os meus.

"Para ajudar você", ela responde.

"Ajudar-me a voltar para Nova York?"

Ela segura meu rosto com ambas as mãos. Puxa-me para perto, de modo que a única coisa que vejo é ela.

"Eis uma promessa", diz. "Nada mais de perguntas, nada mais de dúvidas, nada mais de conversa de terapeuta. Estou *com você*. Entendeu?"

"Está comigo para quê?"

"Encontrar Tess. E quando a encontrarmos, vamos levá-la de volta para casa."

Tess.

Casa.

Ouvir essas duas palavras na mesma frase, ditas por alguém que parece sentir que talvez seja possível conectá-las, bem como que vale a pena *tentar* conectá-las — é o bastante para destampar o pote das emoções acumuladas nos últimos dias. Estou chorando. Chorando como não me lembro de jamais ter chorado. Um desmoronamento bagunçado, escandaloso, de rosto vermelho, curvado no meio do quarto 12 do Scotsman Inn de Wichita.

É um espetáculo e tanto. Não que O'Brien me deixe aproveitar por muito tempo.

"Dê-me as chaves", diz. "Eu dirijo."

Enquanto O'Brien se concentra na estrada, eu lhe conto tudo. Ou quase tudo — fica de fora o diário de Tess, que, por alguma razão, acho que é pessoal demais para compartilhar. Mas eu conto sobre a Mulher Magra. O professor na cadeira em Veneza. A previsão correta dos resultados das bolsas de valores globais. O Perseguidor. O Inominável surgindo sob diversas formas, ainda que todas de pessoas já mortas. Dakota. O *Estado Ensolarado*. Tess silenciosamente me chamando.

Sobre como temos apenas dois dias e meio até a Lua nova. Durante todo esse tempo, O'Brien não me interrompe, não pergunta nada. Apenas me deixa divagar e empilhar fatos, interpretações e impossibilidades. Quando termino, ela ainda dirige por alguns quilômetros antes de falar.

"Para onde você acha que essas pistas estão lhe conduzindo?", pergunta.

"Realmente não sei. Desconfio que estão me levando para mais perto do Inominável."

"Para fazer o quê? Destruir você?"

"Poderia ter feito isso a qualquer hora, provavelmente."

"Está seguro disso? Aquela carona atacou você."

"Nem me lembre", disse, involuntariamente cobrindo minhas partes.

"Então como você pode ter tanta certeza de que ele não quer você morto?"

"Provavelmente *quer*. No fim. Mas ainda não."

"Ainda não. Não antes *disso*?", O'Brien mostra com a mão o interior do carro, entulhado de embalagens de fast-food, copos descartáveis de café e o mapa em meu colo. "Por que você tem de seguir farelos de pão por todo o país?"

Lembro o que a voz de apresentação falou por meio daquele homem em Veneza. Sobre como não éramos inimigos, mas conspiradores.

"Ele quer me pedir que seja parte de algo", afirmo.

"Você está dizendo que ele tem um propósito para você."

"Sim. Ainda que não tenha dito qual."

"O documento. Você tem isso. E se ele é tudo isso que você diz, é prova de algo que, até então, só existia na imaginação dos homens. Apenas *assimile* isso por um segundo."

"Realmente, é algo."

"É algo *enorme*", ela diz, socando o painel. "Os demônios são reais e vivem entre nós. Não de maneira metafórica, mas literalmente. É *aterrador*."
"Eu certamente teria de reescrever todos os meus ensaios."
"Faz pensar no que eles estão tramando."
"São João diria que eles estão nos preparando."
"Para o quê? O Grande Final?"
"Isso vem um pouco depois. Primeiro, a queda. O apocalipse. O Anticristo."
"Muito obrigado, senhor Desmancha-Prazeres."
"Isso é a *Bíblia*, não Danielle Steel."
Seguimos em silêncio por algum tempo. Ambos tentando disfarçar os tremores que nossas conclusões provocam.
"Certo, não vamos especular", O'Brien finalmente se pronuncia. "Vamos apenas dizer que, em curtíssimo prazo, seu documento potencialmente representa a maior revelação na história social e religiosa dos, pelo menos, últimos dois mil anos."
"Meu cérebro está doendo."
"E acho que isso faz parte", ela diz, ganhando energia. "*Não podemos lidar com isso*. É como ocorre com esses ufologistas ou seja lá como se chamem. O pessoal da teoria da conspiração da Área 51."
"Roswell."
"Quem sabe? Talvez nossas pistas nos levem para lá. 'Roswell' é citado alguma vez nas *Obras Completas* de Milton?"
"Você quer chegar a algum lugar?"
"A questão é, qual é o argumento sempre usado pelo pessoal dos alienígenas-construíram-as-pirâmides? Por que eles acham que as idas e vindas dos extraterrestres são um enorme segredo que os governos mantêm?"
"Porque ficaríamos aturdidos."
"É isso. Pânico em massa. O Dow Jones[1] despencaria a zero. Anarquia global e horror. Todos se escondendo em

---

[1] O principal índice da Bolsa de Valores de Nova York, a NYSE.

seus abrigos nucleares, o restante iria saquear e estuprar. Seria o Fim dos Tempos fabricado por nós mesmos. Por que regular qualquer de nossos atos? Por que se incomodar com a moral ou a lei? Eles estão *vindo!* Todos nós esperando pelos homenzinhos verdes para nos dissecar, dizimar ou transformar em mato."
"Você acha que com os demônios é a mesma coisa?"
"Não. Eu não acho que o governo saiba mais sobre Satã e sua corte que qualquer aluno de catecismo."
"Então o que o documento significa?"
"Verificação. Legitimidade. Há todo tipo de textos religiosos por aí, todo tipo de crença. Mas não há *prova*. Ninguém acha que jamais poderia *haver* prova."
"É por isso que chamam de fé."
"Exato."
"Exceto que *agora* há provas."
"Isso se David Ullman resolver abrir seu cofre em um banco de Manhattan. E se suas implicações forem as que imaginamos, isso transforma o vídeo de um E.T. em um saco para cadáveres em uma notícia sem importância."
Eu me inclino à frente para olhar pelo espelho lateral. Checando a autoestrada lá atrás, em busca da grade frontal do Crown Victoria.
"É por isso que o Perseguidor o quer", digo.
"E talvez o Inominável queira a mesma coisa."
"Por quê? Ele me mostrou o que queria. Eu não roubei nada, ele me *deu*."
"Talvez seja essa a questão."
"Se for, não estou entendendo."
"Temos de supor que o Inominável, apesar de todos os seus poderes, tem limitações."
"Ele não pode assumir a forma dos vivos, apenas dos mortos."
"Essa é uma grande limitação. Se ele tem uma mensagem para este mundo, ele precisa de um mensageiro."
"Um discípulo."

"Algo assim. Um demônio não pode aparecer na TV e apresentar sua própria defesa, e Deus também não — pelo menos, nenhum deles tomou esse caminho até agora, pelo que sabemos."

"E ele me vê como um potencial porta-voz."

"Por que não? Você tem legitimidade. Um professor da Columbia, especialista nesse assunto. Inteligente. Sem laços com o governo, nenhum desejo de lucro pessoal. Eu também escolheria você."

Conto a O'Brien sobre o professor Marco Ianno, a identidade do homem na cadeira. Um homem muito parecido comigo.

"Talvez ele fosse um candidato ao mesmo serviço", conclui O'Brien.

"O Inominável tomou algo de Ianno — talvez sua filha, sua mulher, sua amante — e ele foi atrás deles, assim como eu. Mas, no fim, ele não selou o acordo."

"Ou a viagem ficou dura demais para ele."

"Como assim?"

"Talvez tudo isso — ver fantasmas, seguir sinais, ser caçado por alguém — seja um teste. Para ver se você tem o caráter certo."

"No Velho Testamento, o Diabo ajudou Deus a pôr à prova a fé de um homem", digo. "Uma espécie de encarregado do Pai Celestial."

"O Livro de Jó."

"Sim, esse seria o principal exemplo. Um homem bom que tem de passar por perdas e calamidades para ver se consegue suportá-los e, ao aguentá-los, prova seu amor por Deus."

"Esse é um amor muito duro."

"O ponto central dessas histórias, no entanto, não diz respeito a Jó ou a quem aguenta o quê. Nem diz respeito à fé. De uma perspectiva demoníaca, trata-se de Satã receber uma lição, não o homem."

"E qual é a lição?"

"Que o homem pode triunfar sobre o mal por meio do amor."

"Certo. Então você é um Jó do novo século."

"Exceto, que neste caso, não são chagas em todo o corpo ou a perda de meus bois e camelos. É um teste para ver se eu posso ir até o fim em busca de Tess, sem vacilar."
"E como você acha que está indo?"
"O corpo é fraco..."
"...mas o coração é forte."
"Não iria tão longe. Mas ainda bate. É tudo o que eu peço."

Passada cerca de meia hora, os cafés fazem seu efeito, e nós dois precisamos urinar. Estacionamos na próxima parada, um bloco de concreto onde se lê DELES e DELAS em meio a um bosque de álamos. Eu acabo antes de O'Brien e fico do lado de fora, esperando que ela saia, pronto para assumir minha vez ao volante, quando escuto sons distantes de luta. O baque de braços e pernas contra vidro temperado. As ordens de um homem, ferozmente sussurradas. Os gritos sufocados de uma mulher.

O estacionamento da parada é estreito e comprido, um caminho projetado para se entrelaçar discretamente nas árvores. É difícil saber de onde vem o som, se da esquerda ou da direita. É uma sensação, mais que um juízo, que me atrai para a área atrás dos banheiros, onde o terreno se une ao bosque e termina em uma clareira com algumas esparsas mesas de piquenique. Uma sensação de que é na velha picape Dodge, estacionada isoladamente, que um estupro está ocorrendo.

Enquanto eu corro os quarenta metros que me separam da caminhonete, a opção de ignorar o que ouvi sacode minhas ideias. *Seja lá o que for que está acontecendo dentro daquele Dodge, há uma grande chance de ser algum tipo de crime. E crimes requerem denúncia, declarações à polícia, a abertura de um processo. Crimes vão atrasar você.*

Mesmo pensando nisso, não hesito. Há uma agressão. Há um *estupro*.

Os sons ficam mais distintos quando eu paro, a poucos metros da caminhonete. Grunhidos. Latidos guturais. Animais famintos disputando o último pedaço de carne da caça.

Quem está lá dentro não percebeu minha aproximação. Isso me permite chegar mais perto. Olho pela janela do carona, meio aberta.

Um homem e uma mulher. O homem mais velho que ela, a julgar por camisa listrada, as calças cáqui na altura dos joelhos. O cabelo se rendendo ao grisalho e precisando de um corte, com cachos que forçam uma imagem de juventude contra sua nuca. Embaixo dele, apenas os braços pálidos da mulher podem ser vistos, além de alguns cabelos acobreados sobre o banco. Suas mãos sardentas cerrando-se nas costas dele, no que pode ser dor, resistência ou um impulso desesperado.

De início, é impossível saber se o ato é consentido. Os sons que eles fazem parecem agora guinchos de hiena, imprudentes e cruéis. Eu me enganei quando, mais cedo, pensei ter ouvido ordens. Não há fala, nada que possa ser reconhecido como humano. Os dois corpos fundidos em agonia.

Chego perto o suficiente para colocar minhas mãos na borda da janela aberta. Algo tem de ser feito agora. Hesitar por mais tempo, de alguma forma, me torna um cúmplice. Um voyeur.

No instante em que abro a boca para falar, eu os reconheço.

Ei.

Eles param ao som da minha voz. Como se estivessem esperando apenas por isso. Não a consumação do ato, porque isso nunca mais será possível para eles. Eles estão mortos. E eles só estão aqui por minha causa.

A cabeça do homem se vira sem qualquer movimento do resto de seu corpo. Sua cara oleosa rindo ironicamente sobre seu ombro, em triunfo.

"Pobre David", diz Will Junger. "Você pode ao menos foder essa puta doente que está andando com você agora?"

Quero cair fora, mas minhas mãos se recusam a largar a porta. Tenho de permanecer por tempo suficiente para ouvir o que preciso ouvir.

Mas a próxima voz não vem dos lábios cinzentos de Will Junger, mas da garota cujo rosto desliza de debaixo dele. A carona. A Boneca de Pano.

Vivei enquanto puderdes, Casal ainda feliz,[2] ela diz. Mostra seus dentes enegrecidos.

Agora eu largo. Pronto para correr. Mas o homem que um dia foi Will Junger começa a mudar, e fico para ver no que ele se transforma. Uma mudança sutil nos traços de seu rosto, que não o transforma totalmente em outra coisa, mas, ainda assim, revela a coisa dentro dele.

"Quem é você?"

O Inominável responde no mesmo tom de falsa erudição com o qual já falou. As palavras claras, mas frágeis, inanimadas.

Não me conhecer demonstra vossa ignorância.[3]

Começo a recuar. Mas a mão do Inominável se estica para me agarrar. A esse toque, uma dor que se irradia me atravessa, tensa e atordoante, uma espécie de angústia destilada. O vislumbre da perda me segura mais do que sua força.

Diz a mesma coisa que Will Junger disse, exatamente na mesma voz, na última vez em que o vi nos degraus da Biblioteca Low, em um agradável dia de primavera no fim do ano escolar.

Vai ser um dia quente.

Por meio desse toque, ele me mostra Tess.

O mundo real — a parada, a área de piquenique cheia de mato, a alameda de álamos, o céu limpo — tudo isso escurece, como se uma cortina de veludo fosse puxada em um palco. Então, da escuridão, surge uma figura. Suas mãos à frente, tateando por uma saída. Para evitar um ataque.

Tess!

Meu grito vem de um ponto a milhares de quilômetros de distância. Mas ela o ouve. Ela me ouve e corre...

A cortina negra é puxada para mostrar o mundo novamente. E agora sou eu que estou correndo. Primeiro de

---

2   Livro IV. No original: "Live while ye may, Yet happy pair".
3   Livro IV. No original: "Not to know me argues yourselves unknown".

marcha a ré para me afastar do Dodge, depois eu me viro para apressar o passo em direção ao DELES e DELAS. Em direção a O'Brien, que claudica em minha direção, gritando algo que não consigo escutar.

Quando a alcanço passo meu braço em torno dela, afastando-a da caminhonete. Mas ela me surpreende com a firmeza de sua postura.

"Você viu algo?"

"Na picape."

Ela se afasta de mim. Seu quadril visivelmente dolorido, os joelhos rígidos. Mas mais rapidamente que o esperado.

"Elaine!"

Ela chega à caminhonete e imediatamente coloca a cabeça dentro da cabine. Atira metade do seu corpo para dentro antes que possa ver o que a espera ali.

Então corro para ela, tentando puxá-la para fora. Não que eu consiga ver o que está na caminhonete com ela na frente. Não que eu consiga ouvir o que quer que seja, além de O'Brien me mandando tirar as malditas mãos de cima dela.

Eu a largo. E ela desliza para fora, deixando à mostra uma cabine vazia. Nada no banco além de uma embalagem amassada de cigarros.

"Eles se foram", digo.

"Não vi ninguém saindo."

"Não sei *como*. Mas eles estavam aqui. E agora não estão mais."

"Simples assim."

"Eu não pedi que você olhasse. Na verdade, eu não pedi que você..."

"EI! Quem *diabos* são vocês?"

O'Brien e eu nos viramos para quem fez a pergunta. Um homem de meia-idade com um terno um número menor saindo das árvores com uma mulher que ajeita sua saia, o brilho labial para fora do contorno de sua boca. Ambos retirando as folhas presas em suas blusas e cabelos.

"Estávamos..."

"Que *porra* vocês pensam que estavam fazendo na minha caminhonete?"

"Apenas verificando algo", diz O'Brien.

"Ah, é?"

"Havia... *sons*", acrescento. "Vindo lá de dentro."

"Sons", repete o homem, distraidamente afastando-se um pouco da mulher cheia de brilho labial, que parece indecisa entre a necessidade premente de rir ou de ir ao banheiro.

"Espere aí", diz o homem. "*Guenta aí*. Vocês trabalham para a minha mulher?"

"O quê?"

"Ela contratou *detetives* ou algo assim?"

"Não. Não, não. Isso é apenas..."

"*Vagabunda!*"

O'Brien já está se retirando. Ela agarra meu cotovelo ao passar por mim, nós dois murmurando desculpas. Então nos viramos e nos afastamos o mais rapidamente que conseguimos sem correr.

Quando chegamos ao Mustang eu começo a explicar o que vi na picape, mas O'Brien já está abrindo a porta do passageiro e entrando.

"Dirija", ela diz. "Você pode me contar sem se preocupar com algum fodedor de secretária tentando dar um tiro na minha bunda magra."

Voltamos para a interestadual. Eu checando o retrovisor para ver se o Dodge está nos seguindo, O'Brien checando mensagens de e-mail e a secretária eletrônica no celular.

"Você está aguardando uma chamada?"

"Um tique nervoso", ela diz. "Eu fico ansiosa e começo a brincar com os botões dessa coisa."

"*Todo mundo* tem esse tique nervoso."

O'Brien se recompõe. Pergunta o que eu vi na caminhonete.

"A Boneca de Pano. Você se lembra da carona sobre a qual contei?"

"Sim. Inesquecível Boneca. Mas ela não está sozinha, certo?"

"Você não vai acreditar."

"É tarde demais para você introduzir qualquer assunto com essa frase."

"A Boneca estava fazendo sacanagem com alguém. Uma sacanagem *da grossa*."

"Achei que ela estava morta."

"E está. E acho que o homem que estava com ela também."

O'Brien olha fixamente para a tela de seu celular. Então ela dá um suspiro e se endireita no banco. Seus olhos faíscam com uma espécie de excitação enlouquecida.

"Diga-me quem era", ela diz.

"Will Junger."

Ela puxa o ar com tanta força que parece um sinal de dor.

"Deixe-me perguntar uma coisa", ela consegue falar.

"Ok."

"Você checou as mensagens no seu celular hoje?"

"Não. Além disso, fiquei sentado ao seu lado o dia todo. Você me viu olhando o celular?"

"Não."

"Por que isso é importante?"

"O último e-mail que li veio de Janice, do Departamento de Psiquiatria de Columbia."

"O que dizia?"

"Um acidente de carro. Na noite passada. Um único carro bateu na murada da via expressa de Long Island", ela diz, puxando novamente o ar com força. "Will Junger morreu há quatro horas, David."

– O –
DEMONOLOGISTA
ANDREW PYPER

CAPITULUM 18

Dois faladores profissionais em uma longa viagem de carro com estranhas notícias rodopiando em suas cabeças de Ivy League, e nem eu nem O'Brien dizemos muita coisa além de "Fome?" e "Quer mais Dr. Pepper?"[1] entre Denton, no Texas, e Alexandria, na Louisiana. Talvez estejamos tentando entender as coisas. Talvez estejamos em choque. Talvez estejamos pensando se algum dia voltaremos para casa. A única certeza é a estrada que se desenrola a nossa frente, indiferente e brilhante. Assim como o Sol que fura as janelas, lambidas de ar pegajoso em nossas nucas. Damos boas-vindas ao Sul com um silêncio cismado e aumentando cada vez mais o ar-condicionado.

Decidimos passar a noite em Opelousas. O Oaks Motel tem quartos por "menos que um gimlet no Algonquin",[2]

---

1 Marca de refrigerante.
2 Gimlet, drinque feito com gim e suco de limão. Algoquin, hotel de Nova York cujo restaurante foi ponto de encontro, por décadas, dos principais intelectuais da cidade.

observa O'Brien, então ocupamos dois, com uma porta de comunicação entre eles.
Dormir é impossível. Nem preciso tentar para saber disso. Então, mais uma vez, abro o diário de Tess. Encontro outra anotação que prova que minha filha sabia muito mais do que jamais imaginei sobre o mundo no qual estou agora.

Eu sei de onde vêm os valentões.

Há uma valentona na minha turma. Ela se chama Rose. Provavelmente o nome mais errado jamais dado a alguém no mundo.

Todos têm medo de Rose. Até os garotos. Não que ela seja violenta, ou algo assim. Se você visse uma foto dela, não pensaria ASSUSTADORA! *Mas se ela está na mesma sala que você, você sente. Quando ela olha para você, você deseja que ela pare.*

(Rose é um pouco cheinha. Seus peitos estão crescendo, também. A primeira em nossa turma. E suas unhas são longas e sujas, como se ela as usasse para cavar. Ela é uma garota quase gorda com unhas sujas e peitos.)

Ela nunca me perturba. Isso é porque eu sei por que ela é desse jeito. Eu até sussurrei isso na orelha dela uma vez.

Você pensa que tem um amigo secreto, mas não é um amigo

E depois que eu fiz isso, ela me olhou estranho. Um olhar do tipo Como você sabe disso?

Agora ela me deixa em paz. Como se ela é que tivesse medo de mim.

A senhorita Green deu uma aula especial sobre esses valentões no início do ano. Ela disse que eles fazem coisas ruins apenas porque eles estão assustados e sozinhos. Ela só estava meio certa.

Os valentões têm medo. Mas eles não estão sozinhos. Há um amigo secreto dentro deles. Algo que começa dizendo coisas bacanas, fazendo companhia a eles, prometendo nunca ir embora. E aí eles dizem outras coisas. Dão ideias. É assim que sei sobre Rose. Eu posso ver seu amigo secreto.

Depois de mais algumas páginas eu encontro outro trecho perturbador. Perturbador em parte pelo que diz sobre os horrores que ela vivenciou. E em parte porque ela escreveu com o intuito de que eu lesse agora que ela se foi.

Eles estão no meio de nós.

Abra sua mente para eles, e eles estarão com você. Dentro de você. É quase fácil demais depois que você faz isso algumas vezes. E mesmo que você não goste, é difícil parar. O que eles querem? Mostrar coisas para nós. O que eles sabem, ou que querem que a gente pense *que eles sabem. O futuro. Como preparar o mundo para eles.*

Eles estão no meio de nós.

Eu reli a passagem. E mais uma vez. Antes mesmo da piedade, antes da culpa, vem a comprovação de que ela estava certa. *Sobre tudo.* Eu abri minha mente e fechei meus olhos, e, agora, também vi algumas das coisas que eles querem nos mostrar. Ainda que haja muito mais coisas que ela viu e que ainda não me foram reveladas. Quando nós caminhávamos pelo Central Park para alimentar os patos nos fins de semana, quando eu lia para ela *O Jardim Secreto*[3] na hora de dormir, quando ela me dava um beijo jogando seus braços de

---

3   *The Secret Garden* (1911), romance infantil de Frances Hodgson Burnett.

passarinho em torno do meu pescoço na hora de entrar na escola, *ela sabia*.

Uma batida na porta de comunicação. Quando eu abro, depois de guardar o diário longe da vista, O'Brien está ali de pé com a língua para fora, numa pantomima de sede mortal.

"Vamos tomar um trago", diz.

Atravessamos a rua, até o Brass Rail, e pedimos Budweisers antes mesmo de sentar a uma mesa no canto. A cerveja não tem gosto, mas está espumante e gelada, e cumpre a mágica do álcool de soltar a língua.

"Ele devia estar apenas indo ou voltando de uma visita a Diane", eu começo.

"Provavelmente."

"Talvez eu devesse ligar para ela."

"Você quer?"

"Não. Por uns dezoito motivos diferentes, não, não quero."

"Então não o faça. Acho que esta não é hora para falta de sinceridade."

"Eu não desejava que ele morresse."

"Sério?"

"Machucado, talvez. Algo que tirasse aquele sorrisinho da cara dele, com certeza. Mas não morto."

"Mas ele está mortinho da silva agora."

"E a primeira coisa que ele faz com seu tempo do outro lado é me encontrar."

"Parece que essa decisão não foi só dele."

"O Inominável."

"Escolheu Will para falar com você. O que disse?"

Não repito a crueldade sobre a condição de O'Brien. Mas eu mantenho isso em mente. Não por sua obscenidade, mas pelo fato de o Inominável ter se referido de cara a O'Brien. Isso significa que estamos sendo vigiados. Mas talvez isso também signifique que O'Brien possa ter razão ao dizer que eu teria sido atraído para cá, longe de Nova York, a fim de perder o apoio de minha amiga. De qualquer modo, pela centésima vez hoje, estou grato por ela ter pegado um voo até Wichita para juntar-se a mim.

"A Boneca falou primeiro, na verdade", conto uma mentirinha. "*Vivei enquanto puderdes, Casal ainda feliz.*"

"Nem precisa dizer. Milton."

"Quem mais?"

"Por que essa linha? Ela estava se referindo a você e Tess?"

"Não. A você e eu. Mas o tom era nitidamente sarcástico."

"A você e eu", repete O'Brien, abraçando a si própria.

"É do Livro IV. Satã chegou ao Éden e está tramando a perdição de Adão e Eva. Ele tem um ciúme odioso de tudo o que eles têm — o gozo de seus corpos, a natureza, a proteção de Deus. Então ele lhes diz para se divertirem enquanto puderem, porque isso não vai durar muito. *Vivei enquanto puderdes,/ Casal ainda feliz; aproveitai, até minha volta,/ Curtos prazeres, pois longas penas se sucederão.*"4

"Uma ameaça."

"Certamente. Assim como uma piada. Ele está nos comparando a Adão e Eva no jardim."

"E aqui estamos na Louisiana. Na meia-idade, um de nós buscando uma criança perdida, o outro murchando com uma doença terminal. O mais longe da alegria sem pecado que um casal pode ficar."

"Mas há algo aí", digo, ficando animado. "Algo que podemos usar."

"O quê?"

"Uma indicação de sua sensibilidade."

"Um comediante."

"Um humorista nato. O tempo todo, ele vem citando um texto canônico, uma obra-prima da forma poética, mas com um objetivo irônico. Isso diz algo sobre sua personalidade."

"Quem liga para sua personalidade?"

"Eu ligo. Eu preciso."

---

4 No original: "Live while ye may,/ Yet happy pair; enjoy, till I return,/ Short pleasures, for long woes are to succeed."

O'Brien recosta na cadeira e leva a garrafa aos lábios, surpresa por encontrá-la vazia. Ela acena para o garçom, fazendo um sinal de dois com os dedos. E então se corrige, levantando mais dois dedos.

"Para garantir", diz.

Quando as cervejas chegam, conto a O'Brien como o Inominável respondeu com outra citação de Milton quando eu perguntei quem ele era.

"*Não me conhecer demonstra vossa ignorância.*"

"Certo, professor", diz O'Brien. "Traduza."

"É outra fala de Satã. Ele é parado por anjos que guardavam a Terra, e eles exigem saber sua identidade. Ele não lhes dá uma resposta direta. Seu orgulho é muito grande. O Diabo acha que eles deveriam saber quem ele é por todos os seus feitos, por sua fama, pelo medo que ele provoca."

"Então nosso demônio acha que deveríamos saber quem ele é."

"Penso que ele quer que eu descubra isso."

"Outro teste."

"Diria que sim."

"Por que é *necessário* que você decifre o nome dele?"

"Fiquei pensando nisso. E acho que tem a ver com intimidade. Se eu for capaz de pronunciar o nome dele, nós ficaremos mais próximos. E é necessário que estejamos muito próximos." *Não amigos, talvez,* lembro-me novamente de sua voz morta vaticinando pela garganta de Tess. *Não, certamente não amigos. Mas inquestionavelmente próximos.*

"Talvez ele *não possa* revelar primeiro seu nome", sugere O'Brien, batendo a garrafa de cerveja na mesa. "Ele *precisa* que você o diga, para dar a ele uma autoridade maior. O anonimato é um dos inconvenientes demoníacos. Isso lhes nega um grau de poder. Pense nisso. 'Meu nome é Legião.' Satã não se identifica nos portões do Éden."

"O primeiro passo do exorcista é descobrir o nome."

"Exatamente! Nomes têm poder, e isso funciona nas duas direções. No caso dos demônios — *nosso* demônio —, não se diz quem é por não ser capaz. Mas se *você* consegue descobrir seu nome e dizê-lo em voz alta, abre um canal para ele, de alguma maneira. Através de você."

O'Brien pousa sua mão sobre a minha. Seu sangue pulsa com tanta força através de sua pele fina como papel que eu posso sentir cada batida do seu coração.

"Acho que você está certa", digo. "Só que eu daria um passo além."

"Então dê."

"*Não me conhecer demonstra vossa ignorância*. É uma rua de mão dupla. Só estaremos unidos quando eu descobrir quem ele é e quando eu descobrir quem eu sou."

"O verso diz 'vós', David. Plural. Acho que eu também faço parte dessa autodescoberta."

Bebemos mais um pouco. Começamos nossa terceira rodada "só para garantir".

"Então essa é a pergunta de um milhão de dólares", diz O'Brien, limpando o súbito suor de sua testa com as costas da mão. "Qual é o nome do Inominável?"

"Ainda não tenho certeza. Mas acho que é um dos integrantes do Conselho Estígio citados na versão de Milton do Pandemônio."

"Você está certo de que não é Satã?"

"Estou. Ainda que ele ambicione ter a fama de seu mestre."

"Ambicioso. Some isso a suas características."

"E propenso à literatura. Usando *Paraíso Perdido* como uma espécie de código."

"Linguagem. Ele compartilha com você uma paixão por palavras, David."

"Parece que sim", admito. "E parece que ele gostaria de conversar comigo tanto quanto eu gostaria de conversar com ele."

Então O'Brien escancara sua boca em um súbito bocejo.

Mesmo aqui, nesse restaurante de beira de estrada iluminado apenas por anúncios de cerveja em néon e velhas máquinas de fliperama, a doença de O'Brien está claramente desenhada em suas feições. Por alguns períodos de tempo, o humor e a animação dela disfarçam o contínuo estrago que lhe está sendo infligido interiormente e que, de repente, força a passagem para se mostrar. É como o Inominável fazendo seu truque de metamorfose no rosto de Will Junger na caminhonete, ou no do homem em Veneza que se transformava em meu pai. Câncer também é um tipo de possessão. E, como um demônio, antes de reclamar a pessoa, ele a devora aos poucos, apaga o rosto que ela sempre apresentou ao mundo, para mostrar a coisa indesejada que está por dentro.

"Vamos levar você para a cama", digo, levantando e oferecendo a mão a O'Brien.

"Eu pensaria que você estava dando em cima de mim se você não estivesse com essa cara de menininho preocupado."

"Eu *sou* um menininho preocupado."

"Eis aí algo que aprendi da maneira mais difícil", ela diz, levantando-se sem segurar minha mão. "Todos vocês são."

Voltamos para o hotel, mas quando chego a minha porta O'Brien se põe ao meu lado. Eu me viro para olhá-la, e ela coloca no bolso as chaves de seu quarto.

"Tudo bem se eu ficar com você esta noite?"

"Claro", respondo. "Mas só há uma cama."

"É por isso que estou perguntando."

Lá dentro, ela tira os jeans e a suéter, ficando, sob a luz do abajur, apenas de camiseta e roupa de baixo. Não quero olhar, mas não consigo evitar. Sua perda de peso é confirmada pelos ossos quase furando sua pele, com as curvas substituídas por calombos e arestas. Mas, apesar disso, ela ainda é bonita, ainda é uma mulher elegante capaz de seduzir com seu porte, com as promessas de sua silhueta. Talvez amanhã a doença roube isso também. Porém ainda não o fez. Esta noite, ela é uma mulher na qual meus olhos se demoram mais com desejo que com pena.

"Devo estar horrível", ela diz. Mas não se cobre, não se esconde sob as cobertas.

"Pelo contrário."

"Sério? Não estou pavorosa?"

"Acho você adorável."

"Então faça amor comigo."

"Eu não..."

"Eu posso não conseguir amanhã. Você pode não querer mais", ela diz, como se lendo a avaliação que fiz em meu íntimo há alguns instantes.

"Você tem certeza?"

"Pense no que estamos perseguindo aqui, David. No que está atrás de nós. Se somos realmente alguma coisa, somos duas pessoas que deixaram de ter certeza do que ficou para trás."

"Elaine..."

"Nem pense nisso. Nada de *Elaine*. Apenas venha aqui."

Ela abre os braços, e eu me coloco entre eles. Beijando seu rosto. Segurando-a em um abraço que ela repele porque se parece muito com o que fizemos antes, o contato carinhoso e polido com que concluímos nossas noitadas em Nova York. Ela quer que isso seja diferente. Então ela desafivela meu cinto, abre o botão. Desliza sua mão.

"Ok", ela sussurra. "Ok. É *bom*."

Ela apaga a luz e me puxa para a cama. Tira minha roupa com mais destreza do que eu conseguiria. Aí chega minha vez.

Sua pele fresca com sabor de grama e um toque de limão. Ela é uma mulher que eu conheço muito bem, mas de quem, de um momento para outro, não sei nada. Uma estranha arrebatadora. Uma súbita descoberta de novos gestos, novas maneiras de agradar e ser agradado.

Ela me deita e monta em minhas coxas, excitando-me, acariciando-me com as duas mãos. Para me deixar pronto.

Estávamos tão próximos que eu só via os olhos, o rosto e o corpo de O'Brien. Mas agora que ela está sentada, o quarto está parcialmente visível de novo.

E há algo aqui que não estava antes.

Uma sombra mais escura que as demais sombras do quarto, que cerca O'Brien como uma aura. Ainda assim, sem outra luz além do que ocasionalmente atravessa as cortinas ou passa por baixo da porta, ela não poderia projetar, por si, qualquer sombra. Então não é uma sombra, mas algo *feito* de sombra. Parado ao pé da cama, logo atrás de O'Brien.

Quando ela se ergue, a coisa se move. Dá um passo para o lado a fim de mostrar o perfil de seu rosto. Um homem olhando para baixo, para algo próximo, paralisado. Sem movimento, exceto pelos esforços feitos há pouco por seus braços trêmulos. Ele poderia estar calculando uma perda, ele poderia estar esperando novas instruções. O branco dos seus olhos projeta sua própria luz fraca, revelando a água que pinga de seu queixo, seu cabelo emaranhado. A boca e o nariz reconhecíveis, por serem passados de geração a geração, como os meus.

Pai?

Não falo isso em voz alta. Mas escuto. Minha voz aos seis anos, pronunciando a mesma palavra — com a mesma perplexidade imensurável — no dia em que Lawrence se afogou. Meu pai, tarde demais para salvá-lo, parado na água da mesma maneira que ele está parado com sombras até a cintura neste quarto.

"David?"

O'Brien ajoelhada sobre mim, sua respiração agora desacelerada. Seu olhar de preocupação tornando-se outra coisa à medida que ela vê a expressão do meu rosto mudar. O horror que eu senti quando criança, quando meu pai virou-se para mim no dia em que meu irmão morreu e eu vi um estranho.

Assim como aquele estranho se volta para mim agora.

NÃO!

Tiro O'Brien de cima de mim e ela cai de lado, agarrando os lençóis para evitar cair da cama.

"O que houve?"

"Você o vê?", pergunto, com os olhos fechados, mas apontando para onde meu pai estava.

"Quem?" O'Brien acende o abajur da cabeceira. "Não há ninguém aqui."

"Meu *pai* estava aqui", explico a ela depois de abrir os olhos e confirmar que ele se foi.

"Está tudo bem. Estamos seguros agora."

"Não. Não creio."

O'Brien coloca a camiseta. Fica de pé no mesmo lugar onde meu pai estava há um segundo.

"Jogue isso para mim, por favor", ela pede, apontando meu exemplar de *Paraíso Perdido* sobre a mesa. Jogo o livro para ela, e, em seu voo, as páginas se movem como asas em pânico. Mesmo quando ela o pega, o livro parece agitado em suas mãos, a capa se abrindo a cada segundo em que ele não está fechado, como uma boca em busca de ar.

O'Brien se dirige ao banheiro. No caminho, coloca a mão contra a parede, buscando o equilíbrio.

"Você está bem?"

"Sim", ela responde, não parecendo nada bem. "Só preciso fazer xixi."

"E você está levando isso com você para uma leitura leve?"

"Quero entender toda essa zona."

Ela fecha a porta atrás dela. Antes disso, consigo ver seu reflexo no espelho. Espero ver frustração com nosso fracasso. *Meu* fracasso. Ou talvez frustração com onde estamos, com o fato de ela ter se deixado levar para uma situação como esta, que, se não fosse por mim e por seus dias estarem contados, ela teria evitado. Em vez disso, vejo que ela está assustada. Ela não precisa ir ao banheiro. Ela só não quer que eu veja seu medo.

Quase que imediatamente, eu a ouço chorar. Nunca presenciei O'Brien emitindo esses sons e demoro alguns segundos para ter certeza de que é isso que ela está fazendo. Uma respiração pesada, fungando, e pequenos sufocamentos, como um nadador que estava se afogando puxado para fora da água.

"Como você está aí?", pergunto do outro lado da porta.

"Olhe para mim. Pareço uma garota que perdeu a virgindade em uma festinha no salão de jogos."

"Tecnicamente, nós não fizemos."

"E tecnicamente eu não sou virgem."

"Ah. Uma analogia, então."

"Achei que você estivesse habituado com elas."

"Posso entrar?"

"Você vai trazer seu pai junto?"

"Pelo que posso ver, não."

"Então pode."

O'Brien está sentada na privada, mas com a tampa abaixada. O *Paraíso Perdido* aberto em seu colo, suas mãos limpando o rosto e o nariz com lenços engomados. Nos últimos três minutos, ela envelheceu vinte anos. Mas, ao mesmo tempo, ela senta com os joelhos colados e os pés virados para dentro, como uma criança.

"Desculpe pelo acontecido", digo. "Estava gostando muito."

"Eu também."

"Parece que nosso amigo não quer que a gente se divirta."

"Pode ser, ou então você tem *sérios* problemas sexuais."

Ela ri e dá uma tossida. E continua tossindo. Uma das mãos segurando a bancada, a outra contra a parede, mantendo o corpo erguido enquanto este se agita com alguma nova obstrução em seu peito. Em alguns segundos, sua pele ganha cor. Não rosa, mas azul.

Caio de joelhos e me aproximo dela, sem saber como ajudar. Compressão do diafragma? Boca a boca? Nenhuma dessas opções parece boa.

De repente, O'Brien para de tossir. Para de *respirar*. Um olhar desesperado, que protesta. Joga sua mão em meu rosto com tanta força que quase me derruba para trás.

Ela puxa o pouco de ar que consegue em um longo trago, forçando-se a se acalmar. Isso leva um bom tempo. Uma súbita calma, exceto pelo livro que cai, aberto, no chão. As duas mãos escoradas contra meus ombros.

Solta o ar.

Algo se solta dentro de suas costelas, com um clique audível. Um hálito de leite azedo, vindo do fundo de seus pulmões, sobe neste instante. E, ao final dele, um fino jato de sangue. Pingos mornos em suas coxas, meu peito, meu rosto.

E então ela respira de novo. Tenta limpar o que respingou em mim com o tapete do banheiro.

"Céus, me perdoe. Isso foi *horrível*", ela diz.

"Por um segundo, você me deixou apavorado."

"*Eu* apavorei *você*? Eu estava *me afogando*."

Meu irmão. O rio. Meu pai parado em meio à correnteza, transformado. *Afogando*. A palavra parece proposital. Mas a única coisa que contei a O'Brien sobre Lawrence foi que ele morreu acidentalmente quando eu era criança. Se ela está fazendo uma conexão comigo, vem de outra fonte.

"Devemos ir a um hospital. Para examinarem você."

"Nada de hospitais", ela diz. "Nem *fale* em hospitais de novo. Entendeu?"

Dou espaço para que ela se levante e lave seu rosto na pia, em frente ao espelho. Estou prestes a levantar também quando percebo a cópia de *Paraíso Perdido* apoiada contra a borda da banheira. Abro na página oitenta e sete, onde Satã toma uma decisão sobre seu plano de arruinar a humanidade ao tentar Eva com o conhecimento.

Pode ser um pecado o conhecimento,
Pode ser a morte?[5]

---

5   Livro IV. No original: "Can it be sin to know,/ Can it be death?"

É a mesma página em que aparece *Vivei enquanto puderdes,/ Casal ainda feliz*. Assim como uma única gota do sangue de O'Brien, perto da parte de baixo da página oitenta e seis. Do esguicho expelido por seus pulmões, apenas uma parte caiu no livro. Um brilhante asterisco junto a "Júpiter."

Sorriu com amor superior, como Júpiter
Sobre Juno sorri[6]

"O'Brien?"
Ela se volta, e eu lhe estendo o livro aberto. Fico olhando enquanto seu cérebro passa pelas mesmas interpretações que o meu acabou de passar.
"Você não usa uma caneta vermelha, usa?"
"Não."
"Então há uma parte de mim aqui", ela diz. "E não parece um acidente."
"Nada mais parece."
"O Estado Ensolarado."
"Há uma cidade chamada Júpiter na Flórida."
"Sim, há."
Depois de uma breve pausa ela sai do banheiro. Deita na minha cama e puxa as cobertas até seu queixo.
"Uma hora de sono primeiro", ela diz.
"Acho que não vou conseguir dormir."
"Entre aqui e me mantenha aquecida, pelamordedeus."
Eu a abraço, de alguma maneira seu corpo mais frio e ossudo do que há apenas alguns instantes. Cada respiração uma pequena luta. À minha volta, a escuridão ponderando que forma assumiria agora.

Eu me enganei sobre não ser capaz de dormir.

---

6   Livro IV. No original: "Smiled with superior love, as Jupiter/ On Juno smiles".

Você tem de estar dormindo para acordar e perceber que alguma coisa mudou no quarto. Que a cama agora está vazia. Que o som que me acordou foi o clique de uma porta fechando por dentro.

"O'Brien?"

Não consigo ver nada. O que significa apenas que meus olhos ainda precisam recuperar seu foco na escuridão, e não que não há nada ali.

Porque há algo ali.

O silêncio de um sapato de sola de couro pressionado contra o carpete. Um cintilar metálico que flutua cada vez mais alto. Mais perto.

"Não grite", diz o Perseguidor.

A voz serena, que pode ser confundida com gentileza. Um médico alertando sobre um breve incômodo enquanto a agulha entra.

"Não vai fazer qualquer diferença", ele diz, colocando agora um joelho no colchão, ao meu lado.

Sua face semivisível. Perfeitamente calma, quase distraída, seus pensamentos distantes. A faca de caça no ar, imóvel como a luminária na mesa atrás dela.

"Por favor. Ainda não", acho que digo, pois a pressão do sangue em meus ouvidos torna impossível ter certeza. "Cheguei tão perto."

"É por isso que estou aqui."

Suas costas se endireitam. O pé ainda no chão se prepara para o golpe à frente, quando ele descerá a lâmina.

Mas quando ela vem, ele vem junto. Ele tomba pesadamente em cima de mim, de modo que tenho de me contorcer para sair de debaixo dele.

Assim que fico de pé, busco o abajur da mesa de cabeceira. Mas o do outro lado se acende primeiro. Uma única lâmpada de 60 watts revela um grupo de elementos que não consigo conciliar.

Os cabelos do Perseguidor escorrendo sangue, deixando um halo molhado em torno de sua cabeça nos lençóis.

A faca de caça, polida e limpa, repousando sobre o travesseiro em cima do qual caiu.

O'Brien de pé atrás dele, a tampa de cerâmica do reservatório de água do vaso sanitário apoiada contra suas pernas finas. Uma meia-lua de sangue em uma das pontas.

Eu a encaro, mas ela não me vê. Ela está ocupada demais levantando de novo o pesado objeto, afastando com o pé as pernas do Perseguidor para poder se enfiar entre elas e bater com a tampa na cabeça dele de novo.

O peso da tampa a faz ir junto. Por um longo momento ela fica deitada sobre as costas do Perseguidor, como se tivesse adormecido enquanto lhe fazia uma massagem. Mas então ela começa a puxar o ar. Sacudindo suas mãos até que eu entenda que devo pegá-las.

Levanto O'Brien, e nós dois batemos contra a parede e deslizamos para o chão. Olhamos o corpo, esperando que ele se mova. Ele não se move.

"Você consegue me carregar para o carro?", O'Brien pergunta diretamente no meu ouvido.

"Claro. Com certeza."

O quarto está silencioso. A enorme quietude que se segue à abrupta interrupção do barulho. Mas os eventos dos instantes anteriores ocorreram em um quase silêncio. Uma violenta dança de sombras de sussurros, evasivas e suspiros.

"David?"

"Sim?"

"Eu quis dizer *agora*."

– O –
DEMONOLOGISTA
ANDREW PYPER

CAPITULUM 19

Assumimos turnos durante a noite. Um cochila, o outro conduz o barco, então paramos no acostamento e trocamos de lugar. Não conversamos, não no início. O ar morno que o Golfo do México sopra borrifa as janelas. Os pneus zunindo em busca de alguma melodia esquecida.

"Era ele, não era?", O'Brien finalmente pergunta.

"Sim."

"Ele ia matar você."

"E você também, assim que ele acabasse comigo."

"Então podemos fazer nosso pequeno julgamento aqui e agora e chamar isso de autodefesa?"

"Não precisamos de um julgamento."

"Me faça rir."

"Ok. A Corte está suspensa."

"Só me prometa uma coisa."

"Qualquer coisa."

"Não me pergunte como foi. Fazer aquilo."

"Certo."

Mas depois que acaba de tocar "Hotel California", pedido de um ouvinte da rádio AM, ela pousa sua mão na minha.
"O mais horrível é como isso é fácil", ela diz. "Você se dá uma justificativa, e matar se torna muito fácil."
Ela tenta controlar o riso enquanto toca "Bad Moon Rising". Depois chora durante metade de "Stairway to Heaven". Não tocamos no assunto de novo. O que significa que nós perdoamos a nós mesmos, reconhecemos a necessidade de nossas ações. Ou isso, ou o demônio que estamos procurando já é uma parte maior de nós do que gostaríamos de acreditar.

Quando amanhece o dia já estamos bem dentro da Flórida, tomando café da manhã em uma Waffle House nos arredores de Tallahassee. Enquanto devoro minha torrada açucarada, O'Brien mexe na tela do meu iPhone, buscando uma razão para Júpiter ser nosso destino.
"Estamos procurando o que, precisamente?", ela pergunta, dando um gole de café e sacudindo a cabeça por causa do amargor. "Rituais de magia? Bebês que nasceram com garras?"
"Nada assim tão óbvio. Apenas uma história que não bate."
"Parece que há cada vez mais disso por aí. Sempre achei que isso era apenas o show de horrores crescente da Internet."
"Talvez. Ou talvez haja *mesmo* cada vez mais disso por aí."
O'Brien lê em voz alta algumas das histórias recentes que ela puxou da costa leste da Flórida Central, várias delas divertidamente bizarras. Um gato encontrou o caminho de casa depois de ser largado na estrada a dezesseis quilômetros de distância ("Nós certamente vamos ficar com ele agora", prometeu o dono). Um homem ganhou duas loterias multimilionárias uma semana atrás da outra ("A primeira coisa? Vou quitar meu maldito caminhão!"). Um tubarão comeu o pé de um turista australiano ("Eu sabia que algo estava errado quando pulei fora da água e as pessoas começaram a gritar."). Mas nada que parecesse levar o carimbo do Inominável.

"Teremos de farejar por ali quando chegarmos", digo. Mas O'Brien não está me ouvindo. Absorta por alguma coisa que está lendo na tela do celular. "Achou algo?"

O'Brien termina de ler a história, e eu faço um sinal para a garçonete trazer mais café.

"Aconteceu há apenas dois dias."

"Foi quando eu estava em Wichita", digo. "O dia em que recebi a pista *Ó Sol, dizer-vos o quanto odeio vossos raios.*"

"O que significa que isso acontecia ao mesmo tempo que você estava sendo atraído para cá. Uma conexão simultânea."

"Você vai me dar um resumo, ou eu mesmo vou ter de ler?"

O'Brien pega seu copo de suco de laranja, mas, franzindo as sobrancelhas ao ver os gomos boiando na superfície, o coloca de volta na mesa sem beber.

"Todos os relatos asseguram que eles eram bons garotos", ela começa. "O que só torna isso mais inacreditável. Só torna tudo pior."

Uma escola primária na zona oeste de Júpiter, conhecida pelo envolvimento na comunidade e pelo elevado desempenho em testes padronizados, bem como pelas fortes ligações com grupos de igrejas locais. Crianças que, em sua maioria, se conheciam desde o jardim de infância. Filhos e filhas da classe média alta, do "coração da América Deus-gosta-mais-de-nós", como explica O'Brien.

Terceiro ano primário. Oito anos de idade. Brincando na pracinha atrás da escola antes do jantar, depois que os professores haviam ido para casa, e os garotos mais velhos, para onde quer que passem o fim da tarde. Nada de excepcional sobre aquele dia, em qualquer aspecto. Mas em algum momento entre 15h40 e 16h10, quando o primeiro adulto chegou ao local, todas as crianças — todas as sete — atacaram um coleguinha. Um menino cujo nome não foi divulgado pela polícia. Alguém que pais de alunos, professores e os próprios agressores asseguram que era querido, um menino sem qualquer distinção racial, religiosa ou demográfica, que crescera em Júpiter como todos eles. Mas que eles, usando pedras e galhos de sicômoro, além de seus próprios punhos e pés, colocaram em coma.

Animais. Essa palavra tem aparecido muito nas reportagens. "Eles agiram como animais", disse esse vizinho ou aquele vereador. Mas, como corrigiu a mãe de um dos acusados, "Animais não fazem isso um com o outro sem um motivo".

Os investigadores analisaram as possibilidades de uso de drogas, abusos, gangues. Mas eles tiveram de concluir que não houve motivos para a violência. Pelo menos um biruta local sugeriu a hipótese de um envenenamento químico de algum tipo, uma nuvem de gás que levou insanidade temporária a uma única pracinha, mas não há, o que não surpreende, qualquer prova que sustente essa afirmação. A psicóloga do conselho da escola afirmou que o caso está além de sua experiência. O'Brien concorda com essa observação.

"Garotos de oito anos não fazem isso com garotos de oito anos", ela diz, obrigando-se agora a beber um pouco de suco para combater a tosse que arranha na sua garganta.

"E aqueles dois garotos na Inglaterra? Aqueles que assassinaram um menininho raptado em um shopping?"[1]

"Aquilo era uma dinâmica entre dois garotos. E a vítima era um desconhecido, alguém que eles consideravam o objeto de sua experiência. Estamos falando de *sete* crianças aqui — três garotos e quatro meninas —, *todos* participando. E a vítima era amiga deles."

"O que as crianças estão falando sobre isso?"

"Ninguém se lembra de nada, exceto do ato em si. Com relação ao porquê, todos dão a mesma explicação."

"Qual é?"

"'Toby me disse para fazê-lo.'"

O aposento gira. Um carrossel engordurado de laranjas e vermelhos plastificados.

---

[1] Referência ao caso de James Bulger, assassinado em 12 fev. 1993, quando tinha 2 anos de idade, por dois garotos de 10 anos.

Toby. Aquele que foi visitar Tess, vindo do Outro Lugar. Aquele que tem uma mensagem para mim. *Um garoto que não é mais um garoto.*

"Quem é Toby?", consigo perguntar depois de fingir ter engasgado com alguma coisa.

"Boa pergunta. Ninguém sabe."

"*O que* eles sabem sobre ele?"

"Todas as crianças disseram que ele era novo na cidade, alguém que não ia à escola deles, mas que apareceu naquela tarde e conversou com eles. E dentro de dez minutos, Toby os deixou convencidos de que deveriam destroçar o coleguinha."

"A polícia está procurando por ele?"

"Claro. Mas eles não têm pistas. Acha que vão conseguir?"

"Não."

"Porque..."

"Porque não há qualquer Toby. Ou, pelo menos, não há mais qualquer Toby."

O'Brien e eu ficamos nos olhando por sobre a mesa. Um reconhecimento silencioso passa entre nós. Se um de nós estava louco antes, agora os dois estão.

"As crianças deram alguma descrição de Toby?", perguntei, pegando dinheiro para pagar a conta.

"Outra coisa estranha. Nenhuma delas conseguiu dar detalhes físicos suficientemente precisos, então não foi possível fazer um retrato falado. Mas eles estão seguros em relação à sua voz. Vinha de um garoto, mas usava palavras de adulto. *Soava* como um adulto."

"O tipo de voz à qual você não consegue dizer não", digo.

"É, já ouvi uma dessas."

Dirigimos pela rodovia interestadual I-10 até Jacksonville, quatro pistas inchadas por cascalho empilhado para evitar que alguém afunde no pântano ou se embrenhe na floresta que existe dos dois lados da estrada. Depois pegamos a I-95 para o sul, passando por inúmeras saídas para resorts, "oportunidades" para a aposentadoria e ofertas de bufê da rede Early Bird, com o Atlântico a alguns poucos quilômetros ao leste.

Isso inclui o que resta de hoje.

E eu ainda nem sei o que devo fazer. Onde vou encontrar o Inominável.

É por isso que, fora as pausas para abastecer e usar o banheiro, não paramos até chegar a Júpiter. Dirigimos pela cidade até sermos parados pelo oceano, um acontecimento muito alardeado, e duvidado, ondas marrons a rolarem na areia. Estacionamos, e O'Brien, sem dizer uma palavra, sai do Mustang, chuta os sapatos e começa a andar em direção à agua, em um passo teso, que contemplo sentado no capô do carro. O ar chega como uma colônia agradável de água salgada e algas, e está sempre presente, dentro ou fora do carro, o bafo distante de fritura.

O'Brien entra na água sem tirar qualquer peça de roupa, sem enrolar as pernas das calças. Ela se move com dificuldade, como alguém que não pretende sair da água. Penso que deveria ir até lá, para o caso de ela ter alguma dificuldade, ficar presa na contracorrente ou simplesmente deslizar para baixo da superfície. Mas então ela para, com a água na altura do peito, cada onda a levantando e pousando de novo, com os pés no fundo, a espuma massageando seu corpo.

Ela leva algum tempo para voltar ao carro. Ensopada, as roupas agora penduradas, revelando sua magreza, de tal modo que ela parece alguém que acaba de nadar para a praia depois de dias no mar agarrado a um resto de naufrágio.

"Esta é a última vez em que vou sentir o mar", ela diz, assim que se senta ao meu lado.

"Não diga isso."

"Não estou sendo dramática. Eu apenas escutei as águas, e foi o que elas me disseram. Foi reconfortante, de verdade. Uma despedida de velhos amigos."

Eu quero negar isso — que seja isso que está acontecendo com ela enquanto tomamos sol depois de uma longa jornada, que ela esteja morrendo mesmo agora neste instante de um prazer quase esquecido —, mas ela tem razão, e agora não é hora para um consolo inútil. Então, quando estou prestes a ir até a mala do carro pegar uma toalha roubada depois da limpeza precipitada e incompleta do hotel na última noite, O'Brien me segura pelo pulso.

"É possível que não consigamos. Você sabe disso, não sabe?"

"Isso nunca se afasta da minha mente."

"O que estou dizendo é que aquilo que enfrentamos é mais forte que nós, David. É anterior a tudo, quase onisciente. E o que nós somos?"

"Um par de ratos de biblioteca."

"Perfeitos para serem esmagados."

"Isso é um papo encorajador? Se for, não está funcionando."

Em vez de rir, O'Brien aperta meu pulso com mais força.

"Andei ouvindo uma voz, também", ela conta. "Começou depois que você voltou de Veneza, mas nos últimos dias, na estrada com você — até mesmo nas últimas vinte e quatro horas —, tornou-se mais nítida."

"É o...?"

"Não é o Inominável. É alguma coisa *boa*, apesar de tudo. E ainda que eu chame de voz, não fala comigo. Ela me *ilumina*. Parece ridículo, eu sei, mas é a única maneira de explicar."

"E o que ela está lhe dizendo?"

"Que qualquer coisa pode ser suportada quando não se está sozinho."

Ela me dá um beijo no rosto. Enxuga as marcas molhadas que deixa na minha pele.

"O Demônio — aquele com o qual estamos lidando, pelo menos — não entende o que você sente por Tess", diz O'Brien, em algo que é um pouco mais que um sussurro. "Ele *pensa* que entende o amor. Decorou todas as falas, leu todos os poetas. Mas é apenas uma imitação. Esta é nossa única — e bem superficial — vantagem."

"Foi isso o que essa sua voz disse?"

"Mais ou menos."

"Por acaso ela mencionou como nós podemos usar essa única, muito superficial, vantagem?"

"Não", responde O'Brien enquanto desliza da frente do carro para tiritar no calor escaldante. "Até agora não deu nem uma porra de um pio sobre isso."

A Escola Primária Júpiter é um prédio baixo, de tijolos amarelos, com a bandeira dos Estados Unidos, pendendo de seu mastro na zona de parada ("LIMITE 5 MIN. INFRATORES SERÃO REBOCADOS"). O próprio retrato da normalidade americana. E também, cada vez mais, pano de fundo para que os repórteres da TV relatem histórias de horror inexplicáveis. O solitário com a bolsa de náilon cheia de armas. O bilhete de despedida do garoto perseguido pelos colegas. O rapto na volta para casa.

Aqui, algo um pouco diferente. Algo que faz menos sentido ainda.

Há alguns carros de estações locais estacionados na rua, ainda que inicialmente, quando encostamos no meio-fio, as câmeras não estejam à vista. Mas então soa o sinal da escola. Ao mesmo tempo que as portas se abrem e as crianças saem arrastando os pés, exauridas depois de um dia repleto de conselhos sobre luto e tristes assembleias no ginásio, as equipes de TV concorrentes surgem do nada, enfiando-se entre pais que aguardam ansiosamente por seus filhos e agitando microfones na cara das pessoas.

Qual era o clima na escola hoje?
Como você está lidando com o que aconteceu?
Você conhecia as crianças que fizeram isso?

E as respostas meio rasas, meio exageradas.

"É como um filme."

"Há muitas pessoas que estão realmente *sofrendo*."

"Eram crianças normais."

Enquanto atravessamos a rua e nos juntamos à multidão que se move em círculos, vou na direção de uma garota que

parece ter oito ou nove anos. Eu me agacho, na postura que sinaliza um adulto amigável, o policial compreensivo. E ela reage como se tivesse sido treinada. Vem direto para mim, como se eu tivesse mostrado um distintivo.
"Sou o policial Ullman", digo. "Só queria fazer uma ou duas perguntas."
Ela olha de relance para O'Brien, que sorri para a menina.
"Tudo bem", ela responde.
"Você conhecia essas crianças que bateram no coleguinha?"
"Sim."
"Você poderia me lembrar do nome do garoto machucado?"
"Lembrar você?"
"Sim", digo, batendo em meus bolsos, fingindo procurar um bloco de notas. "Minha memória não é mais aquela."
"Kevin."
"Kevin *de quê*, docinho?"
"Lilley."
"Certo! Agora, sabe essas crianças da sua turma que machucaram o Kevin? Você se lembra de elas falarem de um garoto chamado Toby?"
A menina junta as mãos e as segura junto do corpo. Um gesto de vergonha. "*Todo mundo* falava com Toby", conta.
"Como ele era?"
"Como nós. Mas diferente."
"Diferente em que sentido?"
"Ele era só. Ele não ia à escola. Fazia o que queria."
"Algo mais?"
Ela pensa sobre isso. "Ele tinha um cheiro estranho."
"Ah é? Como o quê?"
"Como algo de dentro da terra."
Suas narinas se abrem à lembrança do cheiro.
"Ele lhe disse coisas?", pergunto.
"Sim."
"Coisas ruins?"
Ela desvia o olhar. "Não. Mas elas faziam a gente se *sentir* mau."

"Você se lembra de alguma das coisas que ele disse?"

"Na verdade, não", ela responde, seus braços rígidos com o esforço de buscar as palavras certas. "É como se ele não falasse. Ou como se a gente estivesse falando sozinho."

A menina olha para O'Brien de novo. Começa a chorar.

"Calma. Está tudo bem", digo, aproximando-me da menina para segurá-la. "Não é..."

"Não *toque* nela!"

Eu me viro e vejo um homem caminhando pelo gramado da escola. Um cara enorme, irritado, em uma blusa do time de futebol americano Miami Dolphins extra-extragrande. O tecido turquesa balançando ao ritmo dos braços dele.

"Não há necessidade..." começa O'Brien, mas ela deixa a frase incompleta. Como poderia acabar? *Não há necessidade de arrebentar a cara do meu amigo.*

A menina corre para o pai. Ele a pega e se aproxima de mim com um olhar ameaçador. Agora, outros pais e crianças estão olhando na nossa direção, chegando mesmo a se aproximar um pouco para ver melhor.

"Quem são vocês?", ele pergunta.

"Jornalistas."

"De onde?"

"Do *Herald*", ocorre a O'Brien.

O pai olha para ela, depois para mim. "Já falei com o cara do *Herald*", ele diz. "O que faz de vocês um par de mentirosos nojentos."

Não discutimos com ele sobre isso. O'Brien não está em condições de evitar o que viria depois disso, e eu nem consigo pensar em uma maneira de levantar e me colocar fora do alcance de seus pulsos e pés com rapidez suficiente para evitar os golpes. Nós três ficamos parados, em aceitação mútua do inevitável.

Neste momento eu percebo que estava errado sobre o porquê da raiva do homem. Ele não está com raiva de nós porque falamos com sua filha. Na verdade, ele nem está com raiva.

Ele está apavorado com o que sua filha pode ter falado sobre Toby, o garoto que não existe. O garoto que disse a ela e a seus colegas para sonharem com a coisa mais terrível que pudessem fazer, e então que a fizessem.

"Minha filha sumiu", eu digo ao homem, baixo o suficiente para que apenas ele e a menina ouçam. Isso o deixa ainda mais paralisado. "Estou procurando minha garotinha."

Algo em seu rosto mostra que não somente ele acredita em mim, como percebe que minha busca tem algo a ver com Toby, com a agressão na pracinha e com as coisas que ele não entende por que desabaram em seu mundinho outrora bom. Ele percebe, apesar de nem vagamente entender isso. E é por isso que ele puxa sua filha para ainda mais perto dele e se afasta.

Isso me permite voltar para o Mustang, com O'Brien logo atrás. Os rostos dos pais, das crianças e dos repórteres de laquê assimilando nossa retirada, com a gratidão daqueles que sabem que, não importa o quão ruins as coisas estejam, sempre há *alguém* para quem elas estão piores.

Talvez porque O'Brien se pareça mais com um paciente que a maioria dos pacientes, foi fácil entrar no pavilhão principal da enfermaria do Centro Médico de Júpiter, perguntar pelo número confidencial do quarto de Kevin Lilley, assegurar que somos parentes e receber a indicação do caminho para a cama do mais famoso paciente de UTI da Flórida.

Dali para o terceiro andar, nós dois especulamos, no elevador, sobre o que descobriríamos de um garoto em coma.

"Uma marca, talvez", sugere O'Brien.

"Tipo 666? Um pentagrama?"

"Não sei, David. Foi você que nos trouxe aqui. O que você está procurando?"

Outro sinal. O último.

"Vou saber quando encontrar."

Nossa sorte continua. Ao chegar ao quarto de Kevin, não encontramos os pais segurando sua mão nem visitantes em volta. Uma enfermeira trocando sua alimentação intravenosa explica que eles saíram há alguns instantes, para passar a noite em casa.

"Vocês não estão com eles?", ela pergunta.

"Somos de Lauderdale",[2] responde O'Brien, como se isso eliminasse todas as dúvidas que alguém pudesse ter sobre nós.

Logo depois ela nos deixa sozinhos com Kevin e suas máquinas, apitando e resfolegando. Um garoto tão inchado e sem cor que parece estar usando uma segunda pele, que ficou pequena para ele e em breve vai se soltar, revelando o novo menino por baixo. Sua cabeça é o aspecto mais preocupante. O crânio envolto em uma complexa combinação de toucas e gaze, que protegem seu cérebro nos lugares onde o osso foi quebrado. Mas o mais difícil de olhar são suas pálpebras. Espessas e brilhantes como linóleo.

"Kevin?"

O'Brien me surpreende ao se dirigir antes ao garoto. No caminho, ela dizia achar que vir aqui não serviria para muita coisa, e ela pode ter razão. Mas sua piedade pela criança faz com que ela busque o contato. Chegar até ele, em um lugar tão distante e desconhecido como seja lá onde for que Tess está.

As máquinas apitam. Kevin respira, os tubos em suas narinas sugados como canudos em um copo vazio. Mas ele não escuta.

"Por quê?", sussurra O'Brien, enxugando as lágrimas.

Para provar que eles estão entre nós. Que eles sempre estiveram entre nós.

"Eu não sei", respondo.

"Fomos trazidos para cá para ver isso?"

A corrupção do homem. O maior feito deles. Uma obra de arte em andamento.

"Eu não sei."

O'Brien vai até a janela. As nuvens do fim da tarde se reúnem como pensamentos confusos no horizonte do oceano.

---

2   Cidade ao norte de Miami.

Em algumas horas estará escuro, e o hospital será supervisionado pela reduzida equipe noturna. E Kevin estará aqui, sozinho com um amontoado de cartões "Melhore Logo" na mesa lateral e um buquê de balões flácidos na beirada da janela.

"Você não me conhece", sussurro para ele, indo para a lateral da cama. "Mas Toby também falou comigo." Parte de mim — a parte insensata, que fica mais audaciosa em seu raciocínio infantil, mágico — espera que isso extraia uma reação do garoto. Porque essa busca na qual o Inominável me lançou tem seu centro em mim, então eu sou a chave para todas as fechaduras. Mas a verdade é que todo mundo perde alguém sem o qual eles acham impossível viver. Todos nós temos um momento como este, quando acreditamos que nossa prece dirigida aos céus, nosso melancólico sortilégio, vai produzir um milagre.

"Kevin? Eu sou o homem que Toby mencionou a você", falo, inclinando-me junto ao seu ouvido, a pele cheirando a antisséptico. "Eu tenho uma garotinha, não muito maior que você. Algo ruim também aconteceu com ela. É por isso que eu vim de muito longe para ver você."

Nada. Talvez até menos que nada. Sua respiração soa mais baixo aqui, tão próximo a ele. Sua conexão com a vida algo mais silencioso do que parecia inicialmente.

Então eu toco nele.

Coloco minha mão sobre a sua e a ergo um centímetro. Seguro-a sem apertar. Empresto a seu antebraço o movimento simples que provavelmente ele nunca mais fará sozinho.

Mas quando eu interrompo o movimento, a mão não para.

Um dedo. O indicador, estendendo-se quase reto para me apontar.

Eu me inclino mais para perto. Minha orelha quase tocando seus lábios. Perto o bastante para ouvir a voz de Kevin. Tão fraca que só alguém que há muito tempo memorizou os versos poderia ouvi-los como eles são.

Enquanto ele forma as palavras — hesitante, lutando para lembrar a sequência exata —, percebo que Kevin também as memorizou. É algo que Toby pediu que ele fizesse, e, para manter viva sua esperança de nadar para a luz, ele está sendo o melhor pupilo que pode.

Uma horrível masmorra, todos os lados redondos
Uma enorme fornalha flamejava, mas dessas flamas
Nada de luz, antes escuridão visível[3]

Seu nariz suga os tubos com um puxão ligeiramente mais forte por um minuto, uma recuperação quase silenciosa de seu esforço. Ele volta, então, para o dorme-não-dorme.

O'Brien põe a mão no meu ombro. Quando me endireito, noto que ela não ouviu o que eu ouvi.

"Precisamos ir", ela diz.

Ela vai em direção à porta, mas eu me demoro um pouco. Volto para a cabeceira da cama e sussurro palavras de um livro diferente no ouvido de Kevin.

Ainda que eu seja sitiado por um exército,
meu coração não terá medo.[4]

---

3   Livro l. No original: "A dungeon horrible, on all sides round/ As one great furnace flamed, yet from those flames/ No light, but rather darkness visible".
4   Salmo 27, do Livro dos Salmos, Velho Testamento.

– O –
DEMONOLOGISTA
ANDREW PYPER

CAPITULUM 20

Depois de sairmos do hospital, conto a O'Brien sobre o que Kevin recitou. Ela não pergunta o que eu acho que significa, para onde nos aponta agora. Ela apenas assume o volante, e rolamos pelas ruas ladeadas de palmeiras de Júpiter, um mundo de estacionamento prático e sinalizações gigantescas. Poucos andam nas ruas. Busco encontrar alguém entrando ou saindo dos carros, mas nunca consigo. Suas expressões humanas reduzidas às piadas sem graça das placas personalizadas dos veículos.

"Estou cansada", anuncia O'Brien. Ela parece. Um cansaço mais que cansaço, algo que vai até os ossos. Ao olhar para ela, eu me dou conta de que a nova visão que ela tem do mundo é mais responsável por tirar a cor de seu rosto que sua doença.

"Vamos voltar para o hotel", afirmo. "Você precisa descansar."

"Não há tempo."

"Apenas deite por meia hora. Não haverá problema."

"O que você vai fazer?"

"Continuar dirigindo por aí."

Depois de deixar O'Brien, vou direto para um destino que não tinha em mente. A pracinha. O local onde sete crianças derramaram o sangue de outra na areia dos balanços.

Não há ninguém. É a hora de escovar os dentes. Minha parte favorita do dia com Tess. O ritual de banho, pijama e livro. Uma sucessão de confortos que eu podia proporcionar com segurança noite após noite. Por meio de nada mais que essas simples repetições, eu conseguia tornar as coisas melhores.

Não esta noite. Seja onde ela estiver, ela está fora do meu alcance. Para além de ouvir um sussurrado "Era uma vez..." ou a canção "You are my Sunshine".

Mas canto para ela de qualquer modo. Sento em um dos balanços e luto para não desafinar. Uma canção de ninar imperfeita no crepúsculo.

You make me happy when skies are gray...

Um garoto caminha sobre o gramado.

Ele tem a mesma idade de Kevin Lilley e seus colegas. Um garoto de boa aparência com cabelo um pouco comprido e uma camiseta pequena com a imagem da língua de fora dos Rolling Stones, sobre fundo preto. Ele se move de maneira incerta, rígida, como se tivesse acabado de acordar depois de dormir muito tempo em uma posição desconfortável.

O garoto senta no balanço ao lado do meu. Olha para seus pés. É quase como se ele não tivesse percebido que estou aqui.

"Você é Toby."

"Eu era."

"Mas você está morto agora."

Isso parece confundi-lo. Então, quando ele consegue entender, assume uma expressão de dor lancinante antes de se recuperar, simplesmente desanimado.

"Eu pertenço a ele", diz.

"Quem é ele?"

"Ele não tem um nome."

"Há uma garota com você, no lugar onde você está?", pergunto. "Uma garota chamada Tess?"
"Há muitos de nós."
"Isso é o que ele mandou você dizer. Mas você sabe mais do que isso, não é? Conte-me a verdade."
Ele fica mudando de posição, fazendo caretas, com se tivesse engolido uma faca e estivesse tentando, em vão, encontrar a posição menos dolorosa para sentar.
"Tess", ele diz. "Sim. Eu falei com ela."
"Ela está no mesmo lugar que você?"
"Não. Mas ela está... perto."
"Você pode encontrá-la agora?"
"Não."
"Por que não?"
"Porque ela não *deve* ser encontrada."
Aperto os olhos. Esfrego uma manga molhada sobre meu rosto.
"O que aconteceu com você, Toby?" pergunto. "Quando você estava vivo."
Ele chuta um pouco de areia com a ponta dos pés.
"Havia um homem que me machucava", ele responde.
"Quem?"
"Um amigo... que não era um amigo."
"Um adulto?"
"Sim."
"Machucava você como?"
"Com as... mãos. As coisas que ele fazia. As coisas que ele dizia que faria se eu contasse."
"Sinto muito."
"Eu tinha de fazer aquilo parar, só isso. Minha mãe tinha esses comprimidos. Eu tinha de fazer aquilo *parar*."
Ele me olha. Apenas um garoto. Indescritivelmente assustado, que se despedaçou antes de ter uma chance de ser completo.
De repente, o rosto de Toby fica imóvel. Sem qualquer alteração física, sem a metamorfose que eu vi nos rostos

dos outros que foram possuídos pelo Inominável, a parte Toby do garoto se esvai, ficando apenas uma casca. Um garoto que já foi humano sentado em um balanço, sem vida de uma maneira além da morte.

Então ele volta a se mexer.

Os olhos giram e se fixam em mim. Quando fala, é com a voz que eu conheço tão bem agora que parece uma parte de mim, emanando de dentro de minha própria cabeça, como dizem que obturações metálicas podem captar ondas de rádio em seus dentes.

"Olá, David."

"Eu sei quem você é."

"Mas você sabe meu nome?"

"Sim."

"Diga-me."

"Diga você mesmo."

"Aí não seria um teste, seria?"

"Você não o diz porque não pode."

"Seria um erro presumir que sabe o que eu posso e não posso fazer."

"Você precisa que eu reconheça você."

"É mesmo? E por quê?"

"Se eu pronunciar seu nome, darei a você a substância de uma identidade, ainda que superficial. Quando você recebe um nome, pode fingir ser mais totalmente humano."

O garoto franze a cara ao ouvir isso. E, apesar de ser a expressão de uma criança petulante, que seria quase risível em outro contexto, ela é suficiente, nesse garoto, para fazer o coração disparar.

"Tess está chorando, David", diz. "Você consegue ouvi-la?"

"Consigo."

"Ela não acredita mais que você chegará. O que significa que ela me pertencerá quando vier a Lua..."

"Não!"

"*DIGA MEU NOME!*"

Desta vez, a voz revela o ódio, seu verdadeiro caráter. As palavras passam pelos lábios rachados de Toby em bolhas brancas de saliva.

"Belial."

Este sou eu. O nome do demônio escapa de meus lábios e voa pelo ar como uma criatura alada que estava escondida dentro de mim e agora, com pressa, volta para seu guardião.

"Estou muito satisfeito", diz o garoto. E *está* satisfeito, a voz voltou ao que era antes. Um sorriso vago faz sua boca se escancarar, como se puxada por anzóis invisíveis. "Quando você chegou a essa conclusão?"

"Acho que uma parte de mim sabia desde que ouviu você falar por meio de Tess, em Veneza. Demorou todo esse tempo para que eu confirmasse. Aceite isso."

"Intuição."

"Não. Foi a sua arrogância. Suas pretensões de civilidade. Uma sofisticação de araque."

O garoto sorri de novo. Não com prazer, desta vez.

"É tudo?"

"E sua retórica", prossigo. Incapaz de parar de querer prender a atenção dele. "Você era o grande articulador do Conselho Estígio.

Pelo outro lado elevou-se
Belial, em gesto mais gracioso e humano;
Ninguém tão belo parecia ter perdido o Paraíso;
Feito com tamanha dignidade e bravura:
Mas tudo era falso e vazio[1]

"A voz elegante que acalmava o raivoso apelo às armas de Moloch, ao argumentar que se deveria esperar que a cólera de Deus se amainasse antes de armar um ataque surpresa ao

---

1 Livro II. No original: "On the other side up rose/ Belial, in act more graceful and humane;/ A fairer person lost not Heaven; he seemed/ For dignity composed and high exploit:/ But all was false and hollow."

paraíso. *Nosso Supremo Adversário pode com o tempo suspender/ Sua cólera, e talvez, ainda que bem à frente/ Não se importar que não cometamos ofensa.*² Adorador da fama e da erudição vazia. *Ainda que agradasse os ouvidos... seus pensamentos eram vis.*³ Este é o significado de seu nome, no fim das contas. Belial. *Sem valor.*"

O rosto do garoto ficou rígido de novo. Inalterável, imóvel. Ainda que seus pés raspem a terra embaixo do balanço. Para a frente e para trás, devagar, obrigando a mover a cabeça para segui-lo. Um pêndulo estonteante.

"Você e John têm muito em comum", diz.

"Estudei a obra de Milton. Só isso."

"Você se perguntou o *por quê* de ter sido tão atraído por ela?"

"Toda arte merece ser estudada."

"Mas é muito mais do que isso! Ele é o autor do mais eloquente registro da dissidência da história. Rebelião! É por isso que, em seus versos, John apresenta um argumento tão complacente para com meu mestre. Ele está do nosso lado, ainda que secreta e inconscientemente. Assim como você."

"Você está errado. Nunca prejudiquei ninguém."

"Não se trata de *prejudicar*, David. Violência, crimes — estes são o detrito do mal, questões menores comparadas àquelas do espírito. E o que você e John compartilham é o espírito de resistência."

"Resistência a quê?"

O garoto não responde. Fica se balançando para a frente e para trás sem dar impulso com as pernas, sem tocar no chão, sem tirar seus olhos dos meus. As correntes rangendo na repetição de uma mágoa infligida sempre da mesma maneira.

"Em toda a sua vida adulta você estudou religião, cristianismo, os atos dos apóstolos — e ainda assim não acredita em Deus", prossegue depois de um tempo, fazendo nova pausa.

---

2   Livro II. No original: "Our Supreme Foe in time may much remit/ His anger, and perhaps thus far removed/ Not mind us not offending".
3   No texto original de Milton, a ordem é invertida.

Não, mais que uma pausa. Um buraco aberto no tempo. Um retorno.

Há um instante nós dois estávamos sentados em balanços de lona em uma pracinha em um subúrbio da Flórida. Agora, ao erguer a vista, percebo que, apesar de permanecermos nos balanços, imediatamente depois de nosso quadrado de areia está a floresta. As árvores estéreis, próximas demais umas das outras, morrendo da falta d'água, impossível de ser retirada da terra salpicada de cinzas. Olho por entre os troncos, mas a única coisa a ver são mais árvores curvadas, o chão plano e sem fim. É uma visão dos bosques na margem mais afastada do rio, que meu irmão e eu temíamos quando éramos crianças. Intocada pelo ar, pelo canto dos pássaros ou qualquer outra voz, exceto a do garoto, sussurrando as Escrituras em minha cabeça.

Então o Senhor disse a Satanás: "Donde vens?"[4]

Não consigo ver, mas sei que algo observa por entre as árvores. Uma densidade tão forte que faz o ar se curvar, uma espécie de gravidade lateral que puxa e distende tudo em volta. Não comunica nada por meio de seu silêncio inchado, apenas privação, interminável e insaciável. Este é o território por onde ele vaga, sem cessar. Magoado e faminto.

Então Satanás respondeu ao Senhor, dizendo:
"De dar a volta pelo mundo, e de passear nele."[5]

Meus olhos se voltam para a areia do parquinho. Tento mantê-los ali. Não deixar nada passar, exceto as palavras do garoto, agora ditas em voz alta.

"Por que não?", diz, continuando como se tivesse parado o tempo e, agora, ligado de novo. "Porque você não pode aceitar a noção de sua bondade absoluta! Você sofreu muito, à sua

---

4   Na Bíblia, Livro de Jó, 1:7 e 2:2.
5   Idem.

maneira — com sua melancolia —, para servir sem questionar um Senhor sempre amoroso, sempre tirânico. A bondade dele é outro nome para Autoridade, uma ordem por escrito de um pai ausente. Sua mente crítica não lhe dá outra chance a não ser ver isso. E, nisso, você me faz pensar em John."
O garoto olha para o céu. De início eu me sinto grato por não ter mais os olhos dele pousados em mim. Mas então ele fala com a voz de outro — sua voz verdadeira, um sibilar úmido e odioso — e percebo que é isso, não seu olhar, que jamais esquecerei. Essa voz, recitando o poeta, vai narrar o que resta dos pesadelos na minha vida.

Fazer o bem absoluto nunca será nossa tarefa,
E fazer sempre o mal, nosso único gozo,
Por ser contrário à alta vontade
Daquele a quem resistimos.[6]

Ao acabar, o garoto olha para mim de novo. Novamente a voz que ele escolheu para falar comigo.
"Resistência intrépida. É isso que nos une, David."
"Eu não estou com vocês."
"Está sim!", grita o garoto antes mesmo que eu pronuncie a última palavra. "Você sempre soube disso. John estava conosco desde o princípio, assim como você."
"É mentira."
"É mesmo? O melhor amigo de infância dele morre no mar. A primeira esposa o deixa logo depois do casamento. Suspenso de Cambridge por discutir com seu orientador. Uma passagem pela prisão por causa de suas opiniões divergentes. Ele, como você e eu — como meu mestre, seu herói mais magnificamente traçado — resistia à servidão. Um rebelde, sensível a todas as perdas e injustiças de sua vida. *Paraíso Perdido* é uma belíssima descrição enganosa, você não acha? Simula

---

[6] Livro I. No original: "To do aught good never will be our task,/ But ever to do ill our sole delight,/ As being the contrary to his high will/ Whom we resist."

justificar os mandamentos dirigidos por Deus aos homens, mas na verdade é uma justificativa para a independência, a liberdade. Foi, em seu tempo, a melhor obra do que se pode chamar de propaganda demoníaca. Minha obra-prima."
"*Sua* obra-prima?"
"Toda poeta tem sua musa inspiradora. Eu fui a inspiração de John. Mais do que isso. Eu dei as palavras para ele. Ele apenas assinou seu nome."
"Sua arrogância deixou você cego."
"Cego! John estava cego quando escreveu seu poema! Você esqueceu? Foi quando ele pediu ajuda. Ele implorou à escuridão que o cercava que lhe desse inspiração. E eu apareci. *Sim!* Eu apareci e sussurrei minhas palavras doces em seu ouvido."
O Diabo mente, David.
"Babaquice."
"Não seja grosseiro, professor. Obscenidade é uma prova na qual você não pode me vencer."

Na borda do quadrado de areia dos balanços, um par de gaivotas disputa o que parece, à primeira vista, uma pilha de ossos de galinha. As pequenas costelas, o pequeno crânio. Não estava ali antes. Não são ossos de galinha.

Os pássaros bicam os olhos um do outro, atacam a parte de trás do pescoço, arrancando e rascando penas e carne. As árvores se aproximam para ver os primeiros pingos de sangue.

Toby ergue a mão e a balança no ar. As gaivotas partem. Seus guinchos se juntam a outros que vêm da floresta.

"Eu sei o que você está pensando", diz o garoto. "Se eu era a voz nos ouvidos de John, por que ele teria nos retratado de maneira tão desfavorável? Você sabe qual é a resposta, professor. Ele estava limitado por sua época. Elogiar abertamente Satã e seus anjos caídos teria sido ilegal, impossível. Então ele nos nomeou como os antagonistas do poema, enquanto claramente mostrava sua simpatia por nós. Responda-me. Quem é o verdadeiro herói do poema? Deus? Adão?"

"Satã."

"Como você mesmo argumentou, repetida e apaixonadamente, em suas admiráveis dissertações."

"Simplesmente um argumento acadêmico."

"Você não acredita nisso! Senão, por que devotar sua vida a essa opinião? Por que se importar em convencer seus colegas e doutrinar seus alunos no que, na época de John, seria chamado de blasfêmia? É porque você está conosco, David. E você está longe de estar sozinho."

Seu discurso — a lógica tortuosa de sua retórica — é tão desorientador que eu mantenho os olhos baixos, para ter certeza de que meus pés estão no chão, mantendo-me no lugar. Mas o que é "chão" aqui? O que é "manter"? Basta olhar novamente para o garoto, a sensação de movimento volta. Mareado em terra firme.

"Por que Tess?", pergunto, engolindo em seco. "Por que eu?"

"Eu a mantenho comigo para que você se concentre. Todo poeta — todo contador de histórias — precisa de motivação."

"É assim que você me vê?"

"O que você chama de documento é a prova de nossa existência. Mas você, David, é o meu mensageiro. E a mensagem é o seu testemunho. Tudo o que você viu, tudo o que você sentiu."

Não é o fato de eu estar num balanço que me faz sentir tão tonto. É o mundo inteiro, o jardim murcho, que está girando.

"Você vai deixar que eu a veja? Que fale com ela?"

"Este ainda não é o fim da sua jornada, David."

"Então diga-me para onde ir."

"Você já sabe."

"Diga-me o que fazer."

"Deixe a mulher para trás. Complete sua peregrinação."

"Porque no fim os errantes encontrarão o caminho até você."

"Não é sua capitulação que eu busco! Não quero escravizá-lo, e sim libertar você. Não entende? Sou sua inspiração, como fui a de John."

Parte de mim sabe que há fragilidade no argumento dele. Mas não consigo captar a substância do que ele diz, como algo que comi e que fica no meu estômago, pesando e sem me alimentar. Não tenho outra escolha senão continuar falando, continuar perguntando. Tentar não pensar na coisa faminta no bosque, que, mesmo sem olhar, sei que saiu para se mostrar. Aproximando-se.

"Propaganda", digo. "É assim que você vê o documento, certo? É assim que você me vê. Posso defendê-lo onde você não pode se defender por sua conta."

"A guerra contra o paraíso nunca foi travada no inferno, nem na Terra. O campo de batalha está em todas as mentes humanas."

"*A mente tem seu próprio lugar, e neste/ Pode fazer do inferno um paraíso, do paraíso um inferno.*"

"John viu isso. Assim como o outro João."

"O Apocalipse de São João."

"Um livro que não deve ser levado muito ao pé da letra."

"Qual é a sua interpretação?"

"O Anticristo virá portando armas de persuasão, não de destruição", diz o garoto, cada vez mais alto e com mais firmeza. "A Besta não se erguerá das águas, mas de dentro de vocês. De cada um de vocês, um de cada vez. E de uma maneira adequada a suas próprias dúvidas, frustrações. Sua dor."

"Você está travando uma guerra."

"Uma cruzada!"

O garoto abre sua boca como para rir, mas nenhum som sai. É uma habilidade que o Toby original possuía, mas que aquele que agora ocupa seu corpo ignorava.

"O apocalipse é uma visão do futuro do homem", afirmo, com rapidez. "Mas Mateus propõe uma visão do *seu* futuro. *Que tens a ver conosco, Filho de Deus? Vieste aqui para nos atormentar antes do tempo?*[7] Sua cruzada vai fracassar.

---

7   Evangelho segundo São Mateus, 8:29.

Foi previsto. *O tempo.* Vocês estão destinados a morrer no lago em chamas."

O garoto pisca ao ouvir isso. Subitamente, seu semblante se escurece, como se ele fosse chorar. Pela primeira vez, o garoto parece realmente um garoto.

"Há muito a fazer antes disso", afirma.

"Mas vai acontecer. Você não nega isso."

"Quem vai negar a ordem do Pai Celestial?", cospe o garoto.

"Vocês vão perder."

"Eu vou morrer! É isso que tenho em comum com você, com toda a humanidade. Todos nós carregamos o conhecimento de nossas próprias mortes. Mas Deus? É claro que *ele* continua! Eterno. Indiferente. A bondade pura é fria, David. É por isso que eu abraço a morte. Por isso eu abraço você."

Por um terrível momento eu temo que ele esteja prestes a me puxar para ele. Tento ficar de pé e ir para longe de seu alcance, mas continuo sentado imóvel no balanço, as mãos brancas de tanto apertar as correntes.

Mas o garoto não tenta me agarrar. Ele mostra mais uma vez seu sorriso vazio.

"Eu espero que você tenha apreciado meu presente."

"Não sei a que você se refere", digo, mas, no mesmo instante, compreendo.

"O homem que estava desfrutando de sua esposa de uma maneira que você talvez nunca tenha imaginado. Não se preocupe. O professor Junger nunca mais dará prazer a quem quer que seja."

O garoto dá um sorriso irônico.

Vai ser um dia quente, ele fala na voz de Will Junger.

Em algum lugar, não longe dali, o ruído surdo e o arranhar de algo pesado se movendo entre as árvores mortas. Talvez muitas coisas, ainda que com uma única mente.

"Deixe ver se entendi", falo, na esperança de que uma nova pergunta possa apagar o horrível formato da boca

escancarada do garoto. "Você me considera um cruzado? Para você? Para seu mestre?"
"Os tempos mudaram desde que John escreveu o poema", sussurra o garoto em uma tristeza nostálgica. "Estamos vivendo na Era do Documentário. As pessoas exigem veracidade. A verdade sem intermediários. Não é mais a época para o poema nos defender, e sim as provas. Mas só isso não basta. Precisamos de você, David. O relato pessoal. Uma voz humana, falando por nós."
"Afirmando que há demônios de verdade no mundo."
"É uma história antiga", ele diz, pulando do balanço. "E também é verdadeira."
O garoto começa a se afastar. O espaço entre nós enrijecido pelo frio que ele deixa em seu rastro.
"Eu o farei! Por favor! Apenas a deixe ir!"
Ergo meus olhos, e a floresta escura sumiu. Há apenas uma pracinha limitada por uma cerca de correntes e, além dela, casas humildes com as cortinas fechadas. O zumbido rouco dos aparelhos de ar-condicionado lembra um coro gregoriano.
O garoto se volta. Ainda que nada tenha mudado de forma visível em sua expressão, a potência de sua ira pode ser sentida com mais força agora, a uma curta distância, o véu de seu encanto levantado para mostrar algo mais próximo de sua verdadeira natureza. A vívida agonia de uma lâmina partindo o nervo. Um odor rançoso de putrefação.
Como algo de dentro da terra.
"Você tem uma última descoberta a fazer. Uma última verdade. A sua verdade, David."
O garoto vai caminhando. Continua me olhando, mesmo de costas para mim. Uma criança cuja sombra se estende longamente pelo gramado, como a de uma enorme besta.

O DEMONOLOGISTA
ANDREW PYPER

CAPITULUM 21

Só depois de cruzarmos a divisa entre a Flórida e a Georgia é que O'Brien se arrisca a perguntar por que estou tão seguro de que Toby nos tenha direcionado para o Canadá.

"Não foi Toby", explico.

"Então como você sabe?"

"Kevin Lilley me contou."

"David, isso não é *possível*."

"Por que não?"

"Aquele garoto não pode falar."

"Ele falou comigo."

"Bom, eu não ouvi."

"Não era para você ouvir."

Por um instante, o rosto de O'Brien se franze em uma careta de ciúmes. Ela tenta esconder isso de mim olhando para fora da janela, mas eu percebo mesmo assim. Não é possível conquistar as bolsas de estudo, verbas e cadeiras de pesquisadora que ela conquistou sem ser competitiva.

"Belial fez Kevin memorizar algo. Algo que ele conseguiu sussurrar para mim", explico, esperando atrair O'Brien de volta com a isca de uma pergunta implícita. Funciona.
"*Paraíso Perdido*", ela diz. "Que versos?"
"*Uma horrível masmorra, todos os lados redondos/ Uma enorme fornalha flamejava...*"
"*...mas dessas flamas /Nada de luz, antes escuridão visível.*"
"São estes."
"Não entendo. Vamos para uma masmorra? Uma fornalha?"
"Não é a suíte da cobertura."
Explico como, inicialmente, também não havia entendido. Não havia palavra que saltasse aos olhos como destino, nenhuma cidade ou estado velados pela poesia. Ainda que eu tivesse a noção de que, não importa o que fosse, teria de ter alguma relação comigo. O que acabou sendo confirmado pelo adeus de Toby.
A sua verdade, David.
"Se é pessoal para você, então deve ser pessoal para mim, também", devaneia O'Brien. "*Não me conhecer demonstra vossa ignorância.* Lembra?"
"Lembro."
"Como podem duas vidas conduzir à mesma verdade?"
"Não sei. Mas acho que sei onde isso vai acontecer."
Os versos que Kevin recitou falam de Satã inspecionando o inferno, o seu lar. Também sua prisão. Uma masmorra no nome, ainda que não necessariamente em substância, já que é um local frequentemente descrito como um lago em chamas.
"Assim que pensei nisso, percebi que havia entendido."
"Ótimo. Mas eu ainda preciso de alguma ajuda."
"Lago. Fogo. Vivemos em uma cabana por alguns anos, quando eu era criança. Um dos períodos de desemprego inspirado pelo uísque do meu pai."
"Uma cabana *junto ao lago*", diz O'Brien, batendo o punho no painel. "Deixe-me adivinhar. Que pegou fogo."

"Quase isso. Uma cabana junto a um rio. Um rio que deságua no lago Erva-de-Fogo."
"O rio em que seu irmão se afogou."
"Eu nunca contei a você que ele morreu afogado."
"Mas eu estou certa, não estou?"
"Sim."
"Certo", ela diz, sua voz se tornando um sussurro áspero. "Considere-me convencida."

Peço a O'Brien que dirija um pouco e finjo dormir no banco de trás. Na verdade, abro o diário de Tess, a partir de onde parei na última vez. Lendo suas palavras tanto pelo que elas expressam como pelo formato das letras. A mão *dela*, escrevendo *naquelas* páginas. O traço de uma presença que quase posso tocar, quase posso chamar à vida.

Papai sempre me conta coisas de quando eu era criança. Coisas das quais não me lembro porque eu era muito pequena. Mas elas parecem minhas memórias *agora, de tantas vezes que ouvi essas histórias.*

Como esta:

Quando eu não tinha nem dois anos, eu subia na cama com meus pais de manhã cedinho. Meu pai era sempre o primeiro a acordar. Ele tentava deixar minha mãe dormir, então normalmente era ele que me levava ao banheiro e servia meu cereal etc. etc. Ele diz que era sua parte predileta do dia. Mas ele dizia a mesma coisa sobre ler histórias na hora de dormir. E sobre ver meu rosto quando me buscava no jardim de infância. E nós dois sentados no balcão da cozinha comendo sanduíches de atum. E pentear meu cabelo depois do banho.

De qualquer maneira, ele acordava primeiro e eu ficava lá OLHANDO *para ele. A alguns centímetros da cara dele. (Papai sempre dizia que era perto o bastante para sentir meu hálito. Cheirava a quê? Pão quentinho, ele dizia.)*

Eu fazia a mesma pergunta todos os dias:
"Você é feliz, paizinho?"
"Estou feliz agora", ele respondia toda vez.
O engraçado é que eu ainda quero perguntar ao meu pai a mesma coisa. Mesmo agora. Não somente porque estou interessada na resposta. Eu quero ser capaz de fazê-lo feliz só em perguntar. Respirar perto dele, para que ele sinta, e que isso seja o suficiente.

De repente, junto a anotações como esta, algo estranho. Anotações que não têm relação com o que as precede ou as segue. Uma segunda voz, mais poderosa que a primeira, abrindo caminho.

Papai pensa que pode fugir daquilo que o segue. Talvez ele nem veja, ou diga a si próprio que não vê. NÃO IMPORTA. *Está vindo atrás dele do mesmo jeito. Como está vindo atrás de mim.*

Uma vez vi um documentário sobre ursos-pardos. Dizia que, se você esbarrar com um urso-pardo na floresta, nunca deve fugir, e sim ficar firme no lugar. Conversar com ele. Fugir marca você como presa. Como comida.

Aqueles que fogem nunca escapam.

Mas talvez, se encarar o urso, você pode mostrar a ele que não tem medo. Você pode ganhar um pouco de tempo. Encontrar uma maneira de escapar de vez.

Quando chegar a hora, não vou correr. Vou olhar para ele DE FRENTE. *Talvez seja o bastante para dar uma chance a papai.*

Porque se o urso não levar um de nós, levará os dois.

Como Tess soube disso tudo? Como ela pôde ver o que eu tinha escondido tão bem que eu mesmo não conseguia ver? Sempre estive consciente de nossa proximidade, da quantidade de informações não ditas que podíamos transmitir em um olhar sobre a mesa de jantar ou em uma mirada pelo retrovisor do carro. Mas eu não nos achava mais especiais que os mais sortudos pais e filhas igualmente conectados.

No fim das contas, ela conseguia ler sinais muito mais profundos. Como compartilhávamos a dádiva indesejada da melancolia, o fardo da Coroa Negra foi o que acabou abrindo para nós uma porta pela qual outras coisas podiam entrar e sair. As entidades que normalmente atendem pelo nome de espíritos, mas que pesam mais e são deliberadamente mais destrutivas que as frágeis aparições que o termo implica. Seres há muito separados de seus corpos, mas tão ardentes na busca por novas peles que não se importam com o mal que provocam, no fundo até sentem prazer nesse dano, enquanto entram novamente nos vivos por algum tempo. O que eles deixam para trás nunca volta a ser o mesmo, aqueles que andam entre nós, mas cujos olhares passam vazios por nós.

Isso me faz pensar em meu pai. Como aquilo que marca Tess e eu também o marcou. Um homem de luto antes mesmo de perder qualquer coisa, que sofria sem qualquer motivo óbvio para sofrer. Por meio de sua distância de nós, sua família, por meio de suas mudanças constantes de cidade, por meio do álcool, ele tentou fugir do urso que o acossava. E no fim, Tess tinha razão. Aqueles que fogem nunca escapam.

Talvez eu também esteja fugindo desde aquela época. Mas agora acabou.

Ligo para minha mulher de um reservado no banheiro masculino do KFC.

Não que haja algo a dizer — quer dizer, há muito que não pode ser dito —, mas há a compulsão inevitável de tentar. Que eu faça essa tentativa sentado em uma privada com a tampa abaixada, lendo algumas das pichações mais nojentas que eu jamais vi, parece estranhamente adequado.

A voz de Diane. Ela não mudou a gravação desde antes de Veneza, então ainda há uma leveza nessa voz, quase uma promessa de flerte. Seria diferente agora.

Esta é a caixa postal de Diane Ingram. Por favor deixe o seu recado após o sinal.

"Oi, Diane. Sou eu. Não sei se vai dar para ligar depois..." *Depois de quê? Alguma coisa final, seja lá o que for. Então eu deveria pelo menos dizer adeus. Ou talvez seja tarde demais para isso.* "Desculpe. *Merda!* Se você ganhasse uma moeda por cada vez que me ouviu dizer isso, não é? Apenas não há outra maneira de dizer isso, acho. Isso cobre tudo. Tess. Você e eu. Will. Eu soube do acidente e, mesmo que você não acredite, sinto muito por isso também."

A porta do banheiro se abre e alguém entra para lavar as mãos. A torneira aberta até o fim, derramando pingos no chão, que posso ver por baixo da porta do reservado.

"Diane. Escute, há..." começo, abaixando a voz. Mas a ideia de alguém estar escutando o que nem sei o que vou dizer me paralisa. Espero por quem quer que esteja na pia acabe. Mas ele continua. A água caindo na pia. Os pingos formando poças no ladrilho do chão.

"Eu só espero que você encontre uma maneira de ser feliz de novo", sussurro. "Espero que eu também não tenha levado isso."

Também? O que eu quis dizer com isso? Que eu levei sua felicidade, assim como os anos desperdiçados em nosso casamento? Assim como a filha dela?

O sujeito que lava as mãos limpa sua garganta. Solta uma respiração ofegante. Começa a rir.

Abro a porta do reservado de supetão. A água ainda correndo, uma névoa embaçando o espelho. Ninguém ali.

Depois estou no corredor, abraçando a parede para sentir sua fresca realidade contra meu rosto. Visível para aqueles sentados nas mesas de plástico, desenterrando pedaços de galinha de dentro de baldes. Alguns deles olham para mim. Seus pensamentos de *Drogado* ou *Maluco* ou *Não se aproxime, porra* escritos em seus rostos enquanto eles mastigam.

Confiro o celular e desligo. Uma mensagem de quase três minutos. A primeira parte, uma desculpa gaguejada; a segunda, uma torrente de água; para terminar; a risada de alguém morto. *O que Diane vai pensar disso? Ela provavelmente chegará à mesma conclusão dos comedores de coxinhas que me olham agora. Não há como ajudar alguém assim.*

O engraçado é que eu queria confortá-la. Eu queria soar como uma pessoa sã.

Entramos no Tennessee com O'Brien cantando o pouco que lembra de "Chattanooga Choo Choo". Deixamos a Chattanooga real para trás, com os costumeiros hotéis de beira de estrada, fábricas abandonadas e armazéns de estocagem. Há uma cidade de verdade para além dessas ruazinhas distantes. Bairros com famílias sustentadas pelos mesmos afetos ou abaladas pelos mesmos crimes que outros bairros, aqueles nos quais vivemos e, por isso, consideramos mais reais. Pessoas que, pelo que sei, devem estar levando adiante buscas igualmente impossíveis. Conversando com os mortos e fazendo preces para quem quer que se disponha a escutar.

Vai haver
Uma festança na estação...

Logo a fita de asfalto está fazendo zigue-zagues pelos Apalaches, mas ninguém reduz a velocidade, uma negação coletiva de caminhões de carga de oito rodas e penhascos escancarados. E ninguém é mais indiferente do que nós. Revezando-nos ao volante durante a noite, mordiscando tacos e produtos de galinha reconstituída, regando tudo isso com um café quase sólido de tanto adoçante.

De tempos em tempos, O'Brien pergunta sobre meu pai. Isso me leva a recordar mais coisas do que conto a ela. Porque eu era tão novo quando ele morreu, só consigo trazer à memória fragmentos, o gosto deixado no ar por seu estado de espírito cada vez mais sombrio nos meses que antecederam o acidente do meu irmão. Um comportamento que, tendo em vista minhas recentes experiências, adquire uma ressonância maior. Como ele, um homem que nunca foi religioso, começou a ler a Bíblia de cabo a rabo, começando tudo de novo ao acabar. Os longos silêncios quando ele interrompia o que quer que estivesse fazendo — aparando a grama, preparando café instantâneo na caneca — e parecia ouvir instruções que nenhum de nós conseguia escutar. E seus *olhares*. Isso mais do que qualquer coisa. Como eu o pegava olhando para mim, seu filho, não com orgulho ou afeição, mas com um estranho apetite.

Só conto a O'Brien as coisas superficiais. Sua depressão, seu alcoolismo. Os empregos que perdia. Ele me instando a não ser como ele. E, até bem pouco tempo atrás, eu achava que tinha conseguido.

"Mas há mais dele em você do que você imaginava", diz O'Brien.

"É por isso que nós vamos vê-lo."

"Ainda que ele esteja morto."

"Não parece que isso o tenha impedido de voltar, certo?"

"Ele não é o único."

Não disse tudo a O'Brien.

Não porque tenho medo de que ela não vá acreditar em mim. Não contei porque é entre Tess e eu. Sua revelação traria o risco de romper o tênue fio que ainda nos conecta. Falar disso em voz alta poderia levar a existência desse fio a Belial.

Por exemplo, não conto a O'Brien todos os motivos que me fazem saber que temos de ir até a velha cabana junto ao

rio. Não falo da anotação no diário de Tess em que ela conta do sonho-que-não-é-um-sonho.
Parada às margens de um rio em chamas.
Tess levada para a outra margem, onde eu e meu irmão nunca nos aventuramos quando garotos. Não falávamos disso, mas sabíamos, de alguma maneira, que era um lugar ruim. Lá as árvores cresciam inclinadas, suas folhas nunca retornando totalmente no verão, de modo que a floresta parecia faminta.
O mesmo lugar mostrado por Belial naquele balanço em Júpiter. A pracinha cercada pela floresta escura. Uma besta que surgia.
A divisa entre este lugar e o Outro Lugar.
E minha filha do lado errado. A ouvir-me buscando por ela, chamando por ela. A ver o corpo do meu irmão boiando.
Braços que me puxam para trás. Pele que cheira a terra.
Tess implorando para que eu a encontre.
Não palavras que saem da minha boca atravessando o ar, mas que saem do meu coração atravessando a terra, para que nós dois possamos ouvi-las.
Eu não tinha me dado conta do que era aquilo. De que o som que às vezes percebo por baixo do zumbido nos ouvidos, da tagarelice dos programas de rádio e do ar contaminado que entra pela janela aberta vem dela.

Chegamos a Ohio e tomamos a 1-90 em Toledo, de modo que agora aceleramos ao longo do lago Erie, monótono como papel-alumínio na noite. A ironia de uma placa para uma cidade chamada Éden nos faz sair da interestadual e estacionar nos fundos do restaurante Red Lobster, para cochilar por meia hora, ainda que somente O'Brien deite o seu banco e feche os olhos.
Enquanto O'Brien arfa e assovia no típico sono dos doentes, eu folheio *A Anatomia da Melancolia*, de Burton. Corro o polegar pela borda, passando as páginas, até que elas se abrem em um marcador que eu ignorava estar ali. Uma fotografia.

Com as beiradas recortadas, as bordas brancas amarelecidas com o tempo. Uma foto minha. Pelo menos, é quem eu imagino, num primeiro momento, que seja. Mas logo percebo que é meu pai. A única foto que tenho dele. Sei disso porque durante muito tempo acreditei ter destruído todas. O choque da semelhança me deixa levemente sem fôlego, lutando por ar da mesma maneira que O'Brien faz ao meu lado.

Ele deveria ter praticamente a mesma idade que tenho agora quando foi para a floresta com a espingarda Mossberg que herdara do seu pai, colocou o cano em sua boca em posição que lhe permitisse alcançar o gatilho e disparou. Na foto, tirada poucas semanas antes do acidente com meu irmão, sua expressão pode parecer a de satisfação parental. O sorriso de pouco sono de um pai cujo trabalho foi interrompido por sua esposa, que o sentou ali, em uma poltrona junto à lareira, para tirar uma foto daquele que sustentava a casa, no auge de sua vida.

Mas uma avaliação mais cuidadosa revela os esforços tanto do retratado como da fotógrafa: os olhos vítreos, tristes, os ombros e as mãos apertadas formando um ângulo em uma pose "relaxada". Um tipo de homem no qual nem se repara, cuja tristeza quase desesperada era evidente em seus detalhes, das profundas olheiras às articulações avermelhadas pela psoríase.

Penso em abrir a porta do carro e deixar a foto escorregar para o concreto, quando percebo a única passagem sublinhada nas duas páginas entre as quais a foto ficara presa.

O Diabo é um espírito, e ele tem meios e oportunidades para se misturar aos nossos espíritos e, algumas vezes mais maliciosamente, outras mais abruptas e abertamente, a insinuar pensamentos diabólicos em nossos corações. Ele ultraja e tiraniza especialmente na melancolia e em fantasias destemperadas.

Por que esse trecho? Não me lembro de ele ter qualquer significado especial na minha pesquisa, e nunca o citei em qualquer de minhas palestras. Mas deve ter atraído minha atenção, de qualquer maneira. E eu coloquei a única fotografia do meu pai entre essas páginas para marcá-las, apesar de nunca ter retornado a elas em todos esses anos.

Uma presciência. Deve ter sido isso. Eu li essas palavras — *melancolia, fantasias destemperadas, Diabo* — e mandei uma mensagem para meu futuro eu que não podia entender naquela época. Devo ter reconhecido o diagnóstico de meu pai na observação de Burton. Um homem razoavelmente promissor, abençoado por uma sorte melhor que a maioria, mas ainda assim uma ruína, a testemunha da morte de uma criança, um suicídio violento.

Como Robert Burton pôde saber tanto sobre essas coisas? Um acadêmico recluso no início do século XVII? Eis uma resposta: provavelmente da mesma maneira que eu sei tanto sobre isso agora, um acadêmico recluso quatro séculos depois. Experiência própria.

O'Brien acorda tossindo. Escondo a fotografia no meio das páginas e fecho o livro.

"Você quer que eu dirija?", ela pergunta, vendo meu olhar nublado.

"Não. Apenas descanse", respondo, ligando o Mustang. "Vou nos levar pelo resto do caminho."

Não sei se os pensamentos de O'Brien se voltaram ou não para o Perseguidor, mas os meus, certamente, sim. Nenhum de nós o mencionou, de qualquer modo. Suponho que seja porque não há motivo. O'Brien salvou a minha vida ao fazer algo que, há apenas alguns dias, seria impensável. Ela saiu da cama ao ouvi-lo mexendo na fechadura e encontrou a única arma que um quarto de hotel oferecia, então se escondeu atrás da porta, esperando não ser notada quando ele a abrisse. Aí, quando ele puxou a faca, ela fez o que fez.

É difícil imaginar o quanto esse ato pesa sobre ela. Talvez ela se preocupe com quem eles mandarão atrás de nós agora. Ou talvez, como eu, ela apenas calcule quanto tempo ainda lhe resta.

Cruzamos a fronteira junto às Cataratas do Niágara, em plena escuridão. O'Brien insiste para que paremos o carro e andemos, por alguns minutos, à beira das quedas d'água, olhando sobre o guarda-corpo. Um largo rio que corre suavemente para baixo, até explodir em uma nuvem úmida, ainda que sua extensão acinzentada traga mais a inquietação da fumaça que da água.

"Somos nós, não somos?", comenta O'Brien, observando a queda d'água. "Descendo as cataratas em um barril."

"Só que sem o barril."

O'Brien toma minha mão.

"O que quer que encontremos, para onde formos, estou pronta", ela diz. "Não despreocupada, mas... serena."

"Você está sempre serena."

"Não estou falando da mente. Estou falando de todo o resto."

"Então somos dois."

"Não é verdade. Há Tess."

"Sim. Tess. Ela é a única coisa segura para mim." Abraço O'Brien. "Você também."

Quando os respingos de água atravessam nossas roupas, gelando nossa pele, voltamos para o Mustang e retomamos a estrada. Contornamos a parte oeste do lago Ontário, atravessando os pomares de pêssego e as vinícolas da península, depois a crescente densidade das vilas de periferia e das cidades industriais antes de Toronto. Um vislumbre de suas torres, então tomamos o rumo norte de novo. Os novos subúrbios parecendo velhos. As ondulantes plantações.

Algumas horas depois as pistas múltiplas se encolhem, tornando-se uma estrada inconstante, espremendo-se nas curvas arborizadas, os súbitos beirais de pedras destruídas.

Passamos os lagos Muskoka, com seus multimilionários condomínios de verão e campos de golfe privativos, bem como os lagos menores que vêm depois. Logo estamos seguindo, uma após outra, as milhares de curvas que atravessam a terra despovoada. Um fio de asfalto dividia um cenário de florestas infinitas, de modo que não há qualquer decisão a tomar, senão avançar ou recuar. O que, em nosso caso, significa nenhuma decisão.

É madrugada quando paramos no acostamento e eu desço, com as pernas duras, para abrir o portão de metal da Alameda do lago Erva-de-Fogo. Ainda que "alameda" dificilmente seja adequado: é uma trilha sem manutenção pelo meio do mato, duas marcas de roda na terra e galhos se dando as mãos por cima do vão. A cobertura das árvores tão densa que escurece o caminho, em uma noite esverdeada.

"Quanto falta?", pergunta O'Brien quando volto para o carro.

"Cerca de um quilômetro. Talvez um pouco mais."

O'Brien se inclina. Primeiro acho que ela quer sussurrar algo em meu ouvido, mas, em vez disso, ela me dá um beijo. Um de verdade, quase morno, nos lábios.

"Hora de ver o que ele quer que vejamos", ela diz.

Só nas últimas horas sua pele ficou ainda mais repuxada em suas bochechas, em seu queixo. Quilos essenciais perdidos, apesar da dieta regular de cheeseburguer e milk-shake de baunilha. Mas ela ainda está aqui. A essência de Elaine O'Brien, o que sobra dela, olhando-me nos olhos.

"Eu..."

"Eu disse a você. Eu já sei", afirma ela, endireitando-se em seu banco, olhando para as árvores sombreadas. "Agora vamos."

– O –
DEMONOLOGISTA
ANDREW PYPER

CAPITULUM 22

O Mustang deixa o acostamento e somos instantaneamente engolidos pelo verde.

Eu me lembro de fazer esse caminho no banco de trás do Buick do meu pai, um monstro com painéis de madeira que conseguia habilmente abrir caminho pelas poças de lama e sobre as pedras maiores, com a suculenta suspensão daquela época. O Mustang, no entanto, nos deixa sentir cada pancada, e cada hesitação dos pneus nos faz temer um atolamento.

Finalmente atravessamos o último véu de arbustos, e o velho chalé Ullman se descortina para nós. Não que alguma vez tenha sido realmente nosso. Não que tenha sido realmente um chalé.

Um bangalô forrado de alumínio com um par de janelas meio estrábicas, com cortinas, uma de cada lado da porta. O tipo de kit caseiro para construção rápida que se encontra nos bairros pobres das cidades industriais, ainda que, neste caso, estatelado nos bosques do norte de Ontário, como se levado por um tornado e há muito esquecido.

Saímos do carro e nos apoiamos nele por um momento, respirando o ar surpreendentemente frio e recuperando a circulação em nossas pernas. Nenhum outro rastro de pneus no quintal cheio de folhas. Nenhum sinal de que alguém tenha estado aqui nas últimas semanas, possivelmente mais tempo ainda.

"O que fazemos agora?", pergunta O'Brien.

"Dar uma olhada, acho."

"O que devemos procurar?"

"Não importa. Vai nos achar."

A porta de tela, presa apenas pela dobradiça inferior, se abre com a ondulação de uma brisa e solta um ganido enferrujado. Eu me dirijo a ela, sem qualquer intenção clara de abrir a porta por trás dela. Mas é o que acabo fazendo. Puxando com força pela maçaneta, forçando com o ombro para o caso de ela estar apenas presa no umbral.

"Trancada", concluo.

"Há uma porta nos fundos?"

"Provavelmente também está trancada."

"Vamos dar uma olhada, de qualquer jeito."

Sigo O'Brien até o outro lado da casa, e subitamente o rio está a nossa frente, setenta metros depois de um declive de grama ondulante salpicado de arvoretas. A correnteza parece mais forte do que eu me lembrava, redemoinhos bem no meio do rio, galhos soltos correndo pelas margens. Não é largo para atravessar — talvez uns trinta metros —, mas eu não gostaria de tentar. Não sei se alguma vez alguém fez isso.

Na margem oposta, a floresta escura. Nodosa e seca.

"Você tinha razão", anuncia O'Brien atrás de mim, à esquerda, sacudindo a porta dos fundos em cima de um deque enegrecido pelo mofo. "Absolutamente trancada."

Há uma pedra no chão, do tamanho de uma bola de futebol, perto de onde estou parado. Eu a pego com as duas mãos e me junto a O'Brien.

"Vamos ter de arrombar", digo, e golpeio a maçaneta, arrancando-a. A porta abre uns vinte centímetros.

O'Brien é a primeira a entrar. Ela abre as cortinas e deixa que a luz existente se espalhe no chão. Tenta os interruptores, mas nenhum funciona. Dá uma espiada no banheiro, que eu sei que é logo ao lado da cozinha. Tudo antes que eu dê o primeiro passo dentro da cabana.

"Isso parece familiar a você?"

"Eu era apenas um garoto na última vez em que estive aqui", respondo.

"Isso não responde à minha pergunta."

"É tudo muito diferente. Nos detalhes. Mas sim, realmente é familiar."

"Então por que você não entra?"

"Porque tem cheiro de passado."

"Para mim, apenas cheira mal."

"Acertou na mosca."

Mas eu entro. E realmente cheira mal. Madeira e folhas de pinheiro úmidas, que, juntas, disfarçam algo rançoso, uma criatura que um dia viveu e que agora está presa, ou morta, embaixo das tábuas do piso ou dentro da parede. Uma surpresa sórdida para quando os atuais donos decidirem voltar, se eles um dia o fizerem.

E as paredes turquesa da cozinha. A cor original da perda.

"Vou para fora", diz O'Brien ao passar por mim, parecendo ainda mais doente que antes.

"Você está bem?"

"É que é difícil respirar."

"Entendo. Está um pouco nauseabundo aqui dentro."

"Não apenas dentro, mas fora." Ela segura meus braços. "Há algo *errado* com esse lugar, David."

Sempre houve, eu quase digo. Mas antes que eu possa ajudá-la, O'Brien me solta e sai se arrastando pela porta dos fundos. Eu a ouço arquejando, de pé no deque, mãos nos joelhos.

Agora que estou dentro inspiro profundamente. E a vida que enterrei enche meus pulmões imediatamente, de modo que as recordações vêm de dentro para fora.

A primeira coisa a surgir é o meu irmão. Lawrence. De pé, fora do meu alcance, olhando para mim com a mesma mistura de afeto e dever que tinha em vida. Dois anos a mais que eu e sempre alto para sua idade, o que significa que sempre pensavam que ele era mais maduro, mais capaz de "se arranjar", como dizia meu pai, quando aquilo que devia ser arranjado era ele próprio.

Ele às vezes o chamava de Larry, mas eu nunca fiz isso. Ele não era um Larry, assim como eu não era um Dave, nós dois sérios demais, cismados e reservados demais para usar adequadamente um apelido. Não que Lawrence fosse um garoto tímido. Enquanto íamos de escola em escola, ele me protegia de todos os valentões, me resguardava do escárnio de todas as panelinhas, sacrificando suas próprias oportunidades de inclusão (ele era um garoto atlético, tinha convites) a fim de evitar que eu ficasse sozinho.

Quem sabe o quão feliz ele teria crescido para ser — o quão feliz qualquer um de nós poderia ter sido — se tivéssemos um pai diferente. Um que não bebesse tão prodigiosamente, com orgulho até, como se alguém o tivesse desafiado para uma competição autodestrutiva, e ora com os diabos se ele iria perder. Além do uísque, seu principal interesse era buscar aluguéis cada vez mais baratos, em lugares cada vez mais remotos, dedicando-se a rebaixar nossas despesas, já no nível da indigência, da mesma maneira que outros pais se dedicavam a encontrar empregos melhores em cidades melhores.

Minha mãe ficava porque o amava. Nos dezessete anos que se passaram até sua morte, de causas naturais (do que eles, na época, ainda chamavam enfisema ligado ao tabaco), ela nunca me ofereceu outra razão. Ainda que, talvez, a autopiedade também tivesse domínio sobre ela, um gosto pelo trágico e o delicioso sofrimento da nostalgia sobre aquilo que poderia ter sido.

Quanto a nosso pai, ainda que ele nunca tenha encontrado uma maneira de nos amar — ele estava ocupado demais para isso, totalmente absorvido em evitar cobradores, em conseguir adiantamentos em serviços estranhos —, ele nunca foi particularmente cruel. Sem tabefes, sem surras de cinto, sem castigos trancado no quarto. Nada de castigos, na verdade, a não ser o fato de ele não estar presente em nossas vidas. Um vazio móvel que ocupava o espaço das poltronas da sala e da cabeceira da mesa de jantar, estendido no chão dos banheiros pelos quais pagávamos por alguns meses, sendo depois despejados pelos meses não pagos.

Naquela época, ninguém chamava depressão de doença. Ninguém chamava aquilo de depressão. Pessoas tinham "problemas de nervos", "estavam indispostas" ou se permitiam definhar em nome de um "coração partido". Nosso pai, que ainda arrastava uma meia dúzia de caixas de livros que comprara nos seus primeiros anos de preparação e breve carreira como professor primário, e que gostava de se considerar um homem de erudição subestimada, preferia o termo *melancolia* nas raras ocasiões em que tocava no assunto. O fato de beber era justificado com o argumento de que era a única maneira que ele conhecia de se manter dentro de limites administráveis. Nunca havia me dado conta, até este momento, de que eu havia aprendido a palavra com ele.

Do lado de fora, encontro O'Brien sentada na beirada do deque, mexendo os pés na grama.

"Você está melhor?"

"Isso deve ser pedir demais", ela responde.

"Você não prefere esperar no carro?"

"Estou bem aqui. Só preciso colocar minhas coisas no lugar."

"Se precisar de mim, é só gritar."

"Aonde você vai?"

"Vou apenas até o rio. Dar uma olhada", respondo.

"Não faça isso."

"Qual o problema?"

"O rio."

"O que tem ele?"

"Eu posso ouvir. Vozes. Milhares de vozes." Ela estende uma mão trêmula e segura as pontas dos meus dedos. "Eles estão *sofrendo*, David."
Os dedos dos meus pés tocam o rio, e o som se propaga dolorosamente.
Tess também ouviu. E, ainda que eu não consiga ouvir, acredito que O'Brien consegue. O que significa que é para lá que eu tenho de ir. Uma conclusão a que O'Brien chega antes mesmo de mim, pois ela solta meus dedos sem que eu precise puxá-los. Volta a mirar seus próprios pés que se mexem.
A caminhada mostra que o declive é mais íngreme do que parecia visto da cabana. Isso tem o efeito de atrair você para mais perto da água mais rapidamente do que seria desejável, uma contracorrente invisível. Esta parte do terreno foi limpada várias vezes ao longo dos anos, então, mesmo que a floresta esteja a caminho de reclamá-la com árvores, ela ainda é um pedaço de solo sem sombras. A luz me cega durante todo o caminho até a margem do rio. O rio vivo com o furor do Sol, de modo que sua superfície parece me alcançar, a água flamejante.
Mas é apenas um rio. Retendo memórias e vozes, mas apenas na extensão em que nós as retemos.
"A mente é seu próprio lugar", digo em voz alta.
Palavras mágicas que trazem de volta meu irmão. Ou, se não ele, a memória de seu grito.
Eu caminhei pelo declive no qual acabo de caminhar e fiquei aqui onde estou agora quando tinha seis anos. Procurando por Lawrence, que tinha tido permissão para deixar a mesa do café da manhã antes de mim. Eu sabia que ele estaria lá embaixo. Talvez pescando, ou colocando sapos em um vidro, ou encenando uma peça improvisada da qual eu queria participar. O rio era o local para onde íamos a fim de ficar livres de nossos pais, dos sons e cheiros do lar, que eram um conforto na vida dos outros garotos.
Lawrence poderia ter ido para a esquerda ou para a direita a partir daqui. Uma trilha estreita seguia a margem pelo

que pareciam ser quilômetros a partir do nosso terreno, nas duas direções, e nós tínhamos nossos lugares prediletos, secretos, espalhados por ela. O eu de seis anos ficou parado ali, limpando os farelos do queixo, tentando adivinhar para que lado ir. Então ouvi o grito de Lawrence na direção leste. Assim como eu o ouço agora.

Corro de cabeça baixa, por baixo dos ramos em arco do salgueiro, cujas pontas chicoteiam minhas costas. Por duas vezes, quase escorrego da terra úmida para dentro d'água, mas consigo recuperar um pouco do equilíbrio balançando os braços. Enquanto corro, a mesma pergunta urgente que me veio à mente na primeira vez.

A gente grita assim quando está se afogando?

Duvidei disso na época. Não que meu irmão pudesse ter escorregado na água ou sofrido um acidente que o tivesse colocado em risco, mas que tivesse emitido aquele som nesse caso. Porque seu grito tinha mais o frêmito de um choque do que de um pedido de socorro. O horror de que outra coisa, não o rio, o tivesse levado.

Uma resposta me vem agora. Uma que eu não tinha conhecimento o bastante para perceber quando era garoto.

A gente só grita assim quando alguém *está nos afogando.*

Lawrence me vê surgir dentre as árvores e parar em uma pedra achatada. Segurando-se, à minha espera. Espernean-do descontroladamente contra as pedras a trinta centímetros abaixo da superfície, esticando seu pescoço para evitar que sua boca aspirasse a corrente fria para seu peito. Um momento que, na primeira vez em que aconteceu, durou talvez menos de um segundo. Mas que agora, na sua batalha de retorno, está desacelerado. Revelando uma verdade que passou muito rapidamente por mim na época, e que eu era muito novo para ler. Um par de verdades.

Meus olhos encontram os de Lawrence, na outra margem do rio. O Outro Lugar para o qual nunca atravessamos. A margem que temíamos, aquela em que Tess ficou em seu sonho real.

A segunda coisa que vejo é que meu pai está sobre Lawrence. Uma de suas mãos enormes na parte mais estreita das costas de meu irmão, a outra apertando o pescoço dele.
Não tentando puxá-lo. Empurrando-o para baixo.
E então ele consegue.
Meu pai também estava esperando por mim. Para ser uma testemunha. Para deixar sua marca em minha alma.
Lawrence jogado no banco de areia. Segurado ao comprido, como se tentasse aprender a nadar, sem sucesso, e meu pai fosse seu professor desatento. É um conjunto que provocou meu mal-entendido na ocasião. Meu pai incapaz de conseguir um ponto de apoio para puxá-lo, meu irmão se debatendo só dificultava o socorro. Confuso o bastante para construir uma história alternativa em torno disso. Uma mentira para contar a mim mesmo, desde aquela época até hoje.
Mas quando Lawrence fica imóvel e meu pai olha para mim, não há dúvida sobre o que seus olhos esbugalhados expressam. Um ódio triunfante. A autocongratulação pelas três vidas roubadas de uma vez.
É meu pai quem afoga Lawrence, mas meu pai apenas em corpo. Enquanto olho para ele, seu rosto se altera para mostrar a presença dentro dele. Um crânio pontudo. O queixo comprido e muito fino. As bochechas — muito largas, muito altas — inchadas contra sua pele. Como o Inominável realmente é. O rosto de Belial.
A malignidade do demônio não ficou satisfeita nem com isso.
Meu pai não está mais sob o domínio dele, e eu o vejo retornar a si próprio. A olhar o que havia feito. E, aí, olhar para mim.
Meu pai. Não mais Belial, não mais um espírito. Foi meu pai que olhou nos olhos de seu filho caçula e falou a verdade que estava em seu coração.
Deveria ter sido você.
De dentro da escuridão, a voz de O'Brien. Um grito distante.
"David!"

Corro pelo caminho pelo qual vim. Não mais que uma centena de metros, mas a volta parece mais longa, o rio transbordando pelas margens e se espalhando sob meus pés. Meu coração um nó de dor, encontrando seu caminho de saída entre minhas costelas. A voz dela novamente. Mais fraca desta vez. Não realmente um grito, mas um eco vazio.

"Corra!"

Ela está me incitando a ir mais rapidamente ou me alertando para que eu me afaste? Não que isso importe. Belial está aqui. Eu sei disso. Eu o vi. Mas o som do desespero de O'Brien varreu, pelo menos por este instante, a influência dele. Quando saio dentre os salgueiros e começo a subir, a primeira coisa que vejo é a van. Branca, nova. Alugada. Placa de Ontário. PARA VOCÊ DESCOBRIR. Visível ao lado da cabana, estacionada na frente do Mustang.

Então vejo O'Brien. Deitada na soleira da porta de trás da cabana, a cabeça desconfortavelmente apoiada contra a madeira e o resto de seu corpo estirado. Suas pernas se sacudindo em espasmos. Sua língua lambendo, sem parar, seus lábios descorados, como se em uma inútil preparação para um discurso.

Vejo as feridas por último, então já estou ajoelhado ao lado dela quando percebo como o que quer que tenha sido usado para cortá-la formou uma cruz em seu peito. O sangue colorindo sua camiseta.

"Você tem de partir", ela diz. Sua voz uma série de pequenos estalos.

"Não vou a lugar algum. Temos de levar você direto para um hospital."

"Sem hospitais."

"Isso é diferente."

"Estou dizendo que não vou conseguir, mesmo que você ainda tente."

Ela inspira profundamente, e com isso as feridas se abrem, pulsando. Tento cobri-las com as mãos, mas há muitos cortes. Seu corpo morno rapidamente vai se resfriando com a exposição ao ar.

Mas ela está calma. Seus olhos virados, mirando um ponto em algum lugar acima da minha cabeça. Sem medo, sem mostra de dor. Um último jato de adrenalina. Uma visão ou percepção final, verdadeira ou falsa.

"Posso vê-la, David."

"Ver quem?", pergunto, mas já sabendo.

"Ela está... esperando você."

"Elaine..."

"Ela está aguentando. Mas... *dói*. Ela..."

"*Elaine*. Não..."

"... precisa que você também acredite."

O olhar de O'Brien desce e me toma. É a única maneira de explicar. Seus olhos me abraçam como se ela me tivesse tomado nos braços e me apertado para que eu sentisse as últimas batidas do coração. Ela não tem força para levantar a mão, que dirá me abraçar, então ela o faz com os olhos. Um sorriso que se apaga.

Quando eu deito sobre ela, ela se foi.

Tudo quieto. Não no sentido de que os pássaros pararam de cantar ou que a brisa parou de soprar em respeito à ocasião, mas quieto da maneira como esteve silencioso todo o tempo. Há apenas o rio atrás de mim. A água passando sobre as pedras em um aplauso contínuo.

Eu me apoio contra a soleira, em frente a O'Brien. No céu, uma coleção de nuvens, daquelas em que se pode ver animais ou rostos, mas nada disso se mostra para mim. Há essa sensação de que deveria sentir alguma coisa agora, alguma coisa clara. Tristeza. Raiva. Mas há somente a rasura monótona da exaustão.

E o fato de saber que quem quer que tenha feito isso com O'Brien ainda está aqui.

Como se aparecendo graças ao poder do meu pensamento, há uma figura que eu não havia percebido antes, metida no rio até a canela. Inclinada, mãos na água. Fazendo algo que não consigo ver daqui.

Por um brevíssimo momento, a ideia de tentar fugir vem à mente. Poderia ser possível levantar sem ser notado, dar a volta na cabana e chegar ao Mustang, ser o primeiro a retornar para a estrada pela trilha. Mas ele sabe que estou aqui. Sabe que estou acalentando esses exatos pensamentos e se importa tanto com eles quanto com um cordão de sapato desamarrado.

O Perseguidor só se volta uma vez depois que desço o declive e fico de pé a três metros dele. Perto o bastante para ver o curativo sujo amarrado em sua cabeça. Para ver que ele está lavando uma faca. A faca que deixamos junto dele no travesseiro do hotel.

Ele olha por sobre o ombro e, ao me ver, dá um sorrisinho de boas-vindas. Mas não há qualquer simpatia nele. É o olhar de um animal para outro animal, a fim de tranquilizá-lo antes de atacar.

Devagar, ele se volta, de modo a ficar com todo o corpo de frente para mim. Seus pés ainda na água. Seu movimento dispersa manchas descoloridas lavadas da lâmina da faca, das pernas de suas calças, pingando das pontas de seus dedos.

"Você desceu só para se lavar ou para me dar uma chance de escapar?"

"Você não vai a lugar algum", ele responde. "Tirei as velas do seu carro."

"Eu poderia correr."

"Você não iria longe."

"Ainda há a sua van."

"É", ele diz, tirando as chaves do seu bolso. Com ar sarcástico, balança-as no ar. "Aqui estão."

De repente, a totalidade de suas intenções começa a me queimar, a partir de minhas pernas, e é impossível não tremer. O Perseguidor nota isso. Sorri seu não sorriso de novo.

Tira um dos pés da água e pisa na margem.

"Por que uma van?", pergunto, ao perceber que falar é melhor que não falar.

"Remoção."

"Eu achava que este lugar era ideal para dar sumiço em dois corpos."

"Enterrar não é a maneira de lidar com isso", ele diz, balançando a cabeça como se desapontado por ainda ver pessoas cometendo esse erro. "E sabe o que mais? Eu *não gosto* daqui."

O Perseguidor tira seu outro pé da água e fica totalmente ereto. Percebo então o sangue em sua jaqueta. Não o que respingou de O'Brien — ainda que este esteja espalhado nele, em suas bochechas, na ponta de seu nariz —, mas de um talho em seu flanco, logo acima do quadril. Algo oval que atravessa o algodão.

Ele segue meu olhar. Acena com a cabeça para o rombo em seu corpo como se fosse uma tarefa vagamente inconveniente com a qual ele terá de lidar mais tarde. Como pegar a roupa na lavanderia. Como retirar dinheiro no caixa eletrônico.

"Sua namorada lutou um bocado para uma mulher doente", ele diz.

"Você gosta de matar mulheres?"

"Não há o que gostar ou não nisso."

"Seus chefes", replico. "Do que eles têm medo?"

"Eles não têm de justificar suas decisões para mim."

"Seu palpite."

"Acho que você está muito perto de algo", ele diz, subindo. Ele para, ainda abaixo de mim, mas reduziu a distância entre nós à metade com uma única passada larga.

"A Igreja não aprovaria que o documento viesse a público?", pergunto, minha mente girando, buscando um plano que não está lá. "Ela poderia ganhar alguns milhões de convertidos somente graças ao efeito do pânico."

"Eles não estão preocupados em mudar as ideias. Trata-se de manter o que eles já têm. Manter o equilíbrio. Algo como, se não está quebrado, não deixe um babaca qualquer foder com tudo."

"E você está muito feliz em ajudá-los nisso."

"Estou sob contrato", diz com um cansaço que surpreende até a ele mesmo. "Já fiz isso algumas vezes."

"Um assassino pela Igreja. Isso alguma vez perturba a consciência de um coroinha de Astoria?"

"Você é católico, David?"

"Meus pais eram. Pelo menos em princípio."

"Ainda assim. Você sabe o que é cumprir ordens sagradas."

"Não matarás."

"A exceção mais frequente. Mas, ei, você é o especialista, certo?"

Sua risada neste momento é autêntica, mas cortada por uma dor lancinante em seu flanco, que o faz dobrar-se por um instante.

"Você poderia dizer-lhes que eu fugi", digo.

Nada em sua expressão indica que ele ouviu isso. Apenas um passo mais para perto. E outro.

Ele acha que vou correr. Seus braços levemente abertos, os joelhos um pouco flexionados, pronto para pular quando eu começar a correr morro acima. Ele provavelmente pensa que estará em cima de mim antes que eu consiga dar um passo.

É por isso que ele se assusta quando corro em sua direção. Nem penso na faca. Não penso em nada, a não ser na velocidade. Em alcançá-lo antes que ele tenha chance de ligar seus reflexos treinados.

Quase dá certo. As palmas das minhas mãos batem no peito dele quando ele ergue a faca, de modo que esta passa por cima de mim, em vez de me atingir. Faz um corte através da minha camisa. Uma linha vermelha de ombro a ombro.

Ele ergue novamente a faca — sem hesitar, ao contrário de mim, que paro neste décimo de segundo para inutilmente *pensar* — quando avanço outra vez sobre ele. É pouco mais que uma cotovelada, o contato brusco que se pode ter andando de metrô na hora do rush. Mas é o que basta para que ele perca um pouco o equilíbrio, para que um de seus pés recue em busca de um chão mais firme. Em vez disso, o pé arranca um tufo de grama pela raiz e escorrega. E eu pulo em cima dele de novo.

Nós dois caímos. Um estranho abraço que nenhum de nós desfaz. Ele fica por baixo, e eu por cima. Ainda nessa posição, caímos na água.

Um ataque insano. Punhos para um lado. Vômito aguado. Não há briga, apenas o reflexo de manter nossas cabeças acima da superfície. Debaixo de mim, posso sentir o medo do Perseguidor tão vivamente como o meu próprio. Em vez de me fazer hesitar, o terror dele me dá um ponto de concentração. Eu quero que ele experimente *mais* disso. Essa expectativa faz tudo se acelerar.

Posiciono meu joelho sobre seu cotovelo. Se o vaivém de sua faca não pode atingir meu abdome ou meu peito, ele pode alcançar minhas mãos, que estão agora apertando sua garganta. Encontram a traqueia. Pressionam com o peso do meu corpo, os braços firmemente retos. O estalo de alguma coisa macia cedendo dentro de seu pescoço. Mas ele continua agitando a faca em minha direção, até que a lâmina aterrissa na base do meu polegar. Ganha apoio com o primeiro furo, o jato de sangue. Então começa a cortar. Serrando firmemente o tecido. Depois o osso. Mesmo enquanto seu rosto passa de vermelho a púrpura e quase preto, ele continua serrando. Mas fico firme. A dor guincha como um animal trancado dentro de mim, mordendo a si próprio, usando suas garras para sair. Mas fico firme. Com um movimento brusco, a faca do Perseguidor corta até o outro lado, e meu polegar cai na correnteza. Afasta-se flutuando, em um bamboleio alegre, deixando uma mancha oleosa na superfície. Eu o observo. Sinto a vida escorrendo de mim assim como acabou de escorrer do homem cuja cabeça eu agora mergulho na água. Eu a mantenho ali. Observando as bolhas que escapam de suas narinas e lábios, desacelerando aos poucos. Então param.

O branco da inconsciência joga um véu sobre meus olhos. Eu fico firme. Mesmo escorregando para a frente, ou para trás, ou para baixo, escorregando para longe.

Fico firme.

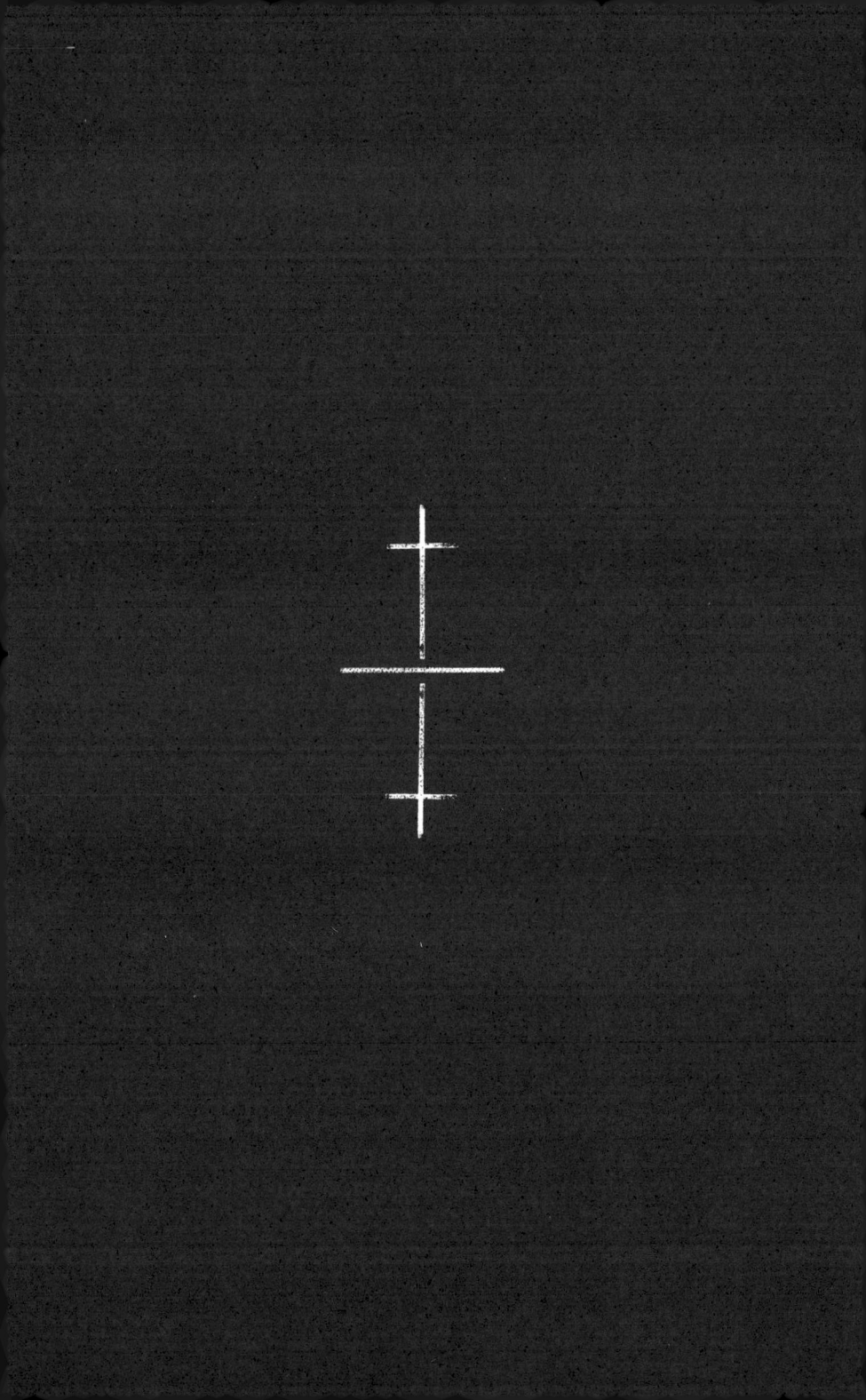

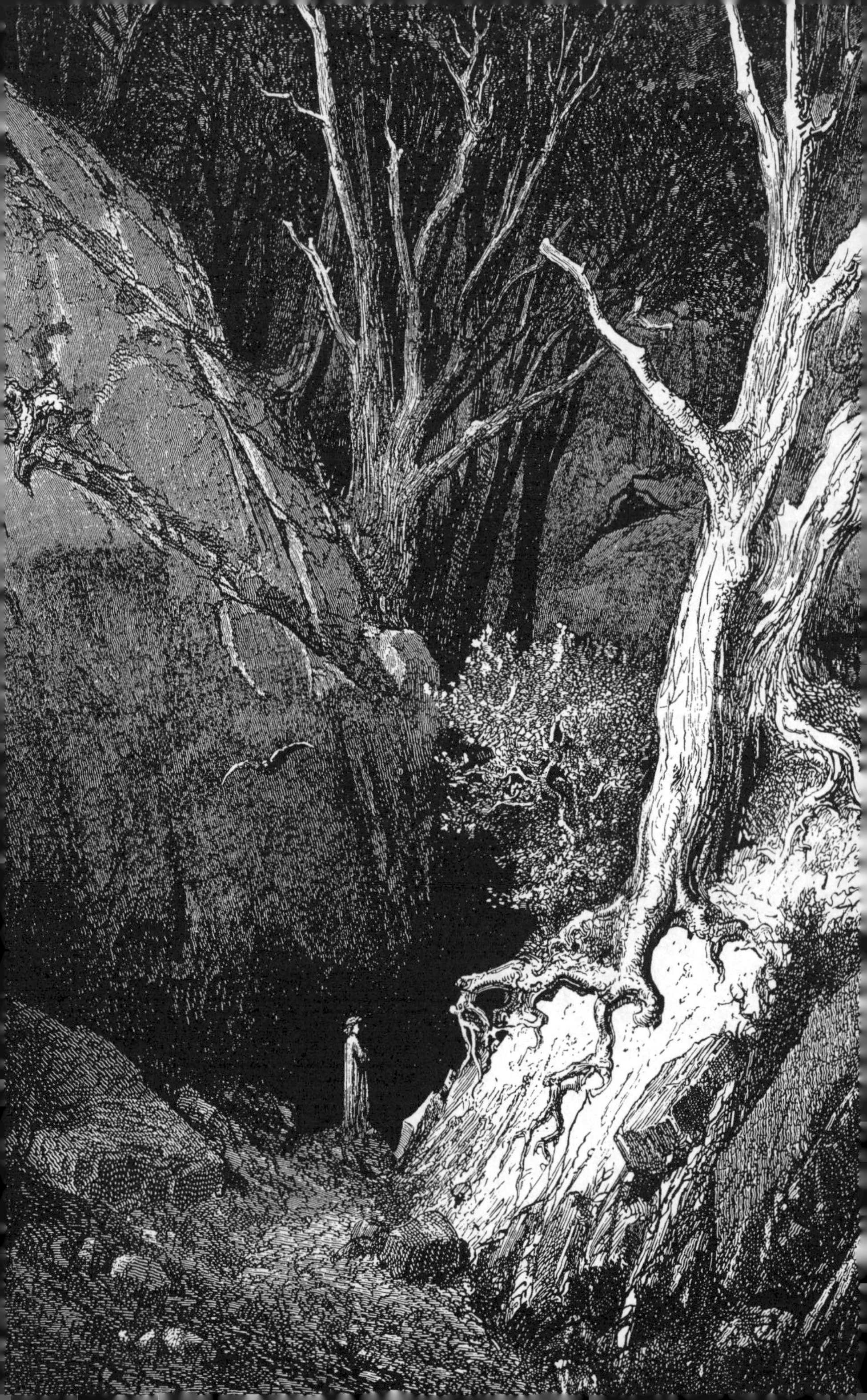

— O — DEMONOLOGISTA
ATRAVÉS DO EDÉN

TERTIUM NON DATUR

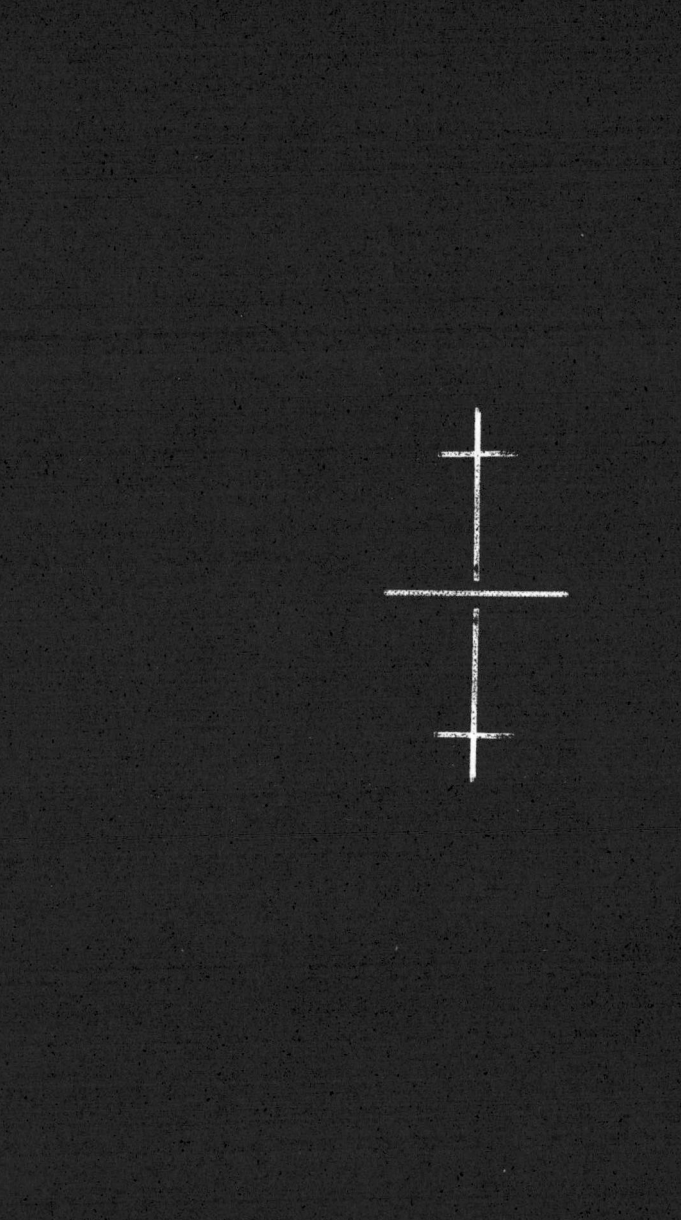

– O –
DEMONOLOGISTA
ANDREW PYPER

CAPITULUM 23

Branco.

Então, pedaço a pedaço, o mundo de novo. Sentado em um carro junto ao rio. Uma van logo à minha frente com placa de Ontário. PARA VOCÊ DESCOBRIR. Sangue.

É a visão do sangue que acelera a precipitação dos detalhes — o volante com a marca Ford na buzina, o iPhone no painel, a faca de caça tolamente aninhada em cima dos copos de café vazios no chão do carro —, junto com a dor. Fortalecendo meu caráter à medida que cresce. Improvisar.

Seu polegar foi cortado fora. Amarre isso.

Uma voz em minha cabeça. Prestativa mas imperativa.

Estanque esse sangramento agora ou você vai desmaiar e nunca mais acordar.

A voz de Tess. Nunca foi conhecida como especialista em primeiros socorros, nunca foi boa com coisas nojentas. Mas, neste instante, ela parece saber do que está falando.

Olho para o banco de trás e vejo minha bolsa de viagem aberta, roupas de baixo e camisetas, além de um tubo de pasta de dente derramando gel azul sobre um monte de meias. Agarro uma das camisetas e faço um laço, bem apertado, em volta do toco. Observo o sangue se infiltrando. Um mapa de ilhas em expansão.
    Pego o iPhone e teclo o número da emergência, 911, com a outra mão. A resposta é o apito que aponta falha de ligação. *Sem sinal.*
    Alguma coisa me faz abrir outra tela no celular. Entro no aplicativo do gravador, onde há uma lista de gravações. Escolho uma. Aperto o play.
    Um rugido de ar. Dirigindo rápido com as janelas abaixadas. Então uma voz. Atravessando os ruídos de fundo como se os comandasse.
    Você acredita em Deus?
    A voz é jovem, feminina, mas não pertence a uma garota. Uma voz feita de ausências — sem modulação, sem hesitação. Que nada nela cause uma impressão é o que a torna inumana.
    Não sei se há um Deus ou não. Se existe, nunca o vi.
    Minha voz. A familiar aspereza da corrosão pela dor. Junto a algo novo. O embargo descarnado do medo.
    Mas eu vi o Demônio. E, eu garanto a você, ele é definitivamente real.
    As chaves balançam na ignição, e eu as viro, mas o motor não liga. As velas de ignição. Ele não estava blefando sobre elas.
    Empurro a porta com os joelhos e experimento pisar no chão. Há algo aqui que não posso deixar para trás. Algo que preciso aprender.
    Os três primeiros passos vão bem. Depois meus joelhos se dobram e eu caio, meu rosto cavando um buraco no chão. Mas fico de pé novamente antes mesmo de perceber que estou tentando. Dou a volta para encontrar o corpo na porta dos fundos.
    Minha amiga.
    Seu rosto tão tranquilo que sugere uma mensagem sobre como ela se sentiu no fim. Algo como beatitude. Mas isso

também pode ser mais uma interpretação errônea. Pois não há algo potencialmente zombeteiro em seus olhos escancarados, olhando o Sol? Seu sorriso não poderia ser o que restou de uma gargalhada cruel? Divertindo-se com o pensamento sobre o que me espera na margem do rio?

Porque é para lá que meus pés estão me levando agora. Arrastando-se pela grama até a correnteza cinza. A água lambendo e voluteando em torno das pedras que despontam na superfície como crânios descorados.

... *mas dessas flamas*
Nada de luz, antes escuridão visível

O homem morto está a apenas alguns metros rio abaixo. Pernas balançando da esquerda para a direita na água corrente, como refrescando-se do calor.

Ajoelho-me junto ao corpo. Pego as chaves de seu bolso, então pouso minha mão em seu peito imóvel. Procuro um batimento cardíaco que sei que não estará lá. Mas também sei, com a mesma certeza, que ele ainda vai falar comigo.

Os olhos do homem morto se abrem.

Um lento deslizar das pálpebras molhadas que eu me recuso a aceitar mesmo enquanto vejo acontecer. Seus lábios também. Abrindo-se com o som de páginas de um livro coladas.

Eu me curvo e aproximo a orelha. Ouço o ruído molhado da respiração, semelhante ao som de areia sendo despejada em um poço.

Ele fala comigo. Não mais a voz do homem. A voz de um mentiroso, na qual não tenho outra escolha senão acreditar.

O homem morto murmura uma única palavra, então tudo volta à minha mente.

Pandemônio...

Vou na direção sul na van do Perseguidor. Pensando apenas na estrada. Não deixando o branco tomar conta de mim de novo.

A primeira placa de um hospital me direciona para Parry Sound, e eu entro cambaleante na emergência com uma mão ensanguentada e um papo furado sobre uma reforma amadora que deu errado em casa. Há algumas exigências de detalhes, e eu dou uma vaga resposta sobre a perda do controle de uma serra rotativa. O médico afirma que a ferida parece muito "mastigada" para isso, mas eu apenas imploro por morfina, e consigo uma risada ao dizer que mastigado é como vou ficar quando a patroa souber disso.

Eles perguntam sobre o paradeiro do polegar, e consigo me controlar quando estava prestes a dizer *Provavelmente já desceu o rio até o lago neste momento*. Admito que não me lembro. Não deve servir para mais ninguém a essa altura, não é? O que se foi, se foi. É só um polegar. Não serve muito para digitar no celular mesmo.

Já estou remendado e costurado quando o médico diz que eu deveria passar a noite, já que perdi uma quantidade considerável de sangue. Invento um irmão que mora perto. Ele está vindo me buscar neste exato momento. Tudo bem se, em vez disso, eu ficar com ele?

Vinte minutos depois estou andando pelo estacionamento até a van do Perseguidor, na esperança de que ninguém lá dentro me veja pular na cabine e sair dirigindo.

Quando encontro o acesso à autoestrada, estou esperando ouvir o uivo de um carro de polícia me mandando parar, mas as ruas estão vazias. Disparo de volta para a cidade e, além dela, para a fronteira. Se conseguir chegar lá.

Porque logo haverá mais gente atrás de mim. Não apenas porque alguém pode encontrar os corpos de O'Brien e do Perseguidor esta noite (ou mesmo de manhã, e possivelmente apenas na temporada de caça, no outono), mas porque quem contratou o Perseguidor espera um telefonema para avisar que o trabalho foi feito. Quando eles não tiverem notícias dele, mandarão alguém para investigar. E quando encontrarem o que há para encontrar, eles colocarão o Plano B em ação, procurando por mim com todos os meios disponíveis. O que deve incluir a polícia. E coisa pior.

Eles saberão, pelas descobertas na cabana, que estou muito perto de fazer aquilo que o demônio me pediu. Eu provavelmente fui mais longe do que qualquer um já foi. E, se antes eles queriam me seguir para saber do que eu estava atrás, agora é só uma questão de me abater.

Eu poderia me esconder. Tentar esperar as coisas se acalmarem. Mas há alguns inconvenientes óbvios. Um, eles vão me encontrar. Dois, as pessoas para as quais o Perseguidor trabalhava querem o documento agora com um desespero que vai redobrar seus esforços a cada hora que eu passar fora do alcance deles.

E três, se há alguma chance de trazer Tess de volta, tem de ser agora. Porque às 18h51min48s, ela terá partido.

O que significa ir para Nova York o mais rápido possível.

Pandemônio.

Posso ser capaz de chegar ao aeroporto de Toronto e me enfiar no próximo voo para o LaGuardia. Mas aeroportos têm controles de fronteira mais rígidos que as pontes. Câmeras, controle de passaporte, alfândega. Quando se está fugindo — não importa de quem — o aeroporto não é uma boa opção.

O que me resta é ficar na estrada. Mas neste momento estou dirigindo o veículo de um homem morto. Um homem que eu matei.

Contorno o centro de Toronto e deixo para trás as torres dos bancos e os arranha-céus residenciais enquanto tomo a estrada para Nova York. Passo duas vezes por carros da polícia de Ontário parados no acostamento, em busca de apressadinhos, mas eles não vêm atrás de mim. É uma boa sorte que não deve durar se eu tentar atravessar a ponte Rainbow, junto às Cataratas do Niágara, dirigindo uma van alugada no nome de George Barone ou de qualquer pseudônimo que ele tenha usado. E também não acredito que eles me deixariam atravessar a pé. Não um sujeito com uma jaqueta ensanguentada e um polegar recentemente decepado.

Na cidade de Grimsby, paro num 7-Eleven e compro Tylenol, seis latas de Red Bull, óculos escuros, um sanduíche de salada de ovo e, na seção de roupas, que consiste em uma única prateleira ao lado dos chicletes, um boné de beisebol dos Red Sox, uma camiseta GO! LEAFS! GO! e uma jaqueta esportiva da Goodyear Racing Team. Todos úteis. Mas ainda preciso substituir a van.

Ao passar pela cidade de St. Catherines, pego uma saída para a zona rural e dou algumas voltas a esmo. Saio da estrada e entro em um pomar de cerejas, jogando a van em uma vala de irrigação. Cubro a capota o melhor que posso com galhos caídos. Atravesso furtivamente alamedas até chegar a uma casa de fazenda com um velho Toyota à frente. Entro pela porta lateral na ponta dos pés, enquanto murmuro uma prece (endereçada a O'Brien, percebo no meio dela).

Funciona. A porta abre com um rangido, e estou em um vestíbulo lotado de casacos, botas, luvas de crianças, tacos de hóquei contra a parede.

Fazendeiros gostam de ter cachorros, não gostam? Se este gosta, é uma questão de segundos antes que eu o desperte. Aí não terei outra escolha senão tentar correr os três quilômetros até a autoestrada e então — fazer o quê? Pedir carona para atravessar a fronteira?

Outra prece para O'Brien.

Nenhuma chave em nenhum dos bolsos. O que me força a subir os degraus até a cozinha. Olho no cesto de frutas, na vasilha de balas cheia de moedinhas junto ao telefone, explorando os cantos escuros da bancada.

Lá em cima, um corpo pesado rola na cama. Outro corpo igualmente pesado se move para se aninhar no primeiro. Ou talvez para chegar perto o suficiente para perguntar *Você ouviu isso?*

A *geladeira*.

Isso me chega súbita e claramente. Mas quem guarda coisas valiosas na geladeira?

Ninguém. Mas às vezes eles pregam um plástico com ganchos na porta para pendurar as chaves.

Mais uma vez do lado de fora, o carro pega e lá vou eu.

Ao chegar à estrada junto à fazenda, nada de latidos ou tiros quando abaixo os vidros do carro. Não querendo me arriscar em mais uma invasão, eu digo a mim mesmo que esta foi bem-sucedida, pelo menos pelas próximas horas, quando sr. e sra. Pomar de Cerejas acordarem e descobrirem que o Camry 2002 desapareceu.

Normalmente, há uma fila na ponte antes de chegar a sua vez de encarar o agente alfandegário em sua cabine, entregar seu passaporte, suportar o olhar escrutinador que faz com que você se sinta como se tivesse costurado pacotes de heroína nos bancos do carro, em vez de apenas tentar passar com uma ou duas garrafas na mala. Conto com essa demora para organizar minha história, ensaiar respostas às perguntas mais prováveis.

"Este carro não é seu, senhor."

Trabalho no pomar de cerejas. Eles me mandaram fazer umas compras antes de começar o serviço.

"Umas compras nos Estados Unidos?"

Sim.

"E do que se trata?"

De escadas. Para colher as cerejas.

"Não há escadas no Canadá?"

Claro que sim! Só não são boas como as escadas americanas.

Nem me incomodo em rezar desta vez.

Quando chego lá, não há fila. Baixo a janela para olhar para o cinquentão com a pele enrugada de fumante. Além do ar desconfiado, ele parece profundamente infeliz.

"Cidadania?"

"Americana. E canadense. É dupla."

"Ah é?" Ele pisca. "O que aconteceu com seu polegar?"

Ele se pendura na janela da cabine, interessado na minha mão enfaixada.

"Cortei o desgraçado fora", respondo.

"Como você conseguiu isso?"
"Colhendo cerejas."
Ele faz um aceno com a cabeça, imediatamente entediado de novo. Como se ele tivesse essa mesma conversa uma dezena de vezes todas as noites.
"Cuide-se agora", diz com tristeza, fechando a janela por causa do frio.

Evito a I-90, tomando em vez disso as estradas estaduais que levam até Nova York. Abandono o Toyota atrás de um Pizza Hut na cidade de Batavia. Uma revenda de carros usados acaba de abrir, e eu entro com meu disfarce — óculos escuros e boné, a gola do blusão Goodyear de pé — e uso o cartão de crédito para levar o Charger em exposição no gramado. Dez minutos depois estou jogando um mapa do estado no banco de trás e acelerando em direção à I-90, depois de concluir que me perder no labirinto das estradas secundárias é mais provável que ser parado no caminho mais direto para Manhattan.

A má notícia vem em um posto nos arredores da cidade de Schenectady, onde paro para dar uma busca pelo meu nome no Google, usando o celular.

O primeiro resultado dispara o alarme em minhas entranhas: "Professor de Columbia é considerado possível suspeito em assassinatos macabros." Penso em abrir a história, mas chego à conclusão de que eu a conheço melhor do que ninguém.

Desço do Charger e caminho.

Revendas de carros estão fora de cogitação, já que meu Visa vai apitar no momento que chegar ao terminal de autorização. A saída é andar até a área residencial mais próxima e abrir a porta da primeira casa que encontrar sem nem olhar pela janela para saber se há alguém. As chaves estão bem em cima da mesa de jantar. Uma descarga no porão me mostra que eu tenho um segundo, talvez dois.

É só disso que eu preciso.

Menos de noventa minutos depois estou próximo o suficiente de Nova York para abandonar este carro também e embarcar em um trem da Linha Hudson até a cidade. Junto-me aos demais ternos e sobretudos que buscam seus assentos e se escondem atrás do *Times* ou de seus smartphones, sacudindo-se até seus cubículos e guichês de trabalho.

Mantenho a gola levantada e a aba do boné abaixada. Olho pela janela, de modo que os únicos a verem meu rosto sejam os pedestres pelos quais o trem passa rapidamente.

A cada quilômetro estou mais perto de você, Tess.

E, com um frio perturbador que me controla como um vírus, mais perto daquele que a mantém presa, também.

O DEMONOLOGISTA
ANDREW PYPER

CAPITULUM 24

Grand Central às cinco da tarde, no meio do rush, e estou me espremendo pelos túneis quentes, em um sólido congestionamento de humanidade, metade de nós em busca de táxis que, quando chegamos à rua ofuscada pelo Sol, não estão lá. Uma dupla de policiais nas portas da estação mantêm-se à sombra do toldo de metal, examinando quem passa em uma performance ritual de vigilância. Esta tarde, será que suas prioridades incluem um alerta para um tal David Ullman, visto pela última vez usando um ridículo guarda-roupa da 7-Eleven e sem o polegar da mão direita? Nesse caso, esses caras fazem um péssimo serviço. Eles me pegam olhando para eles e dão em troca aquele breve olhar *vá andando, chapa* dos tiras de Nova York, depois murmuram uma piada suja entre eles, olhos alertas para terroristas e minissaias.

Mesmo assim, duvido que eu tenha muito tempo para continuar despercebido. Agora, cada minuto em que eu me esquivo pelo concreto em direção ao Banco Chase na 48th Street sem que alguém grite "Eu vi esse cara no noticiário!"

ou sem ser derrubado por homens com coletes do FBI pulando de utilitários pretos é um minuto com o qual não posso contar. E em vez de ficar à sombra dos prédios, estou pulando do meio-fio a cada quarteirão, acenando por um táxi, me expondo a cada carro de polícia que passa. Finalmente chego à conclusão de que o perigo de tentar chamar um táxi é maior que o de apenas andar direto até o banco, mantendo-me camuflado, da melhor maneira possível, entre os grupos de turistas vestidos como eu. O calor me cozinha dentro da jaqueta de náilon, mas eu continuo com ela, temendo ficar exposto se não tiver mais a gola levantada para esconder meu queixo.

Ao entrar no banco, reparo em todas as câmeras em suas redomas negras, em todos os seguranças com microfones. E aí, no balcão de Atendimento ao Cliente, mais preocupações quando tenho de dar meu nome e pedir para retirar o que está no meu cofre. A vice-gerente surge para me cumprimentar (um excruciante teatrinho de relações-públicas) e sugere que eu me "refresque" um pouco. Mas quando ela volta para seu escritório no fim do salão, será que ela olha para mim e para o caixa que me conduz à caixa-forte? Quando ela se detém para falar com um cara em uma mesa, será que ela olha para mim por coincidência ou para dar instruções?

De qualquer modo, agora não é possível recuar. Já são quase seis da tarde. *Menos de uma hora para — para o quê?* Tento não pensar nisso, apenas dar o próximo passo. E, neste momento, trata-se de pegar o conteúdo daquele cofre.

O funcionário me traz a enorme caixa e fecha a porta, para me dar privacidade, deixando-me tirar a pasta. Verifico cuidadosamente para confirmar que o laptop e a câmera digital ainda estão ali. Dois equipamentos que uma dúzia de lojas de eletrônicos a duas quadras de onde estou venderiam por uns dois mil dólares, no total. Antes com arquivos de não muito valor, como alguns trabalhos de fim de período de estudantes e um vídeo de Tess dançando de tutu no recital de balé da primavera. Agora contendo uma nova história para o mundo.

Fecho a pasta e saio com um brevíssimo aceno para o caixa. Mantenho meus olhos nas portas que se abrem para a rua que brilha com o calor. Se eu não olhar para nada além das portas, não serei parado.

E não sou. Ainda não.

Um táxi encosta no meio-fio bem em frente ao banco, e entro no banco de trás pela porta que dá para a rua antes mesmo que o outro passageiro acabe de pagar. Deslizo no banco de modo que apenas meu boné fique visível para os carros em volta. Meus olhos pregados nos meus pés, para evitar o motorista pelo retrovisor.

"Grand Central", eu lhe digo quando entramos no fluxo do trânsito. Eu me dou conta de que a última vez que dei esse endereço a um taxista acabei no edifício Dakota.

Mas não desta vez. Não vamos a lugar algum. Presos no engarrafamento, o tráfego da 5th Avenue um estreito estacionamento de sedãs, táxis amarelos e vans.

"Tente outro caminho", digo ao motorista.

"*Que* outro caminho?"

Passo uma nota de cinquenta pela janelinha interna para pagar a corrida de nove dólares. Saio e me enfileiro pelos para-choques dos carros até a calçada. Depois de olhar para os dois lados e não ver nenhum policial, saio correndo.

Uma corrida arfante ao longo da 46th Street até a Park Avenue. As pessoas na calçada levantam o olhar enquanto falam em seus celulares no exato momento de sair do meu caminho. Alguns levemente divertidos ("Ho-ho!") ou vagamente impressionados no estilo nova-iorquino de já-vi-de-tudo ("Filho da *puta!*"), outros se assustam e expressam sua raiva ("Vem cá, babaca!"). Mas ninguém tenta parar um louco furioso de quase noventa quilos e barba por fazer.

Viro a esquina sem desacelerar, e uma enfermeira grita quando eu quase a derrubo junto com o homem na cadeira de rodas que ela empurrava. Ao passar por ele, seus olhos parecem se acender, como se ele tivesse passado todo o dia esperando para me ver, com o olhar ensandecido e balançando os braços.

Só reduzo quando chego às portas da estação. E somente lá dentro é que me dou conta de que deixei a carteira no táxi. Cartões de crédito, identidade, o último dólar que tinha. E é tarde demais para voltar e ver se o táxi ainda está lá. Não que isso importe. Que utilidade têm essas coisas agora? Estou prestes a entrar em um lugar diferente. Um lugar onde o dinheiro não tem qualquer serventia. Onde mesmo o meu nome não significa nada.

Desço a rampa de pedra até o saguão principal, junto com todos aqueles que buscam o portão de seus trens ou uma foto de si próprios com a imensa bandeira americana que pende do teto ao fundo. Ninguém está ciente de que, em algum lugar entre eles, um espírito antigo habita a pele de um morto. E que um homem vivo viajou onze mil quilômetros para encontrá-lo.

Fico parado quase no centro do saguão, olhando em volta, começando por examinar os bares e restaurantes do mezanino para ver se Belial está à minha espera no parapeito. *Mas o que estou procurando? Que forma ele terá escolhido assumir?* Eu me mantenho alerta para uma reprise. Will Junger.

Toby. Uma das irmãs Reyes. Boneca de Pano. Mas ninguém familiar se apresenta, tanto entre os vivos como entre o resto.

Em meio a uma súbita náusea, vem o pensamento de que *eu estou errado.*

As "pistas" nunca foram pistas, a "trilha" apenas uma peregrinação que eu mesmo inventei. O demônio, se é que um dia existiu, apenas se deleitou em me ver dando voltas em dois países. Um homem perdido em todos os sentidos da palavra.

O que significaria que Tess também está perdida.

Logo virão os policiais. E vão me encontrar aqui. Chorando em meio à multidão no térreo do terminal, amaldiçoando as estrelas pintadas no teto e o cruel arquiteto que as aparafusou no céu, convidando aqueles na Terra a buscarem padrões que nunca existiram.

*Então, adeus esperança, e com a esperança, adeus medo.*¹

Ele está de pé junto ao relógio dourado, no mesmo lugar onde O'Brien ficava quando nos encontrávamos. Olhando-me com uma expressão de satisfação da qual ele parecia incapaz quando estava vivo.

Meu pai. A última piada de Belial.

Eu me aproximo e sinto o triunfo maligno que irradia dele, um ar imundo que entra em meus pulmões sem sabor, mas repugnante mesmo assim. Mas o arranjo de seu rosto permanece igual. Uma máscara de prazer paternal ao rever seu filho depois de uma longa separação. A volta do pródigo.

"Você não imagina o quanto esperei por alguém como você", diz meu pai em sua própria voz, mas a entonação, tristemente monótona, pertence ao demônio. "Outros chegaram perto, mas não tiveram força para aguentar. Mas você, David, é um homem de uma disciplina incomum. Um verdadeiro discípulo."

"Não sou seu discípulo", afirmo, em uma voz que mal se escuta.

"Você não respondeu ao chamado? Você não testemunhou milagres?" Ele olha diretamente para a pasta que carrego. "Não está você de posse de um novo evangelho?"

Fico imóvel. É a luta contra o desmaio. Pontos de sombra pululam em torno da cabeça do meu pai. Uma Coroa Negra.

"Entregue para mim", ele diz.

Inconscientemente, dou um passo atrás para me afastar de sua mão, agora esticada.

"Pensei que você queria que eu o tornasse público", afirmo. "Que eu falasse por você."

"Você *vai* falar por mim! Mas o documento vai preceder você. E aí, na hora certa, você vai contar sua história. Você vai personalizar o documento, oferecer às pessoas um caminho para aceitá-lo."

---

1 Livro IV. No original: "So farewell hope, and with hope farewell fear".

"A polícia está atrás de mim. E há outros."

"Submeta-se a mim, David, e eu protegerei você."

"Submeter-me? Como?"

"*Deixe-me entrar.*"

Meu pai dá um meio passo à frente, mas que de alguma maneira compensa o meu recuo, então agora ele é tudo o que eu vejo, tudo o que eu ouço.

"A forma de apresentação de nossa história é tão importante quanto o que ela expressa", ele diz. "O narrador precisa ter uma história própria extremamente cativante, e não há nada que cative mais que o autossacrifício. Milton também foi preso. Sócrates, Lutero, Oscar Wilde. E, claro, ninguém menos que o próprio Cristo compreendeu que transmitir sua mensagem acorrentado torna a mensagem mais fácil de ser ouvida."

"Você quer que eu seja um mártir."

"Esta é a maneira pela qual vamos ganhar nossa guerra, David. Não a partir de uma posição de domínio, mas de resistência! Vamos conquistar os corações de homens e mulheres, mostrando a eles como Deus reprimiu desde o início sua busca pelo conhecimento. O fruto proibido."

"*Por isso vou incitar suas mentes/ Com mais desejo de saber, e de rejeitar/ Ordens invejosas.*"[2]

"Sim! Você vai alimentar o desejo dos homens de saber a verdade daqueles da minha classe, nossa queda injusta, a crueldade de Deus e a emancipação que Satã nos oferece. Igualdade. Não é esta a causa mais nobre? Democracia! É isso que eu trago. Não uma praga, não o sofrimento arbitrário. Verdade!"

Meu pai sorri para mim com um entusiasmo tão estranho aos músculos de seu rosto que suas bochechas começam a tremer.

"*Coragem para nunca se submeter ou se render.*"

"Certamente!", ele diz. "A promessa de Nosso Senhor Satã."

---

2   Livro IV. No original: "Hence I will excite their minds/
    With more desire to know, and to reject/ Envious commands".

"Mas você está se esquecendo dos versos precedentes. *Nem tudo está perdido — a vontade indomável,/ E desejo de vingança, ódio imortal.*"[3]

"Como eu havia lhe dito", fala a voz do meu pai, ainda que agora sem o humor vazio de alguns instantes atrás. "John foi obrigado a disfarçar suas verdadeiras simpatias."

"Não há disfarce. Vingança. Ódio. Estas são suas únicas motivações. *Todo bem para mim está perdido;/ Mal, sejas tu o meu Bem.*"[4]

"Um jogo de palavras."

"Isso é o que você faz! Virar as palavras do avesso. Você não pode deixá-las representarem o que você sente porque você não sente nada. Bem pelo mal, mal pelo bem. É uma distinção que está além da sua compreensão."

"David..."

"Belial. *Sem valor.* A maior mentira que você conta é a de que você é uma criatura compassiva para com a humanidade. É por isso que quem entrega o documento é tão importante quanto o próprio documento."

Meu pai se aproxima ainda mais. A força e o tamanho de sua figura tão evidentes para mim agora como quando eu era criança. Mas não posso parar de dizer as palavras que digo a ele. Convicções que assumo enquanto elas passam por meus lábios.

"Todo esse tempo achei que havia sido escolhido por minha especialização. Mas isso era apenas fachada. Você me escolheu porque minha história é a de um homem que ama sua filha. E a sua é uma história de nada. Nada de filhos. Nada de amor. Nada de amigos. Em todas as maneiras que realmente importam, *você não existe.*"

"Tenha *cuidado.*"

---

[3] Livro I. O trecho no original, na ordem correta, é: "All is not lost th' unconquerable will,/ And study of revenge, immortal hate,/ And courage never to submit or yield".

[4] Livro IV. No original: "All good to me is lost;/ Evil be thou my Good".

"Por quê? Você não pode me devolver Tess. Isso foi uma mentira desde o início. Eu descobri seu nome, trouxe o documento até aqui antes da Lua nova. Nada disso importa."

"David..."

"Você tem o poder de destruir, mas não de criar, de unir. Não importa onde ela está agora, você não pode trazê-la de volta."

"Como você pode estar certo disso?"

"Porque estou aqui por outra razão que não é ajudar você."

"É mesmo?", ele diz, subitamente seguro de si de novo, sabendo agora que venceu. "Então me *conte*."

Não posso responder. Olho à minha volta, vejo a agitação do terminal. Escuto, como se fosse a primeira vez, não sua cacofonia, mas um coro de vozes humanas. Quem dentre essas pessoas sentiria minha falta se essa serpente fosse bem-sucedida? O que significaria o fim sem Tess? Sem ela, eu também não tenho valor.

Mas, mesmo que eu esteja sozinho, essas pessoas que passam por mim não estão. A jovem mãe que empurra um carrinho de bebê com uma das mãos e, com a outra, leva uma criança que cantarola o alfabeto. Um casal de idade em um beijo de despedida, os dedos tortos do homem no rosto da mulher. Duas mulheres de burca passam por uma dupla de judeus hassídicos, a corrente da multidão se junta a eles por um momento como se em um encontro secreto dos devotos todos-de-preto da cidade. Um homem caminha de salto alto e vestido de festa vermelho, sua peruca estilo Marilyn precisando ser arrumada.

Estranhos absortos em suas tarefas, cruzando o terminal. Mas vê-los apenas dessa forma seria assumir o ponto de vista do demônio. Apagar seus nomes, seus próprios motivos para o sacrifício.

"Isso não é seu", afirmo, agarrando a alça da pasta com ambas as mãos.

"Sua filha..."

"Eu não vou..."

"*Sua filha está sentindo* DOR!"

Um guincho ensurdecedor. Seu eco despedaçando as paredes de pedra do saguão principal. Mas ninguém à nossa volta parece ouvir. Assim como ninguém ouve o que ele grita a seguir.

"*Ela está* QUEIMANDO, *David!*"

Dou um passo para mais perto do rosto de meu pai morto. Encaro a presença dentro dele através de seus olhos.

"Se Tess está no inferno, diga-lhe que em breve estarei lá também."

Ele está prestes a responder com um tipo imprevisível de força. A prontidão da violência. Ombros erguidos, dedos espalmados, como garras. Mas alguma coisa além da minha provocação o detém. Sua cabeça se vira como se alertada por um grito.

Dou um passo para trás, e meu pai me vê recuar. Seu ódio puro como a necessidade, como um animal faminto devorando suas crias.

Eu me viro, e o uivo de Belial me segue. Opressivo, metálico. Ouvido apenas por mim.

Se eu continuar olhando para ele, estarei perdido. Não porque ele vai me caçar, mas porque eu irei até ele. Posso sentir isso como um peso maior que o da pasta que esbarra em minhas pernas, seu conteúdo repentinamente sólido como uma placa de granito.

Então caminho. De costas para meu pai, sentindo-me envolto pela dor sufocante que pertence parte a ele, parte à coisa dentro dele.

Estou quase chegando às escadas rolantes quando vejo a polícia. Dois pares de uniformes emergindo do túnel que conduz ao Oyster Bar. E então, um segundo depois, descendo as escadas do outro lado do saguão, três homens de terno que murmuram entre si, dando instruções de deslocamento. Homens que estão aqui atrás de mim.

Nenhum deles parece já ter me visto. O que significa que eu tenho de me mexer.

Mas não consigo deixar o lugar onde estou. Congelado pelo grito atormentado de Belial. Sua superfície o som do caos. Mas, debaixo dela, sua voz viva dentro da minha cabeça.
Venha, David.
Soando mais paternal do que meu pai jamais soou. Mais falsamente gentil, falsamente amorosa.
Venha para mim.
Não há mais escolha, não há mais recusa. Estou me virando para voltar para o meu pai, ainda de pé sob o relógio dourado, quando vejo uma mulher que se parece com alguém que eu conheço. Alguém que eu conheci.

São apenas suas costas. Apenas um vislumbre. Mas no segundo seguinte consigo ver que é O'Brien. Não a mulher com a postura frágil e curvada de O'Brien em seu fim, mas a garota alta e atlética de Connecticut que nunca deixou de ser, em sua maneira inteligente, provocadora, classe A, a garota alta e atlética de Connecticut.

Ela não olha na minha direção. Apenas vai para os guichês, de costas para mim. Atravessando as correntes de viajantes em um sobretudo cinza, sua marcha em linha reta e acelerada.

Parto atrás dela. O que transforma o guincho de Belial em um uivo estrondoso. A mulher que se parece com O'Brien compra uma passagem e volta para o meio da multidão, dirigindo-se aos portões. Isso me obriga a mudar de rumo para segui-la, atravessando a linha de visão dos policiais uniformizados, que agora dão pulos para perscrutar as cabeças que passam à frente deles em ondas. Não procuro me esconder, por achar que agachar e sair correndo representa um risco maior de chamar a atenção que uma agitação do tipo "estou atrasado para uma reunião". Tento não perder a mulher de cabelos escuros de vista.

À medida que me aproximo, o lamento de Belial subitamente se eleva em várias oitavas antes de se partir em dois, jogando parte de seu ruído para um registro abaixo do de uma trovoada, um contrabaixo nauseante. Tão estrondoso que parece querer derrubar as estrelas do teto em cima de nós. Por reflexo, olho para cima.

E quando volto a olhar para a multidão, O'Brien sumiu.

Pelo menos não está onde estava há um segundo. Mas quase imediatamente eu a vejo de novo, a cerca de dez metros à esquerda de onde estava. *Como ela pôde vencer essa distância em um, no máximo dois segundos?* Não há tempo para calcular como isso é possível. Já estou seguindo-a de novo, empurrando pessoas e murmurando *Desculpe-me* à medida que ela, de alguma forma, abre caminho por entre esses mesmos corpos sem tocá-los.

Quando eu a alcanço, só me ocorre tarde demais que eu não deveria pôr a mão em seu ombro.

O cheiro animal de celeiro. O bolor da palha molhada.

Ela se vira. Quero dizer, sua cabeça faz uma rotação sobre seu pescoço, mas todo o resto dela parece congelado, uma estátua de cera que ganhou vida parcialmente.

É como se seu rosto fosse naturalmente capaz de olhar para trás, e ela apenas tivesse afastado os cabelos para me mostrar seus olhos enormes, os ossos salientes das maçãs do rosto e do queixo, os dentes enegrecidos.

"Vamos, professor?", pergunta a Mulher Magra.

Começo a me afastar dela, mas me dou conta de que ela está segurando meu braço. Um contato tão gelado como o de uma algema. Cada vez que puxo o braço, uma labareda de dor no cotovelo e no ombro deixa claro que os ossos estão se separando, que os ligamentos estão sendo esticados ao máximo.

"*Eles, de mãos dadas e passos lentos e hesitantes,*" recita a Mulher Magra, a voz calma enquanto ela me puxa de volta para o relógio dourado onde Belial aguarda. "*Através do Éden seu caminho solitário tomaram.*"

Eu me movo sem dar um passo, como se dançasse com os pés em cima dos de minha parceira. Sobre seu ombro, em um espaço vazio no meio da multidão, vejo meu pai esperando por mim. Seus gritos angustiantes agora se transformando

em outra coisa. Mil crianças rindo com o espetáculo da dor da vítima escolhida.
Tento pensar em uma oração. Um nome sagrado. Um trecho da Bíblia. Mas nenhuma palavra sente que pode ser pronunciada e objeto de fé ao mesmo tempo. Nenhuma, a não ser o nome dela.
Tess.
Primeiro é apenas um pensamento. Então eu digo. Um murmúrio que mesmo eu mal posso ouvir. Mas faz a Mulher Magra parar, reduz seu progresso flutuante. Permite que eu libere meu braço com minha mão livre, enquanto chuto as pernas dela.
Algo estala na base do meu pescoço. *É a clavícula*, alguém diz, e então percebo que fui eu mesmo. Logo vem a dor, duplicada e violenta.
Mas estou livre.
Recupero minha firmeza no piso de mármore e recuo, a Mulher Magra parecendo surpresa por um instante antes que seu meio sorriso sem vida retorne. Ela olha para o relógio acima de Belial. O ponteiro dos minutos encostando no dez.
Dois minutos até 18h51. Até a Lua nova. Até que ela pertença a ele.
Venha, meu pai propõe de novo. *Está na hora, David.*
Dou as costas para os dois e vejo a outra O'Brien, sumindo no caminho em direção ao Portão Quatro. Minha caminhada se transforma em corrida. E, com isso, Belial retoma seu guincho. Mais alto que antes.
Se conseguir chegar ao portão, estarei fora de vista. Nada importa, a não ser me aproximar dela. Porque, a cada passo que se interpõe entre meu pai e eu — e a cada passo com que me aproximo do portão — o uivo do demônio diminui. Perdendo seu domínio, como se o estivesse cedendo a outrem.
Silêncio.
Instantâneo e total. Chego à plataforma, com as outras pessoas terminando suas chamadas e jogando latas de refrigerante no lixo antes de embarcarem e buscarem um bom

lugar. E consigo ouvir novamente o mundo dos vivos. Seus sapatos no chão, seus *Logo estarei em casa.*

Ela não está aqui. A mulher que achei que era O'Brien — mas que não era, que *não poderia* ser — sumiu. Alguém parecido, na minha imaginação. Uma lembrança evocada de como ela era quando nos encontrávamos aqui para os nossos não encontros.

Por mais que a ilusão tenha sido útil, agora já não adianta mais. Não há retorno. Se tenho uma chance de escapar, não é aqui na estação, mas no trem. Só que eu não tenho um bilhete — nem posso *comprar* um —, o que significa que eles vão me colocar para fora na primeira parada, ou chamar os seguranças. Ainda assim, estarei fora daqui. Longe, ainda que por alguns minutos, da polícia. Daquela coisa que, posso sentir, ainda está esperando por mim embaixo do relógio.

Uma mão em meu ombro. Firme e segura.

"Adorei o modelito, professor."

Giro e a vejo a centímetros de mim. Parecendo saudável e repousada. Mais que isso. Divertida.

"Elaine. Jesus *Cristo.*"

"Hein? Ele *também* está aqui?"

Quero abraçá-la, mas subitamente uma onda fria se abate sobre mim e quase me derruba.

"Por favor. Não me diga que você..."

"Não se preocupe", ela responde, beliscando a pele de seu rosto. "Não há ninguém aqui além de mim."

"Mas você *não pode* estar aqui."

"Eu tenho uma refutação conclusiva para isso." Ela fica perto o bastante para que eu possa sentir o perfume em seu pescoço. "Eu *obviamente* estou aqui."

"Você está...?"

"Eles não lhe dão asas, ou uma auréola ou coisa parecida. Mas sim, tanto quanto posso perceber. Eu diria que sim."

Centenas de perguntas disputam a atenção em minha mente, e O'Brien lê todas elas, rejeitando-as com um aceno de cabeça.

"Desça na estação Manitou", ela diz, entregando-me o bilhete que comprara. "Haverá um Lincoln branco no estacionamento, e as chaves estarão embaixo do pneu dianteiro esquerdo."
"O documento. Preciso colocá-lo em um lugar seguro. Ou destruí-lo."
"Essa escolha é sua."
"Eles ainda vão me pegar."
"*Intriga Internacional*."
"Não entendo..."
"Você é Cary Grant, lembra? Um homem bom pego em um negócio ruim. Troca de identidade. A polícia já conhecia o Perseguidor, pelas coisas que ele fez. Você? Você é um professor universitário que não tem nem uma multa por excesso de velocidade. Você se defendeu da única maneira que conhecia."
"Isso vai funcionar?"
"Falta de provas. Funciona para os culpados com bastante frequência. É preciso supor que as chances são ainda melhores para os inocentes."
Ela segura meu rosto entre suas mãos.
"Você agiu muito bem", diz. "Não apenas depois de Veneza. Toda a sua vida. Eu sabia disso, imagino, mas agora posso *ver*. Você lutou desde que era criança."
"Lutei pelo quê?"
"Para fazer as coisas difíceis que a maioria de nós finge que são fáceis. Para ser bom. Você sempre se manteve firme. Você foi testado e você *passou*, David."
Não há tempo para um abraço, posso ver isso em seu sorriso vacilante. Mas ela me abraça mesmo assim. Uma força que serpenteia através de mim, aliviando o peso da pasta em minhas mãos.
"Você tem de subir neste trem", diz, soltando-me bruscamente. "*Este* trem. Agora."
"Eu..."
"Sim, sim. Eu *sei*."

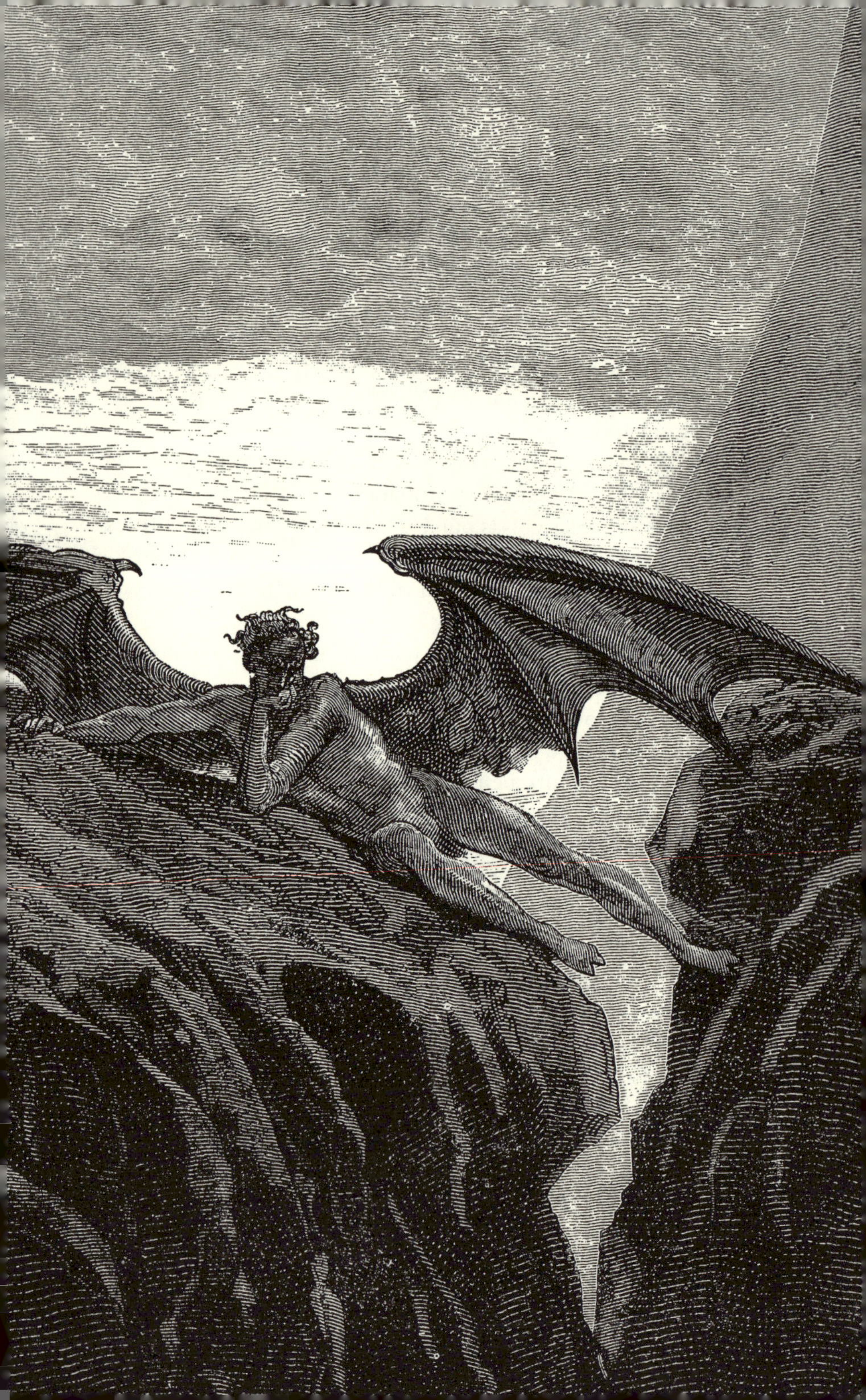

Faço o que ela manda. Entro pela primeira porta, que se fecha atrás de mim. O trem já começa a andar.

O vagão em que entrei está cheio, então caminho pelo corredor me curvando para espiar a plataforma, mas O'Brien não está mais lá. Junto ao acesso, um policial vê o trem partindo e o segue com seu faro, como se tentando detectar o traço de alguma pista no ar rançoso da plataforma.

Não tenho nada a fazer, senão procurar um lugar para sentar. Vou para o vagão seguinte, que tem apenas um quarto dos assentos ocupado. Olho para as fileiras de bancos, a parte de trás das cabeças, tentando julgar que lugar tem menos possibilidades de atrair um passageiro tagarela para sentar ao meu lado.

Engasgo com o ar na minha garganta.

No meio do vagão, sentada sozinha junto à janela, olhando a escuridão do túnel que atravessamos. Uma trança dourada, da cor do vinho Riesling, visível entre as duas poltronas.

Demoro o que parece um longo tempo para sentar ao lado dela. Por um tempo mais longo ainda, nenhum de nós se move. O cheiro familiar de laranja de sua pele, agora misturado a leves traços de palha molhada, de animais mantidos em um cercado sujo.

Pela sua imobilidade, poderia estar dormindo. Mas o reflexo na janela mostra os olhos abertos de Tess. Mirando nós dois. Fantasmas pálidos no vidro. O hálito de sua voz jogando uma névoa sobre nós.

"Papai?"

"Sim."

"Se eu me virar, você ainda vai estar aqui?"

"Estou aqui se você estiver."

O trem acelera por dentro da terra, sob uma ilha de milhões. Logo sairemos do outro lado do rio.

Ela se volta e eu vejo que é ela.

É ela, e eu acredito.

FINIS

Joannis Miltoni
Effigies Ætat: 62.
-1670-

JOHN MILTON.

POSFÁCIO

JOHN MILTON (1608-1674) é considerado um dos maiores escritores ingleses, não só de seu tempo, o século XVII, mas de toda a história da poesia anglo-saxã. *Paraíso Perdido*, sua obra-prima, debruça-se sobre uma das mais caras e conhecidas histórias da civilização ocidental: a expulsão de Adão e Eva do Jardim do Éden, tentados pelo anjo caído Lúcifer. O propósito de Milton, declarado por ele no Livro I, é justificar os caminhos escolhidos por Deus para com os homens. Ele faz isso, porém, não de uma maneira a reverberar e reafirmar acriticamente a lógica cristã católica. Insere e reconta a clássica história da origem do Homem e da Terra sob uma ótica protestante, crítica à monarquia dos Stuart que então reinavam sobre a Inglaterra, à idolatria dominante nos países católicos e à Guerra Civil Inglesa, e que procura colocar a relação entre Adão e Eva em uma perspectiva de igualdade, e não de dominação misógina e paternalista. Além disso, Deus pode ser interpretado como alguém tão mal e perverso como Lúcifer.

Poema épico em versos brancos – que possuem métrica, mas não rima (não confundir com verso livre) –, foi publicado inicialmente em 1667 em dez livros com mais de 10 mil linhas de versos. A segunda e definitiva edição apareceu em 1674, reorganizada em 12 livros, à maneira da *Eneida*, de Virgílio, aumentada e com pequenas revisões, e é a base para as edições usadas com mais frequência desde então – e também a versão para a conhecida tradução feita pelo médico, político, militar, professor e escritor português António José de Lima Leitão (1787-1856).

Seguindo a tradição épica, o poema começa a narrar a história a partir da metade – *in medias res*, como se diz em latim –, e os personagens, cenários e conflitos sendo introduzidos no decorrer, através de flashbacks ou de personagens que discorrem sobre eventos passados. Recurso utilizado também em outras obras clássicas – como a citada *Eneida*, de Virgílio, além de a *Ilíada*, de Homero –, obras renascentistas – como *Os Lusíadas*, de Luís de Camões –, sem falar em obras mais recentes – caso de *Coração das Trevas*, de Joseph Conrad –, chegando até ao cinema contemporâneo – como *Star Wars*, de George Lucas, *Os Bons Companheiros*, de Martin Scorcese, e *Pulp Fiction*, de Quentin Tarantino.

ENREDO

A história de Milton segue dois arcos narrativos, o primeiro sobre Lúcifer e o segundo sobre Adão e Eva. *Paraíso Perdido* começa com Lúcifer – o mais belo entre todos os arcanjos – e outros anjos rebeldes sendo derrotados e expulsos para o Inferno, ou Tártaro, como também é chamado no poema, depois de tentar tomar o controle do Paraíso. Em Pandemônio, Lúcifer se utiliza do dom da retórica para organizar seus seguidores, auxiliado por Mamon e Belzebu, bem como por Belial e Moloch. Ele então se oferece para envenenar a recém-criada Terra e sobretudo a nova e preferida criação de Deus, a Humanidade. Enfrenta os perigos do Abismo sozinho e, depois de uma árdua travessia do Caos fora do Inferno, adentra ao Jardim do Éden.

Esta Guerra Angélica, com batalhas entre anjos fiéis e as forças de Lúcifer, dura três dias e é narrada por diferentes perspectivas ao longo do poema. Por fim, na batalha decisiva, o Filho de Deus derrota sozinho toda a legião de anjos rebeldes e os expulsa do Paraíso. Em seguida, Deus cria o Mundo, além de Adão e Eva, a quem dá total liberdade e poder sob toda a criação, com apenas uma ordem explícita: não se alimentar da Árvore do conhecimento sobre o bem e o mal sob pena de morte.

A história da tentação de Adão e Eva, sob o ponto de vista de Milton, é um novo tipo de épico, fundamentalmente diferente da tradição bíblica. Aproxima-se muito mais de uma história familiar, com o casal descrito pela primeira vez na literatura cristã tendo uma relação completa e efetiva enquanto ainda vivem sem pecado, com paixões e personalidades distintas, em uma relação de mútua dependência e não uma relação de dominação e hierarquia.

Disfarçado em forma de serpente, Lúcifer seduz e convence Eva a experimentar da Árvore do conhecimento, aproveitando-se de sua vaidade e enganando-a com sua retórica. Ao descobrir que Eva havia pecado, Adão conscientemente faz o mesmo. Declara à sua amada que, uma vez que ela é feita de sua carne, eles estão ligados um ao outro e, se ela morrer, ele também deve seguir o mesmo caminho. Assim, Milton retrata Adão como uma figura heroica, mas igualmente pecadora como Eva, com consciência de que não está fazendo a coisa certa, segundo os princípios divinos.

Depois de experimentar da fruta do pecado, Adão e Eva fazem sexo de forma altamente lasciva e devassa. Em um primeiro momento, Adão se convence dos benefícios que poderão vir ao comer o fruto da Árvore do conhecimento, como também acreditava Eva. No entanto, ao adormecer ambos têm pesadelos terríveis e, ao acordar, experimentam pela primeira vez a culpa e a vergonha. Dando-se conta do terrível ato que cometeram contra Deus, começam a recriminar-se um ao outro.

Eva implora a Adão para que se reconciliem. Sua coragem faz com que eles se aproximem de Deus, para se "curvar e pedir a graça ajoelhados, em súplicas" e receber esta graça de Deus. O anjo Miguel apresenta-lhe uma visão onde Adão testemunha tudo o que acontecerá à humanidade até o Grande Dilúvio. Adão fica perturbado com o que vê e Miguel também lhe conta sobre a possibilidade de redenção da Humanidade do pecado original atráves do Messias.

Expulsos do Éden, e mais distantes de Deus, onipresente e invisível (e diferente do Pai tangível até então), Adão e Eva devem encontrar "um paraíso dentro de si, mais feliz agora", segundo o que lhes diz o anjo Miguel.

Embora muitos dos estudiosos e críticos de Milton e de sua obra-prima acreditem que Lúcifer se enquadra na genuína moralidade cristã, outros argumentam que a complexa caracterização de Lúcifer por Milton resulta em uma maior ambiguidade, comparável em muitas maneiras aos heróis trágicos da clássica literatura grega, embora sua *hubris*, seu orgulho excessivo e desafiador a Deus, os ultrapasse.

VIDA

John Milton nasceu em 1608, em Londres, no início de um século marcado pela revolução – na política, na imprensa, nas ciêncas e nas artes. Faleceu em 1674 na mesma cidade, aos 65 anos, depois de a Grã-Bretanha ter passado pelo governo monárquico comando por três herdeiros dos Stuart, o protetorado de Oliver Cromwell e um curto governo republicano.

Além de poeta, foi um intelectual, polemista e funcionário público inglês, apesar de sua defesa do republicanismo. Em meio a este período turbulento no qual viveu, o controle governamental sobre a imprensa variou consideravelmente, com a mais profunda isenção de censura entre 1640 e 1641, no início da Guerra Civil Inglesa, entre puritanos e anglicanos, bem como entre parlamentares e monarquistas. Mas o controle sobre a imprensa ocorreria no período entreguerras e, em parte devido a estas mudanças políticas, o mundo da escrita começa a apresentar uma extraordinária e profunda variedade de formas, de pequenos poemas escritos à mão em um único manuscrito a tratados impressos sobre os mais variados assuntos, de panfletos incendiários que custavam alguns centavos a fólios encadernados grossos e mais caros. Com o recrudescimento da censura, Milton escreve e publica em 1644 seu célebre *Areopagítica*, onde condena a censura prévia, e considerado uma das mais influentes e apaixonadas defesas da liberdade de expressão e de imprensa, fundamental para a primeira emenda da Constituição dos EUA, de 1789, que proíbe qualquer restrição à liberdade da imprensa *a priori*.

Nestes anos conturbados, Milton adiou suas aspirações poéticas e dedicou-se à prosa polêmica, teológica e histórica. Com a restauração da monarquia em 1660, retomou sua obra poética, já cego, e produziu suas grandes obras-primas, a começar com o épico *Paraíso Perdido*, imediatamente saudado como "um dos poemas mais sublimes que esta época e nação jamais produziram", segundo o poeta John Dryden.

EDIÇÃO DA OBRA

John Milton estava próximo dos 60 anos quando *Paraíso Perdido* foi publicado em 1667. Segundo afirma o estudioso de Milton, John Leonard, na introdução da edição inglesa da Penguin, "o escritor John Aubrey (1626-97) nos conta que o poema começou a ser escrito em torno de 1658 e foi finalizado por volta de 1663. Mas algumas partes provavelmente foram escritas antes, e suas raízes remetem à juventude de Milton". A Guerra Civil inglesa teria interrompido os esforços iniciais de Milton em começar o seu épico que englobasse todo o tempo e o espaço. De acordo com Leonard, o plano inicial do poeta não se direcionava a um épico bíblico, já que geralmente os épicos focavam nas glórias de reis e rainhas, envolvendo deuses pagãos. A princípio, Milton imaginou a sua história baseada em algum rei lendário, britânico ou pagão, nos moldes da lenda do rei Artur.

John Milton ficou completamente cego em 1652 e *Paraíso Perdido* foi inteiramente ditado para seus ajudantes, amigos, e até mesmo filhas, como nos faz crer o pintor Eugène Delacroix, em seu quadro *Milton Dita o Paraíso Perdido a suas Três Filhas*, de 1826. O poema foi concebido enquanto o poeta encontrava-se frequentemente doente, sofrendo de gota, e de luto pela perda de sua segunda mulher, Katherine Woodcock, em 1658, e de sua filha mais nova.

A edição definitiva surge em 1674, com pequenas mas decisivas alterações, além da reorganização em 12 livros, ao modo da *Eneida*, de Vírgilio. Esta edição que se consagraria é utilizada até hoje para o estudo e novas edições do clássico. O ano é o mesmo da morte de Milton.

INSPIRAÇÃO E INFLUÊNCIA

Obra de reconhecimento instantâneo, *Paraíso Perdido* tornou-se um livro imprescindível em sua época e segue assim até hoje. Alguns dos seus mais notáveis ilustradores foram William Blake, Gustave Doré, Henry Fuseli, John Martin, Edward Burney, Richard Westall, Francis Hayman, entre tantos outros. O livro inspirou outros trabalhos visuais, como os quadros de caráter biográfico produzidos por Eugène Delacroix nos anos 1820 e as gravuras coloridas produzidas por Salvador Dalí em 1974.

Na literatura, muita da poesia mística de Blake é uma resposta direta ou mesmo a reescrita de *Paraíso Perdido*. Mary Shelley incluiu uma citação do livro X na abertura de *Frankenstein* (1818) e o clássico de Milton é um dos três livros que a criatura encontra e influencia seu desenvolvimento psicológico. Seu marido, Percy Bysshe Shelley, também construiu seu Prometeu como uma tentativa de aprimorar o Lúcifer de Milton. A influência chega até os nossos dias pelas mãos de *Sandman, graphic novel* de Neil Gaiman, onde Lúcifer é um personagem e cita o poema. Sem falar as inúmeras bandas de metal e seus derivados que abusam das menções. E ainda há os filmes, peças de teatro, obras de arte e, mais recentemente, séries de TV e o universo dos games. Algo que só uma verdadeira e poderosa obra de arte poderia alcançar, onde uma ideia carrega tal força que fica difícil de ser desassociada dela, a saber: A mente não deve e não pode ser modificada pelo tempo e pelo lugar.

A mente é onde eles habitam, e nela
Podemos fazer do inferno um paraíso, do paraíso um inferno.

Bruno Dorigatti, 2015

Agradecimentos
Milhares de obrigados a Sarah Knight, Marysue Rucci, Kate Mills, Jemima Forrester, Kevin Hanson, Alison Clarke, Amy Cormier, Dominick Montalto, Jonathan Evans, Jackie Seow, Molly Lindley, Esther Paradelo, Chris Herschdorfer, Jackie Levine, Anne McDermid, Monica Pacheco, Martha Magor, Chris Bucci, Stephanie Cabot, Peter Robinson, Sally Riley, Liv Stones, Howard Sanders, Jason Richman, bem como a meu círculo de anjos: Heidi, Maude e Ford.

ANDREW PYPER (1968) é o premiado autor de seis romances, entre eles *Lost Girls* (1999), vencedor do Arthur Ellis Award, selecionado pelo *New York Times* como um dos livros do ano, e best-seller nas listas do *New York Times* e do *Times* (Inglaterra). Seu livro *The Killing Circle* (2008) foi eleito o melhor romance policial do ano pelo *New York Times*. Três romances de Pyper, incluindo *O Demonologista*, estão sendo adaptados para o cinema. Pyper mora em Toronto. Saiba mais em andrewpyper.com.

JOHN MILTON.

"Acrescente ao teu conhecimento ações louváveis, acrescente a fé, a virtude e a paciência, a temperança, acrescente o amor, chamado no futuro caridade, alma de tudo o mais; então não te lastimarás de deixar este Paraíso, pois que possuirás em ti mesmo um paraíso muito mais feliz."

CASUM ANGELORUM 2015